U0924749

百 年 南 开
日本研究文库

日本近现代农业政策研究

温娟 著

江苏人民出版社

图书在版编目(CIP)数据

日本近现代农业政策研究/温娟著. --南京:江苏人民出版社,2019.7(2020.4重印)
(百年南开日本研究文库)
ISBN 978-7-214-23338-7

Ⅰ. ①日… Ⅱ. ①温… Ⅲ. ①农业政策—研究—日本—近现代 Ⅳ. ①F331.39

中国版本图书馆CIP数据核字(2019)第061430号

书　　名	日本近现代农业政策研究
著　　者	温　娟
责任编辑	史雪莲
装帧设计	刘葶葶
责任监制	陈晓明
出版发行	江苏人民出版社
出版社地址	南京市湖南路1号A楼,邮编:210009
出版社网址	http://www.jspph.com
照　　排	江苏凤凰制版有限公司
印　　刷	江苏凤凰数码印务有限公司
开　　本	652毫米×960毫米　1/16
印　　张	20.25　插页4
字　　数	265千字
版　　次	2019年8月第1版　2020年4月第2次印刷
标准书号	ISBN 978-7-214-23338-7
定　　价	72.00元

本书系国家社会科学基金项目“日本近现代农业政策研究”(13BSS019)的成果

“百年南开日本研究文库”出版说明

2019年南开大学建校百年校庆，作为中国教育史上的大事，当然是值得纪念的。

如何使纪念百年南开的活动具有历史意义？我们很早就开始谋划和筹备。早在2015年春节期间，南开大学日本研究院原院长、教育部人文社会科学重点研究基地南开大学世界近现代史研究中心主任杨栋梁教授，向江苏人民出版社王保顶副总编提起，想以集体展示日本研究院研究成果的形式来纪念南开百年校庆。这一提议得到了保顶同志的大力支持，也得到了研究院各位同事的积极响应。后来经过商讨，编委会一致同意以“百年南开日本研究文库”作为南开日本研究者纪念百年校庆丛书的名称，本文库由江苏人民出版社和南开大学出版社分别出版。与百年校庆相适应，“百年南开日本研究文库”也应该是百年来南开日本研究业绩的展现。为此，编委会确定本文库由以下几个方面的成果构成。

第一，从南开大学创立到抗日战争胜利时期南开的日本研究成果。刘岳兵教授搜集相关文稿四十余万字，编成了《南开日本研究(1919—1945)》。这是一本专题性的南开大学校史资料集，对于研究和总结包括南开大学在内的这一时段中国日本研究的状况和特点，具有重要的史料价值。

第二,新中国建立以来,南开大学成立的实体日本研究机构研究者的成果。实体研究机构包括1964年成立的日本史研究室、2000年实体化的日本研究中心和2003年成立的日本研究院。

第三,1988年组建的南开大学日本研究中心,是以日本史研究室成员为核心,联合校内其他系所相关日本研究者成立的综合研究日本历史、经济、社会、文化、哲学、语言、文学的学术机构。在百年南开日本研究的历史发展中,日本研究中心具有重要的意义。本文库也包括该中心成员的成果。

今后,如果条件成熟,还可以将日本研究院的客座教授和毕业生的优秀成果也纳入这个文库中,希望将本文库建设成为一个开放的、能够充分且全面反映南开日本研究水平的成果展示平台。

在中国百年来的日本研究中,南开占有重要的一席之地。历史的发展和南开的先贤告示我们:日本研究对于中国的发展至关重要。中日关系值得我们认真思考,其经验教训值得认真总结。百年来,南开大学的日本研究者孜孜以求,探寻日本及中日关系的真相,取得了一定的成绩。吴廷璆先生主编的《日本史》(南开大学出版社1994年),是南开大学与辽宁大学两校日本研究者倾注近20年心血合力打造出来的。杨栋梁教授主编的十卷本"日本现代化历程研究丛书"(世界知识出版社2010年)及六卷本《近代以来日本的中国观》(江苏人民出版社2012年),也几乎是倾日本研究院全院之力而得到了学界认可的标志性研究成果。另外,在日本国际交流基金的资助下,南开大学日本研究中心从1995年开始由天津人民出版社出版的"南开日本研究丛书",展现了中心成员在日本研究各具体专题上的业绩,产生了积极的社会影响。这些成果都是南开日本研究者集体智慧的结晶。

"百年南开日本研究文库"是南开大学日本研究院和南开大学世界近现代史研究中心相关学术成果的集体展示。我们相信,本文库将成为南开大学日本研究和南开大学世界史学科“双一流”建设的又一项标志性成果，她将承载南开精神、贯穿南开日本研究学脉，承前启后，为客观地了解日本、促进中日关系健康发展做出新的贡献；我们也想以此为实现“发展同各国的外交关系和经济、文化交流，推动构建人类命运共同体”的理想，培养全民族的国际视野和情怀，提高广大人民群众的世界历史知识和认识水平，尽我们的一份绵薄之力。

“百年南开日本研究文库”编辑委员会

2019 年 3 月 19 日

目　录

序　章

近代以来随着日本资本主义的发展，农业在日本国民经济总量中所占的位置由前近代的主导地位，跌至今日的仅占1%左右的份额，这虽然是一个漫长的过程，但却是一个并不意外的结果。日本著名经济学家大内力就资本主义与农业之间的关系指出："农业对于资本主义来讲是个棘手的问题。例如作为生产要素的土地，它虽然能够被限制、被垄断，但由于其不属于劳动产品，因此不能被完全资本化。此外以自然作为生产手段必然带来'不确定性'风险，这会使资本家经营受到影响"①，阐明了农业在资本主义发展过程中的尴尬处境。无疑，近代以来日本资本主义的发展以及政府农业政策的内容，与日本农业现状有着不可分割的关系。

一、近代以来日本农业发展的主要问题

明治维新是日本在19世纪60年代发生的一场社会变革，它拉开了日本近代历史的帷幕，使日本的政治体制完成了从封建幕藩体制向近代

① 東畑精一・宇野弘藏編『日本資本主義と農業』，岩波書店，1959年，第17頁。

中央集权体制的转型，使日本社会开始步入以资本主义经济为基础的工业发展阶段。日本资本主义发展的最大特点是，当资本主义的萌芽在其胎内仍未成熟之时，便不得不面临西方资本主义列强的压迫，并在很短的时间内决定追随西方列强，乃至在非常不利的条件下打开国门；因此日本资本主义制度颇具从外部植入的色彩。而日本导入资本主义制度之时的农村社会，经历了漫长的大规模农地开发及经济发展，传统的小农生产方式已经形成并仍然居于统治地位。这一点与西方资本主义制度成立过程中，拥有大片未开发土地及大规模农业经营体的状态有着明显的不同。在这种传统小农经营方式仍占据农业、农村社会主导地位的状况下，资本主义制度突然降临，这使得日本农业在新生资本主义体制中的处境更为困难。

首先，明治维新后日本资本主义的发展过程中，农业部门并未能与它产业部门同步进入资本主义的发展路径，乃至第二次世界大战结束迄，日本农业仍停留在以"过小农"①经营体为主、被"租佃关系"②制约的半封建状态中。甚至现在日本的农业生产方式仍未能彻底完成向以资本及雇佣劳动关系为基础的资本主义生产方式的转化。以上均表明，明治维新后日本资本主义发展与农业发展之间出现了严重的非均衡现象。

其次，近代以来日本政府最大的农业梦想是将"小农经营体制"改造为"大规模农业"。为此，明治初期开始，政府便雇佣外国农政学家，传授西方大规模农业生产及经营方式；二战后的日本政府，同样为扩大农业规模推行了一系列农业构造改革政策。然而事与愿违，日本农业经营规

---

① "过小农"是指战前日本农村中的零星农业经营体。由于经营规模过小，家庭成员的劳动力不能完全被自家的农业生产吸收，因此该农民阶层仅靠自家的农业生产不足以维持生活而不得不从事副业补贴家用。

② 日语称之为"小作关系"，指地主和佃农之间的关系。佃农通过租种地主部分或全部土地从事农业生产维持生活，地主则通过将自己所有的土地租佃给农民收取地租。日本至二战结束迄绝大多数的农民属于佃农阶层，而少数地主占有绝大多数的土地，他们将土地租给佃农收取高额的实物地租，这种租佃关系被认为具有"半封建性"。

模并未呈现明显的改进，最新调查表明①，每个“贩卖农户”（指每年贩卖农产品价格在 50 万元以上的农户）的平均耕地面积为 2.46 公顷，其中同群体的平均水田耕种面积为 1.63 公顷、平均旱田耕种面积为 1.38 公顷、平均果树园地所有面积为 0.71 公顷；这与美国农户平均耕地面积的 180.2 公顷、欧盟（EU）的 16.9 公顷、澳洲的 3,423 公顷②相比，仅在经营规模上就已经相差甚远。

最后，近代以来日本农业在“营利性”方面始终存在一定的问题。近代以来日本农业经营体的经营状况并非尽如人意，明治前期开始，不仅佃农比例不断增加，到了中后期兼业农户的数量也开始增加；并且二战后乃至现在，日本兼业农户的存在已经成为一种常态。况且近代以来日本兼业农户的增加，并非单纯始于“农闲期”的存在，主要原因在于希望通过兼业增加收入借以填补生活所需费用。日本农水省于 2017 年 10 月至 11 月，对 49 岁以下的务农者共 1885 人进行了问卷调查，其中关于“农业的魅力何在”一项的复数回答如下：“决策的自由度大”占 46.5%，“时间自由度大”占 42.1%，“工作的对象是自然”占 41.3%，“食品供给责任”占 39.9%，“与地域的关联”占 35.7%，“安全・高品质的实现”占 35.1%，“有挣钱的可能性”占 31.3%，以下还有“生活环境丰富”“与消费者的交流”“无主从关系”等回答。可以看到，认为农业“有挣钱的可能性”的农业从事者仅占整体的 31.3%，这也是现在日本农业从事者不断减少的主要原因之一。可见近代以来资本主义发展过程中，日本农业已经被打上“不挣钱产业”的烙印。

马克思在《资本论》中指出：“历史的教训（这个教训从另一个角度考察农业也可以得出）是：资本主义制度同合理农业相矛盾，或者说，合理

① 農林水産省「平成 30 年農業構造動態調査(平成 30 年 2 月 1 日現在)」，日本農林水産省ホームページ，http://www.maff.go.jp/j/tokei/kouhyou/noukou/index.html。

② 美国、EU 及澳洲数字引自，農林水産省『平成 19 年度食料・農業・農村白書(平成 20 年 5 月 16 日公表)』，日本農林水産省ホームページ，http://www.maff.go.jp/j/wpaper/w_maff/h19_h/summary/s1_1_01.html。

农业同资本主义制度不相容(虽然资本主义制度促进农业技术的发展)……”[①]马克思认为“合理农业”[②]是“土地正常的社会利用”[③];也就是说马克思认为资本主义制度不适合土地在农业生产上的“正常的社会利用”。日本近代以来农业发展中遇到的问题,充分体现了资本主义发展与农业发展之间的矛盾,如何保证土地在“正常的社会利用”的基础上,使农业达到盈利目的,并使其能够持续性发展,成为近代以来,特别是第二次世界大战后日本农业政策的最大焦点。而明治维新后日本农业结构、农村经济及农民生活中存在的一系列问题,并未能通过政府政策的调节乃至保护得以解决,这也正是本研究的问题意识所在。

二、日本农业的现状分析

如果单刀直入直面日本农业现状的话,则不能不说其所面临的局面极为困难。2010(平成22)年6月11日,日本农林水产省公布的《平成21年度食品·农业·农村白书》[④]中有如下记载:

> 目前农业,不仅存在农业生产者减少及其高龄化、农业生产额及农业收入骤减问题,而且农地面积仍在不断下降、新参务农者数停滞不增,农业正面临着丧失作为产业而持续发展的可能性之危机……昭和40年度(1965年度),以供给热量为基准的食品自给率曾经为73%……平成12年度(2000年度)降为40%……同时由于

---

① 马克思著《资本论》第三卷,人民出版社,2004年,第137页。

② 马克思的“合理农业”与特尔提出的“合理农业”概念基本相同。特尔指出,农业包括农业生产及农业经营的两个方面,而“合理农业”则是指如何在可能的生产条件下创造最高纯收益。虽然特尔更加强调农业的经济收益,但同时指出该经济收益应该以农业的可持续性为前提。

③ 前出马克思著《资本论》第三卷,第917页。

④ 原文「平成21年度食料・農業・農村白書」,平成21年度指2009年4月至2010年3月。引自该省官方网站 http://www.maff.go.jp/j/wpaper/w_maff/h21_h/trend/part1/intro.html。

细饲料①的海外依存度高，所以随着肉类及牛奶、乳制品消费量的增大，饲料的自给率与昭和 40 年度相比也有了极大的下降，平成 12 年度为 26%（以下略）。

以上内容表明，日本农业正面临着四项主要问题：(1) 农业生产者的减少及其老龄化；(2) 农业生产及农业收入额的减少；(3) 农地面积的减少；(4) 农产品自给率的减少。在此姑且不去讨论每个问题出现的内在原因，仅从其相互关联上也不难看出，四者之间存在着非常紧密的因果效应。首先，农业生产及收入的减少使农业失去作为产业的魅力，造成新参就业者减少，这必然带来务农者减少及其老龄化问题；其次，农地面积减少使农业生产规模缩水、生产成本增加，造成农业生产量及务农收入减少，其结果又必然带来农产品自给率的下降；以上恶性循环意味着日本农业将失去作为产业而持续发展的可能性。

不能否认，近代以来日本资本主义及经济发展过程中，农业部门并非止步不前，而是与工业部门同样获得了长足的发展。首先，农业的近代化程度及农业生产率，乃至农民的收入均得到了很大程度的提高。明治农法的成立，改良了日本前近代农业生产技术中的主要问题——浅耕、排水不良、少肥——中的排水及肥料问题。其中灌溉排水技术的导入，使水田的“干田化”成为现实，提高了农田的利用率，增加了粮食生产量；而金肥的使用，解决了因农地利用率提高带来的土壤养分的流失，保证了农业生产的正常进行。特别是二战后日本经济高速成长过程中，农业的机械化程度不断提高、农业现代化得以实现。

其次，农业结构、农业及农村基础设施，乃至农民的生活环境也有了良好的改善。与前近代日本以大米为主的单一农业结构相比，近代以来逐渐实现了农业生产的多元化结构，至 20 世纪 10、20 年代，大米以外的

① 指玉米、油粕、糠类等饲料。与牧草类粗饲料相比营养价值高，含有较高的碳水化合物蛋白质。

农作物种植面积达到历史最高水平。农业生产的主要目的从自家消费转化为市场营销，日本农业经济的商业化程度得到显著的提高。与此同时，战后日本政府积极实施农业、农村基础设施整备政策，使农业及农村的生产、生活环境得到改善。

近代以来日本农业与前近代相比得到了长足的发展、进步，但是其发展过程中仍出现了一系列的问题，致使其目前处于极其困窘的状态。表1是日本农业中存在的主要问题的长期统计数字，从中能够充分了解到近代以来日本农业成长与衰退的足迹。

表1 近代以来日本农业四项重要指标变化表

年度	务农人口（千人）/65岁以上（千人）/60岁以上占比	GDP（10亿日元）/其中农业（10亿日元）/农业占比	耕地面积（万ha）	农产品自给率
1880	14,655/—/—	—/559（单位：百万）/—	470	—
1890	14,279/—/—	—/590（单位：百万）/—	488	—
1900	14,211/—/—	—/944（单位：百万）/—	515	—
1910	14,020/—/—	—/1,278（单位：百万）/—	553	98%
1920	13,939/—/—	—/4,329（单位：百万）/—	595	91%
1930	13,944/—/—	—/2,470（单位：百万）/—	591	89%
1940	13,549/—/—	—/6,438（单位：百万）/—	607	92%
1965	11,514/—/—	32,866/—/—	600	73%
1970	10,252/1,823/17.8%	73,345/3,215/4.4%	580	60%
1975	7,907/1,660/21%	148,327/6,198/4.2%	557	54%
1980	6,973/1,711/24.5%	242,839/6,377/2.6%	546	53%
1985	5,428/1,443/26.6%	325,402/7,893/2.4%	538	53%
1990	4,819/1,597/33.1%	442,781/8,379/1.9%	524	48%
1995	4,140/1,800/43.5%	512,542/7,084/1.4%	504	43%
2000	3,891/2,058/2.9%	526,706/6,837/1.3%	483	40%
2005	3,353/1,951/58.2%	524,133/4,935/0.9%	469	40%

续表

年度	务农人口（千人）/65 岁以上（千人）/60 岁以上占比	GDP（10 亿日元）/其中农业（10 亿日元）/农业占比	耕地面积（万 ha）	农产品自给率
2010	2,606/1,605/61.6%	500,354/4,628/0.9%	459	39%
2015	2,097/1,331/63.5%	530,545/4,671/0.9%	450	39%

注：1965—2015 年数字引自農林水産省「平成 28 年度食料・農業・農村の動向　参考統計表」，（農林水産省，2016 年 5 月 23 日），农产品自给率以供给热量为基础；1880—1940 年数字引自梅村又次他著『長期経済統計 9 農林業』，（東洋経済新報社，1966 年），第 146、216、218 页；1880—1940 年农产品自给率根据，農林大臣官房調査課編「食料需要に関する基礎統計」（農林大臣官房調査課，1976 年），以生产数量为基础计算。

从表 1 数字变化中看到：(1) 明治维新后至 20 世纪 40 年代迄，日本农业生产总额及耕地面积均处于快速增长阶段，相反务农人口及农产品自给率呈现平稳减少趋势；这一方面印证了明治农法的形成对农业生产率提高产生的积极影响，同时体现了过剩的农业劳动力向工业劳动力移动的过程，并且农产品自给率的变化，表明日本开港后的通商过程中农产品贸易额处于缓慢增长状态。(2) 二战后日本经济进入高速发展期的 20 世纪 60 年代起，20 世纪三四十年代增至最高点的耕地面积开始迅速下降，到 2015 年已经从 40 年代末的 600 万公顷以上，跌至 450 万公顷左右。务农人口的减少及老龄化现象同样令人瞠目，2015 年仅 200 万人左右的务农人口中，65 岁以上人口已经占到 63.5%。农业生产总额在 20 世纪 90 年代达到最高点之后急速减少，在国内生产总值中的占比竟跌破 1%；同时二战后农产品自给率也在直线下降。以上均成为目前日本农业最为棘手的问题，使其面临可持续性发展的危机。

三、日本农业政策目标与结果之间的断层

第二次世界大战后，日本经历了 GHQ 占领期的战后改革及之后的高速经济增长，20 世纪 60 年代末期国民生产总值（GNP）增长至仅次于美国的水平，成为名副其实的经济大国。其间，日本政府将经济的自立

与成长作为国家最大目标，制定了诸如《经济自立五年计划》(1955年12月，鸠山内阁)、《新长期经济计划》(1957年12月，岸内阁)、《国民收入倍增计划》(1960年12月，池田内阁)、《中期经济计划》(1964年11月，佐藤内阁)、《经济社会发展计划》(1967年3月，佐藤内阁)、《新经济社会发展计划》(1970年5月，佐藤内阁)等一系列计划。日本经济在上述经济政策的引导下，很长一段时间内出现了两位数的经济增长率，产业结构及出口贸易结构实现了向重化学工业的转化，至20世纪60年代中期，进出口贸易顺差成为常态；与此同时，就业结构发生了很大的变化，20世纪50年代中期第一产业就业者仍占全体就业者的40%左右，至70年代减少至20%左右，而第二产业就业者比例则从24%增加至34%，第三产业就业者比例从36%增加至47%。从中也可以看到，日本高速经济增长期，是农业人口向工业及服务业人口快速转移的时期。

日本高速经济增长期农业政策的基调，同样被定位于国家经济增长的命题之下。1961年出台的《农业基本法》指出，今后的农政目标是减少工农业生产率及工农业生产者收入之间存在的差距。日本政府为此制定了"三驾马车"式政策体系——选择性扩大生产、农业生产的机械化及设施化、培育自立经营农户。可见政府希望通过扩大生产规模、提高农业机械化及设施化程度，达到提高农业生产率及务农者收入、使农户能够自立经营的目的，最终减少工农业生产率及工农业生产者之间收入的差距。但是，该政策实施10年后的1972年农业白书中谈道：大米的生产过剩成为农业生产的常态，如何恢复大米需求平衡成为新课题；平均每农户的年收入已经比非农家庭超出26万日元，消费水平达到非农家庭的98%，两者的差距逐渐减少，但依赖农外收入的现象较强。可以看到，农基法农政的政策目标与结果之间存在一定的断层，即选择性扩大生产成为大米生产过剩的一个契机，而农民收入虽然得到大幅增长，但依靠兼业提高收入的现象增多。

以20世纪70年代初发生的尼克松冲击及石油危机为契机，曾经两位数的经济增长率降至5%左右，日本经济进入安定成长期。高速经济成长期经济优先政策实施过程中，产业公害、经济发展失衡等问题，与尼克松冲击和石油危机带来的通货膨胀相呼应，日本政府在新的经济环境下必须做出新的对应。1973 年田中角荣内阁制定了《经济社会基本计划》(列岛改造计划)、1976 年三木内阁的《昭和 50 年代前期经济计划》、1979 年大平内阁的《新经济社会 7 年计划》、1983 年中曾根内阁的《1980 年代经济社会的展望与指针》，上述经济政策的重点已经从经济自立与"极大发展"转向经济的安定及国际协调发展，乃至充实国民生活之上。

在以上背景下，日本农政内容同样出现了相应的调整，20 世纪 70 年代的"综合农政"、80 年代的"80 年代农政"是新经济环境下农政的代表性变化。首先"综合农政"的最大变化在于，为了缓解大米生产供求压力，实施大米生产调整政策①(即"减反"政策)；在国土综合利用的背景下，放松农地转用条件，为此帮助有离农诉求的农业从事者离农，也希望通过促进离农扩大农业生产规模。其次 1980 年 10 月农政审议会提出的《80 年代农政的基本方向》中指出：迄今为止的"农业政策中培育自立经营农户的计划未能实现，日本农业几乎陷入全兼业化状态。为此今后的农业政策，将兼业农户中以农业收入为主的农户作为重点，引导其实现农政的夙愿——规模扩大"；"80 年代农政"扩大农业规模的具体方针是，促进农地的流转，帮助以农业收入为主的兼业农户扩大生产。在此必须注意的是：(1) 经济高速成长期农政的重点，即培育自立经营农业经营体的目标并未能实现；(2) 事实上"综合农政"中的离农政策所带来的是高龄专业农户与兼业农户的增加，以及农业经营规模的缩水。从安定经济增长期农政的变化及内容中仍然可以看到日本农政目标与结果之间存在的断层，其原因何在同样是本研究的问题意识所在。

---

① 为了保证国内大米价格稳定，由国家主导实施减少大米生产的政策。具体内容是，由国家制定减产目标，由地方自治体将目标分配至农业生产者，根据目标实施减产。减产"一反"(100 m^2)由政府支付 7500 日元补助金。

四、研究视角与方法

日本农业的问题归根结底应该主要关注两个焦点，一是资本主义与农业的问题，另一是政府与农民的问题；前者受国家体制的制约，而后者则与执政者的裁量相关。

首先，资本主义与农业。马克思已经在《资本论》中做了精彩的总结："历史的教训（这个教训从另一个角度考察农业也可以得出）是：资本主义制度同合理农业相矛盾，或者说，合理农业同资本主义制度不相容（虽然资本主义制度促进农业技术的发展）……"①也就是说，马克思认为农业，或者说"合理的农业"，即"土地正常的合理运用"的农业，也就是说"可持续性发展"的农业与资本主义制度相矛盾。对此马克思做了如下的解释："土地价格对生产者来说是成本价格的要素，但对产品来说不是生产价格的要素……这种冲突，不过是体现着土地私有权同合理的农业、同土地正常的社会利用之间的矛盾的形式之一。但是另一方面，土地私有权，从而对直接生产者的土地的剥夺——一些拥有土地私有权，意味着另一些人丧失土地所有权——又是资本主义生产方式的基础……一切土地私有权对农业生产和对土地本身的合理经营、维护和改良所设置的这种限制和障碍，在这两个场合（小土地所有与大土地所有——笔者注），只是展开的形式不同罢了。"马克思接着剖析了大、小土地所有对农业的限制和障碍："如果说小土地所有制创造了一个半处于社会之外的未开化的阶级，它兼有原始社会形式的一切粗野性和文明国家的一切贫困痛苦，那么，大土地所有制则在劳动力的天然能力借以逃身的最后领域，在劳动力作为更新民族生活力的后备力量借以积蓄的最后领域，即在农村本身中，破坏了劳动力……如果说它们原来的区别在于，前者更多地滥用和破坏劳动力，即人类的自然力，而后者更直接地滥

① 前出马克思著《资本论》第三卷，第137页。

用和破坏土地的自然力，那么，在以后的发展进程中，二者会携手并进，因为产业制度在农村也使劳动者精力衰竭，而工业和商业则为农业提供使土地贫瘠的各种手段。”①

对马克思的上述论述，是否可以做如下解读：(1) 土地私有权——无论大土地所有权还是小土地所有权，都会成为合理农业的障碍，而土地私有权是资本主义生产方式的基础，所以资本主义制度与合理农业相矛盾；(2) 因为土地价格是成本价格要素，但不是生产价格要素，所以影响土地的正常的社会利用，而土地的正常社会利用是合理农业的基础；(3) 资本主义制度对农业来讲，不仅对劳动者，同时对土地及自然进行无休止的掠夺，并且通过工业及商业使农业面临各种困难。事实上，如何解决资本主义与农业之间的矛盾冲突，是日本乃至西方资本主义国家在近代工业及贸易发展过程中所面临的最大问题，也是各国政府农业政策所要解决的最大问题。

其次，政府与农民。政府与农民关系的最直观的体现，是农业政策。日本农政学家东畑精一曾经在分析二战前日本农业问题时指出：“除加工业者、大商人、若干的农民、动态的地主之外，难道就不存在直接推动日本农业的主体吗？的确存在。在以上的论述中，漏掉了最大规模的主体，毋庸置疑那是政府”②，这里东畑所指的直接推动日本农业发展的主体当然是政府的农业政策。同时必须指出的是，不仅二战前如此，即使是现在仍然如此；而且不仅日本如此，世界各国也是如此。不同的是，不同的国家或是不同的阶段，政府对农业的介入方式及政策方向不同，这与各个国家或各阶段的经济发展水平及历史背景相关。

东畑在指出政府的农政是推动农业发展的主要动力之后指出：“……最有能力推动农业发展的政府，基于自己的创意，对农业界的动态变化的经济结果，无论好坏，均不承担直接危险，这是应该批判的日

① 前出马克思著《资本论》第三卷，第918—919页。
② 東畑精一著『日本農業の展開過程』，農文協，1978年，第113页。

本农业政策的中心问题。”可见东畑认为二战前日本农政的主要问题在于，虽然政府的农政最具有左右日本农业发展的可能，但却不承担政策带来的结果。但是应该注意的是，政府与农民的关系中，固然政府在农政体系的成立过程中占据主导地位，但是农民对政府政策的诉求在政策成立过程中并非可以完全忽视；即使在二战前，农民的诉求左右农政内容的事实同样存在。因此，本研究希望在对近现代日本农政考察分析的过程中，将研究视角放宽，不仅对近代以来日本政府农业政策体系，同时对农民对政府政策的诉求加以关注，即日本农政在怎样的政治过程中形成、政府和农民在整个政策体系中承担怎样的角色、政策实施过程中两者的动向及政策结果等问题进行全面的考察与分析。

第一章　“农”与“农政学”的概念与分析

日本著名农业经济学家、教育家新渡户稻造在《农业本论》的开篇做了如下论述：“如以一言解释‘农’，则可谓之为‘耕耘土地’‘种植谷菜’或是‘农民所行之事’，其意简明，三岁之童亦可作答。然学者之间，于农之范畴则各持己见，或云含畜牧之术，或云含森林、水产之部，或云如畜牧、森林、水产之业不可入农之范畴，众说纷纭，今尚未归一论。如是论争虽无脾益，然农之范畴若非明之，则于农事统计之际，大有忽必要之问题、添不要之事项之忧。于事农学之际，又大有论蛇足而遗重点之虑。虽界定农之范畴于事农者并无直接损益，但于一国行政、一国立法之际，乃至学者研究之际却实为便宜。”①可见对于政策制定者，乃至学者来讲，“农”乃至“农政学”的概念、范畴必须明确及充分理解，否则可能出现避重就轻的缺陷，对国家政策及研究价值均会产生影响。

第一节　“农”及“农业”的定义

从文字意义上讲，“农”本为“農”或“蕽”，“曲”从“臼”。《说文解字》中

---

① 新渡戸稲造著『農業本論』，農山漁村文化協会，1976 年，第 55 页。

言"古掘地为臼";"'辰'为振也,三月,阳气动,雷电振,民農时也"。甲骨文的农字,状似一人手持工具在山林、草地耕作;而金文的农字,则由"田"和表示手持农具的"辰"字组合而成,以示耕作;《说文》中对"農"的解释亦为"耕也,种也";可见"农"字原为耕种之意。《周礼》中有"以九职任万民。一曰三农生九穀。註,三农:山农、泽农、平地农也";《左传》中有"其庶人力于农穡。註,种曰农,斂为穡";《前汉食货志》中亦有"闢土植穀曰农。炎帝教民植穀,故号神农氏,谓神其农业也。又万山氏有子曰农,能植百穀,后世因名耕甿为农"。上述古书中的记载均可以说明,农为耕种之术;并且耕耘之地可为山地、泽地或平地;耕种之物原为谷物,即所谓"闢土植穀"。值得注意的是,农字本身的意思中并不包含饲养动物——即"畜牧"的意思。新渡户对此的解释是"人类大多是经历了放牧时代之后才开始进入耕种时代,因此农,即'耕种'与'畜牧'是并列的,是不能够相互包含的行为"①;依次类推当然森林、水产业同样不应该包含在农的范畴之内。

与新渡户试图通过农字本身的意思探讨其范畴的观点不同,河上肇则试图通过农行为的目的探讨其所包含的内容。河上认为农行为是经济行为的一种,而经济行为的目的可以分为获取(交换及强取)和生产两种;并且以生产为目的的经济行为又可以分为占有(自然物的占有如狩猎、渔捞等,非自然物的占有如拾取等)、制造与培育三种;农行为则属于生产行为中的后者,即培育行为;进而指出农行为应该是"培育木材以外的植物性及动物性原料的经济行为"②。可见河上认为农行为不仅是培育植物(不包括林业)的行为,同时还包括饲养动物的行为在内。这也印证了新渡户在《农业本论》开篇中"农之范畴,众说纷纭,今尚未归一论"的论述。③

---

① 前出新渡戸稲造著『農業本論』,第 71 页。

② 河上肇著『日本尊農論　日本農政学』,農山漁村文化協会,1977 年,第 164 页。

③ 关于"农"所包括的范围,换言之关于"农行为"的生产物分析,除文中所示两种观点之外,还存在其他多种观点。例如(1) 生产除木材及渔、禽类之外的所有动、植物的行为;(2) 生产除木材及鱼类之外的所有动、植物的行为;(3) 除原始产物中的矿物类之外的,获取所有有机生产物的行为等。

在对“农业”这一概念进行界定的问题上，新渡户与河上同样存在一定的分歧。首先新渡户指出关于农业概念的界定方法主要可以归纳为三种：(1) 以食物供给为主要着眼点将农业界定为“供给食物的生产部门”；(2) 以生产方式为主要着眼点将农业界定为“利用土地生产物资的生产部门”；(3) 以营利目的为主要着眼点将农业界定为“以营利为目的的农行为”。进而新渡户指出，大凡学者对概念进行定义之时，必将从该概念的类别与特性入手，农业亦应如此，其类别应为第一种，特性则应为第二、三种，三者交叉综合则可知“农业”应该被界定为“利用土地生产食物并能够营利的产业”。可见新渡户对农业的界定与其对农的解释同样，并不包含畜牧业等非耕种行为。

河上则指出，当“与农行为相关的所有经济行为①统一为一个经济体”②之时，即可被称为“农业”。河上认为，虽然“农”所包含的范畴众说纷纭，但并非所有农行为均可纳入农业的范畴之内，其行为及其附属行为必须能够在一定的秩序之下形成统一的经济体。因此农业必须具备以下三个条件：(1) 以培育农产品为主要内容；(2) 该农产品培育具有经济目的；(3) 有与其成为一体的附属经济行为。可见河上将农业定义为以生产农产品为主要内容，具有经济目的，并与其附属经济行为形成统一经济体的生产部门。河上对农业的界定包括了除林业外的带有经济目的的植物耕种及动物培育行为；换言之与新渡户不同的是，河上对农业的界定范围更加宽泛，包括了畜牧业(以及水产养殖)的内容。

日本近代以来，在“农”及“农业”的概念界定问题上出现了多种不同的观点，其代表性分歧主要体现在上述新渡户与河上的两种界定方式之中。究其原因主要在于：(1) 无论是新渡户还是河上的概念界定中，均忽视了农行为或农业的主体，即农业从事者这一主要因素；(2) 近代以来日

① 指在一定的生产方式中，通过有目的的活动，利用与改造动植物的生理机能和自然环境条件所反复进行的生产过程，是利用自然规律，以生物的自然生长代谢为基础，根据需要通过劳动对自然行为(动植物的自然生长发育过程)进行培育与指导的过程。

② 前出河上肇著『日本尊農論　日本農政学』，第 167 页。

本农业开始出现结构性变化，即被传统耕种农业独占的农业经济体制开始出现“多元化”征兆，仅重视农业从事者传统的“农行为”，而忽略其他经济行为的界定方法，逐渐无法从整体上诠释农业的具体状况。特别是第二次世界大战后，农业现代化发展使其范畴更为宽泛，不仅包括传统耕种农业，同时包括现代种植业(诸如无土农业、花卉种植等)以及畜牧业、乳业等内容。

现在日本农林水产省(以下简称“农水省”)对农业的界定为“种植农作物及饲养家畜的生产活动，是生产食物及生活必需品的重要产业”①。该界定更接近于河上的农业定义，即将林业之外的种植业及畜牧业(包括家禽类的饲养)归纳到农业的范畴之中；不同的是将水产养殖业从农业中分离，与渔业(捕鱼业)一起另置为水产业。

第二节　农业的特性

首先，农业是所有剩余价值生产及资本发展的基础。马克思在《资本论》中对重农主义学派做了如下的肯定：“重农学派的正确之点在于，剩余价值的全部生产，从而资本的全部发展，按自然基础来说，实际上都是建立在农业劳动生产率的基础上的。”对此马克思的解释是，“如果人在一个工作日内，不能生产出比每个劳动者再生产自身所需要的生活资料更多的生活资料，在最狭窄的意义上说，也就是生产出更多的农产品，如果他全部劳动力每日的耗费只够再生产他满足个人需要所不可缺少的生活资料，那就根本谈不上剩余产品，也谈不上剩余价值。超过劳动者个人需要的农业劳动生产率，是全部社会的基础，并且首先是资本主义生产的基础”②。由此可见，农业不仅是生产人类基本生存资料的基础产业，同时是所有剩余价值产生及社会发展的基础产业。

---

① 引自日本农林水产省官方网站，http://www.nrs-h.pref.fukuoka.lg.jp/kids/what/index.html。

② 前出马克思著《资本论》第三卷，第888页。

其次，农业生产的主要对象具有周期性及季节性特点，并且其所利用的资源具有再生的可能性。农业与工业的最大不同在于，其生产对象及生产过程中利用资源的性质不同。其一，农业的生产对象是有生命、具有自然生长周期的动植物，这使农业生产必须遵循动植物生长、成熟的规律，其生产成果也必须通过动植物的整个生命过程来体现。其二，农业所利用的基础资源是具有再生可能性的植物。植物通过根吸取水分、通过叶吸收二氧化碳、通过叶中的叶绿体与光能相互作用，制造出碳水化合物（淀粉、脂肪、蛋白质等）以促进植物的生长。而且由于草食动物以植物为食物，肉食动物以草食动物为食物的生物界食物链的存在，因此可以说农业生产所利用的基础资源实际上是植物的光合作用。而在此应该注意的是：(1) 植物的光合作用是在土壤、水、阳光及热量等自然环境中实现的，因此农业生产无法摆脱自然环境的影响；(2) 由于植物具有再生可能的特点，因此农业生产与工业生产不同，永远不会面临资源枯竭的危机。然而由于近代工业的发展，农业开始在生产过程中更多利用或依赖工业产品（诸如化学农药及肥料、农业机械等），这不仅使农业公害等现象日趋严重，同时使农业生产在一定程度上开始利用不具备再生可能性的工业生产资源，使农业与诸多工业同样或将面临资源危机的困扰。

再次，土地不仅为农业生产提供场所，同时是其主要生产资料。土地对农业（无论耕种农业及养殖农业）来讲不仅仅是作为“场所”使用，同时是作为提供养分的“土壤”使用，是直接介入农业生产的重要生产手段。为此，农业生产被土地自身的条件左右，提高土地的生产机能成为农业生产过程中必须注意的问题；诸如避免同种农作物的连续耕种，成为保养土地“自然”状态的重要手段等。可见土地的保养关系到土地的状态是否能够保证农作物的健康成长，是影响农业生产的重要因素。可见作为“经济行为”的农业生产，在其生产过程中仍然不能忽视“农行为”中所包含的“自然行为”的部分，这也正是马克思所指出的“经济的再生产过程，不管它的特殊的社会性质如何，在这个部门（农业）内，总是同一个自然的再生产过程交织在一起"①。然而,现代农业希望通过化学农药及肥料,维持农业生产中所交织的自然再生产的顺利进行,事实上正是忽视了自然再生产的实质,忽视了化学农药带来的农业公害的产生,忽视了农业"可持续性"发展危机的出现。

最后,农业劳动具有显著的特殊性。由于农业的生产对象是具有生命及自然生长周期的动植物,因此农业劳动不可避免地受到动植物自然生长周期的影响。(1)必须根据动植物生命现象的自然周期,投入相应的劳动。无论是农作物的耕种还是家畜的饲养,其劳动均无法达到每日单纯重复的境地;必须根据生命的自然循环,投入不同的劳动。例如农耕需要根据季节进行播种、除草、施肥、收割等不同内容的劳动;家畜饲养的劳动内容虽然相对单一,但仍需要根据家畜的生长周期投入配种、繁殖等不同内容的劳动。因此农业生产很难像工业生产那样通过分业的方式提高生产力的发展。(2)由于动植物的自然生长周期的存在,农业生产过程中必然出现"农闲"与"农忙"之分。对于农业经营体来讲,调整农闲期与农忙期劳动力需求之差成为棘手的问题;虽然可以通过耕种生长周期不同的农作物,乃至同时饲养家畜等方式尽量减少农闲期的出现,但是仍很难达到通年拥有连续性劳动的理想状态。为此,农业的家族经营方式至今仍然占据主导地位。

第三节　农业、农村的存在意义

仅就日本来讲,近代以来工业发展速度之快令人瞠目,伴随而来的是农业在国民经济中所占份额的飞速下降,最新数字表明日本国民总产值 538.45 兆日元中,农业总产值为 5.24 兆日元,仅占约 1%的份额。②正因为这种 1%比 99%的日本农业在国民经济中所处的位置,使其面临多种争议。2011 年日本在加入 TPP 的问题上,因可能对农业产生影响

① 前出马克思著《资本论》第二卷,第 398—399 页。

② 引自日本农林水产省官方数据,http://www.maff.go.jp/j/tokei/sihyo/data/01.html。

而举棋不定之际，就有如下的意见：“2009年度的GDP中，农林水产业共占比为1.4%，而农业的占比为1.1%。为了探讨问题，姑且将焦点聚集在经济得失之上极端地讲，如果放弃农业，能够因缓解日本具有竞争力的出口产业、运输与通信、批发与零售、建筑业、服务业等部门在关税上的不利而使其走出海外，得到的何止1%，应该是1%以上的就业机会，GDP也会有所增加，不仅弥补，甚至能够获得超出农业损失的利益，日本经济有可能得到长足的成长。”[①]这足以证明日本社会中存在着，如放弃农业能够换来其他产业出口贸易的增长，使国民生产总值得以提高的话，何乐而不为的观点；事实上这种观点完全忽视了农业、农村的存在意义。

首先，农业所提供的是人类生存所需要的基础物资，特别是粮食生产是其他产业所无法替代的，是国家食品安全保障的基础产业。关于食品安全保障问题，日本《食品・农业・农村基本法》中有如下表述：“鉴于世界粮食供需及贸易不安定要素的存在，为保证国民粮食供给的安定性，必须在促进国内农业生产增长的基础上，恰当调整其与进口及储备的比例”，表明国家食品安全保障政策的基础，应该以国内农业生产为根本。因此单纯以农业对GDP的贡献，探讨其存在意义的论点极为简单粗暴，这种“无农业通商国家”[②]论，实际上放弃了本国的食品安全保障能力，并将其交到了其他国家的手中。

马克思在对现代农业（大土地所有）进行批评时借用了李比希的观点指出：“大土地所有致使农业人口减少到一个不断下降的最低限量，而同他们相对立，又造成一个不断增长的拥挤在大城市的工业人口。由此产生了各种条件，这些条件在社会以及由自然规律所决定的物质变换的

① 引自2011年12月15日「日経ビジネスデジタル版」，「統計学者吉田耕作教授の統計学的思考術　もう一つの「1%対99%」問題　データが示すTPP以前に壊滅している日本の農業」，http://business.nikkeibp.co.jp/article/manage/20111209/224987/。

② 认为农产品可以通过国际贸易方式进口，即从生产方式转化为通商方式获取农产品，满足国民的生存需求。

联系中造成一个无法弥补的裂缝，于是就造成了地力的浪费，并且这种浪费通过商业而远及国外(李比希)。”从目前日本农业的现状来看，其食品自给率水平仅在40%左右[①]，可以认为，李比希所指出的农村与城市、农业与食品之间的“裂缝”，已经成为危及农业、农村存在的要因，危及食品安全保障的问题已经存在于现代日本社会。马克思接着预言“大工业和按工业方式经营的大农业共同发生作用。前者更多地滥用和破坏劳动力，即人类的自然力，而后者更直接地滥用和破坏土地的自然力，那么，在以后的发展进程中，二者会携手并进，因为产业制度在农村也使劳动者衰竭，而工业和商业则为农业提供使土地贫瘠的各种手段”[②]。无疑马克思所指的使农业濒临枯竭的“各种手段”中，包括了单独追求工业及他产业利润而放弃农业生产，并试图通过商业获得农产品以维持国民生存的“手段”。

其次，农业具有“多面性机能”。日本《食品·农业·农村基本法》明确指出，“鉴于农村的农业生产活动所带来的粮食及其他农产品供给机能以外的，诸如国土的保全、水源的涵养、自然环境的保全、良好景观的形成、文化的传承等涵盖多方面的机能(以下称‘多面性机能’)，在安定国民生活及国民经济中所发挥的作用，该机能今后必须得以恰当并充分地发挥”[③]；可见农业除了为国民提供粮食及其他农产品之外，还具有其他多面性机能，包括国土的保全、水资源的涵养、自然环境及自然景观的保护、文化的传承等，其主要多面性机能可见表1-1。表中所示农业、农村的多面性机能是“无农业通商”所无法获得的，由此可见农业、农村的存在意义是其他产业无法取而代之的。

① 数字为食品总热量供给率，引自日本農林水産省『平成29年度食料・農業・農村白書の概要』，農林水産省ホームページ，2018年5月，第15页。

② 前出马克思著《资本论》第三卷，第918—919页。

③ 引自日本農林水産省ホームページ，http://www.maff.go.jp/j/kanbo/kihyo02/newblaw/newkihon.html。

表1-1 农业、农村多面性机能的主要内容(根据农水省官方网站解释制成)

主要机能	具体内容
防止洪水暴发	耕种中的水、旱田的土壤具有储存雨水的功效,可以起到防止洪水暴发的机能。
防止塌方出现	地处山坡斜面的农田,具有防止山体塌方出现的机能。
防止土壤流失	农作物及水田中的水,具有防止在大风、大雨时土壤流失的机能。
安定河川流况	农田中的雨水,一部分排往河川,一部分渗入地下后返回河川,具有稳定河川水流的机能。
地下水涵养	农田中储存的雨水等,渗入地下成为优良的地下水,具有为下流地区提供生活用水的机能。
缓和气候	水田中的水分蒸发及农作物中水分的蒸散降低空气温度,具有抑制周边城市温度上升的机能。
有机废物处理	农作物能够吸收农地中的氮素,起到净化环境的作用。
生态系保全	维护自然环境的农业生产,具有保护丰富的自然生态、使多种生物得以生存的机能。
农村景观保全	农业生产使农村的农田、农作物及农民住宅与周围景观形成一体,展现出美好的田园风光。
文化传承	传统习俗,诸如五谷丰登祈愿、收割庆祝等均起源于农业,因此农业具有传承文化的机能。
保健修养和谐	农村具有向人们提供接触自然、景观、文化的机会,使身心得以修养的机能。
体验学习教育	农村向人们提供接触动植物及自然的机会,使其感受到生命的重要及粮食生产的不容易。
其他	从事与土及自然接触的农业生产,具有使高龄者及病人的身心健康得到恢复的机能。

第四节 “农学”的主要内容及其特性

“农学”是以促进农业实现可持续性发展为目的,以相关科学·技术为一体的学术研究体系;毋庸置疑,其主要研究对象是农业。但由于农业不仅是生产人类生存所需资料的基础产业,同时是关系人类生存方式乃至体现人类自身生存价值等综合目的的生产活动；因此"农学"的研究对象不仅是农业的相关理论知识，同时包括在促进农业生产过程中体现人类生存目的的实践知识，可以认为"农学"是探究人类实现生存目的的学问。英国哲学家贝恩将学术分为抽象、具体、实用三种，指出"抽象单纯也，具体错综也"。新渡户沿用贝恩对学术的分类方法，对农学做了如下的解释："而若农学属'具体'之部，则必然具有错综之特性；然农学不仅属'具体'，同时属'实用'之部，故如不以多种学科为基础，则无法独立存在。"[①]由此可见，"农学"依存于多种学科而成立，其范畴的界定极为复杂、错综；涵括了植物学、化学、环境学、地理学、经济学、社会政策学等多个领域。

公元前7000年至前6000年间人类开始进入农耕社会，随着农业的发展，世界四大文明体系成立（埃及文明、美索不达米亚文明、印度河文明、黄河文明），之后关于农业的知识与经验得到不断的积累，特别是到了十七八世纪，不仅中国，西欧及日本也出现了传授农业知识及技术的相关书籍。[②] 近代农学基础的确立最初起于德国农学家特尔[③]，特尔以他的名著《合理农业的原理》获得"近代农学鼻祖"的称号。《合理农业的原理》与亚当·斯密的《国富论》同样驰名，特尔也因此被誉为"农学的亚当·斯密"。特尔在他的《合理农业的原理》中指出，农业是以获取货币为目的的生产活动，合理农业是能够获取最高纯收益的农业；农学则是从农业生产技术及农业经营的两方面对农业进行研究，并使其成为合理农业的学问。令人惊叹的是，出版于19世纪初期的《合理农业的原理》，竟然为现代农业所面临的困境——如何提高农业的可持续性——做出

① 前出新渡戸稲造著「農業本論」，第83页。

② 我国的农业相关书籍早在西汉时期便已出现，例如汜胜之的《汜胜之书》，北宋有贾思勰的《齐民要术》，元代有王桢的《王桢农书》，明代有徐光启的《农政全书》。在日本1697年有宫崎安贞的《农业全书》，1871年有佐藤信渊的《农政本论》等，在西欧16世纪以后出现了很多著名的农书，例如1523年英国的费兹哈柏纂著的《农地管理论》，1600年法国赛尔的《农业的舞台与经营》等。

③ 柏林洪堡大学教授 Albrecht Daniel Thae(1752—1828年)，被称为近代农学的始祖。代表性著作《合理农业的原理》，在欧洲被译为多种语言传播，成为当时的畅销书。

了准确的回应，明确了“可持续性农业”的关键在于维持土地能力，坚持向循环型农业的转化；并且该书对农业教育的重要性提出了自己的见解，认为优秀的农业从事者应该从青春期开始接受坚实的农业教育，这种教育应该在农场经营中实现。明治时期特尔的农学曾经被日本政府雇用的德国专家用来指导日本农业，对日本农业产生了很大的影响。

分析特尔的农学观可以看出其包含了两点主要内容，一是农业生产技术，一是农业经营收益，即特尔农学的目的，在于提高农业生产技术使其达到最高利润水平。事实上，近代农学的视点尽然如此，虽然其涵括了多学科的内容，但最终均归结至通过经济观察论述农业生产的研究体系之中。为此，农学所涉及的范围乃至社会各个领域，其论述的内容同样关联社会百般事项。新渡户所言“德国人的所谓奏效性学术，使农学关系社会所有事务，使其论述焦点宽泛，致使其研究范围尚未能一定，不，不仅未能一定，其领域愈呈扩展之趋势。此趋势为农学属性而起，而何时及限则予尚未可期”①，充分体现了农学所具有的错综复杂、涉及甚广的性质。近代以来农学在以上基本观点上不断发展、壮大，其学术体系大体可归纳为图 1－1 所示结构。值得注意的是，近代农学所具有的经济乃至盈利观点，对现代日本产生了极大的影响，这一点通过“无农业通商”观点的存在亦可得以证明。

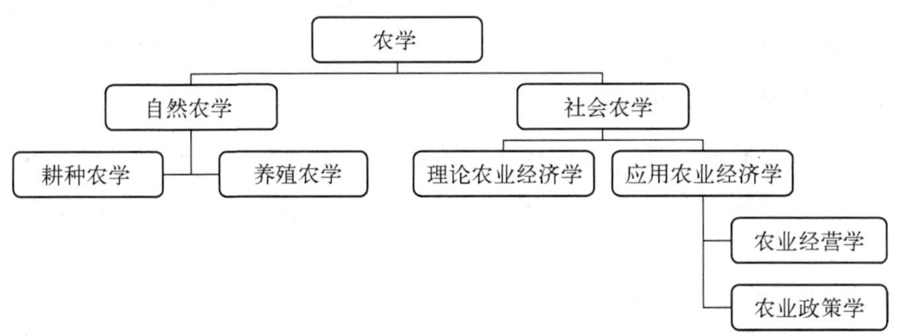

图 1－1 近代以来日本农学体系的形成

① 前出新渡戸稲造著『農業本論』，第 113 页。

第五节　作为“应用经济学”的“农政学”

通过以上分析可知，农学虽涵盖多学科内容，但其研究体系主要包含自然农学与社会农学两部分。自然农学主要继承了古代农学中的农业生产技术等相关内容，社会农学则传承了近代农学发展过程中确立的农业经济等相关内容。图 1 - 1 所示农学体系，将与本书关系密切的农业政策学（以下简称“农政学”）定位于应用农业经济学的一个分科，但事实上关于该定位方法，在学界存在一定的分歧。持不同见解的是以德国学者戈尔兹[①]为首的农业经济学家。首先，戈尔兹以支撑农学两部分内容的基础科学为切入点，分别对两部分内容进行了再分化，指出自然农学亦可称之为农业生产学，其以自然科学为基础，目的在于增加农业生产总量；而社会农学亦可称之为农业经济学，其以经济学为基础，目的在于增加农业生产的纯收益。其次，戈尔兹以农学两大部分的研究目的为切入点指出，既然两者的目的均为增加收益，则农业经济学应该细分为农业经营学、农业评估、农业簿记学。显然戈尔兹并未将农政学定位在农学的范畴内。对此观点，河上肇提出了异议，指出“如将农学之目的定义为农业增收，而将农政学置之度外，也并无大碍；但如将农业经济学列入农学范畴，却将经济学一分科的农政学置之度外，则实属无理。故予不从通说，将农政学与农业经济学一同列入农学之中，并将农学定义为以农业为研究对象的学问”[②]。

河上将农政学作为应用农业经济学的一个分科列入农学范畴之中，至此农政学终于在社会农学中找到了自己的定位，作为“对将来的农业

---

① 德国农业经济学家 Theodor Freiherr von der Goltz(1836—1905)，波昂波克斯多尔夫农科大学校长。其观点与近代化学的始祖李比希的自然农学相对立，强调农业的社会经济作用，在追求纯收益的农业经营目标的同时，重视中小农经营的社会意义，主张通过加强农民与地主之间的相互理解，改善两者之间的关系，进而达到社会改良之目的。

② 前出河上肇著『日本尊農論　日本農政学』，第 204—205 页。

的状态、理想及政策的社会性进行评估研究的学科”[①]出现在近代农学体系之中(见图 1-1)[②]。农政学的研究范畴,可以根据其在整个研究体系中所处的位置推论如下:(1) 农政学是农学范畴内的研究课题,因此与农业相关的所有社会政策问题都会被纳入其研究范畴之中。(2) 农政学是农业经济学体系中的一个分科,因此其研究范畴为社会农学问题。(3) 农政学同时是应用经济学的一个分科,因此其研究焦点并非解释过去、现在的农业状态,而主要在于观测将来农业的走向,评估其利害得失,探讨、制定实现理想农业的政策。(4) 农政学是应用经济学的一个分科,因此其研究内容应该坚持以国民经济为主体的原则。

柳田国男与河上肇几乎是同时代的学者,虽然两者研究方向不同(柳田是民俗学家,河上是经济学家),但均对农政学情有独钟。柳田的农政学体系可见图 1-2,他沿用了社会政策学派将经济学分为“理论”“历史”“应用”三个分科的方法,并且认为探讨解决社会问题的方策之际,应该经过三个阶段:(1) 研究历史;(2) 发现社会问题发生的原因及其历史过程;(3) 提出解决问题的政策方法。由此可见,柳田的农业政策学与河上不同,贯穿了“历史主义”的要素。在注重历史研究的基础上,柳田的农政学具有以下特点:(1) 正因为其重视国民经济的历史,所以柳田农政论过于提倡“国家特色”,具有浓重的民族主义特色;(2) 由于历史主义通常会抑制历史理论之外他学科理论的使用,因此柳田农政学在分析日本经济史的过程中过于简单地将其分类为自然经济与货币经济两种类别;(3) 柳田将农政学分类于以国家及公共团体为主题的经济政策学体系之中,认为农政学是应用经济学中社会政策学的一个分科。

---

① 前出河上肇著『日本尊農論　日本農政学』,第 211 页。

② 近代以前中国及日本均出现过优秀的农政相关书籍,例如中国明代徐光启的《农政全书》,日本江户后期佐藤信渊的《农政本论》。但是当时关于“农政学”的定义并未得到严格界定,《农政全书》的内容不仅包括农业政策、制度,同时包括了农业技术知识,书名也是徐光启死后刻板复印时命名的。《农政本论》虽然更多为记载江户后期以挽救幕府财政为目的的农业政策、制度的内容,但也包括了少部分农业惯行等内容。

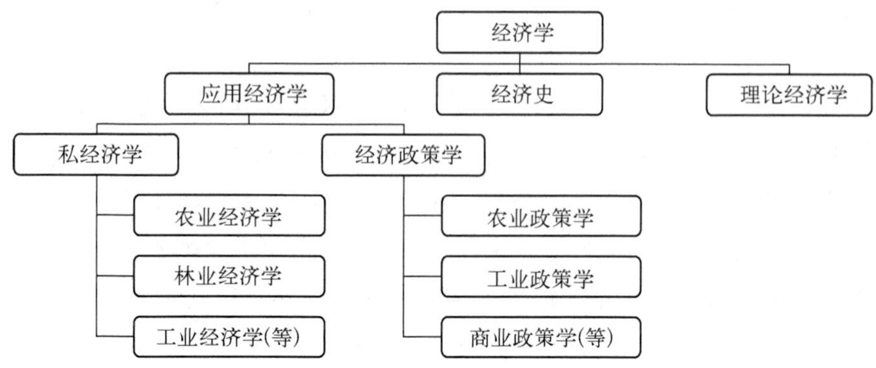

图 1-2　柳田农政学体系

河上肇与柳田国男的农政学体系，代表了日本近代以来农政学发展过程中的两种观点，虽然两者均认为农政学隶属应用经济学范畴，但最大的不同则在于是否将对历史的考证植入农政学研究范畴之中。笔者倾向于柳田观点，其原因在于没有对历史的认真考察分析，则很难真正认识现在及预测未来，更无法酝酿及制定出具有针对性的相关政策。

第二章　江户时期的土地制度与农业政策

日本历史学家大石慎三郎曾经就日本历史的时期划分提出以下的观点："关于日本历史分期问题有多种说法，我认为将日本史以战国末期为界分成两期最具现实性。将其分为近代与前近代两期的学者为数不少，作为社会经济史的基本分期方法这并非没有道理。但就日本历史来讲，还是分为江户之前与之后的两期更为现实。"①关于这种分期方法大石的解释是，近世以后日本在世界文化体系中的位置以及日本人的生活空间，与前近世相比出现了质的变化②。在此，姑且不去探讨这种分期方法的妥与不妥，但这种观点的存在足以证明江户与近代之间关系之密切。对此大石指出：我"非常关心的是，江户时期为明治以后急速发展的近代化准备了怎样的资本。如果没有，如此的近代化、工业化终究无法实现"③。而本章所关心的是，江户幕府的农村统治及农业政策对农业发展起到了怎样的作用，而在江户幕府农政推动下的江户农业为近代农业提供了怎样的"近代化"准备。

---

① 大石慎三郎著『江戸時代と近代化』，筑摩書房，1986年，第8页。

② 详细请参照前出大石慎三郎著『江戸時代と近代化』。

③ 同上，第11页。

第一节　幕藩体制下的土地制度

江户时期以封建君主将军为顶点的政治体制被称为幕藩体制，幕府是将军的行政机构，而藩则是将军统制下的大名的行政机构。前者不仅具有中央政府的权利机能，包括国家对外主权及对内统治方针（诸如锁国、宗教、商品流通、货币铸造等统治机能）的确立；同时具有封建领主制统治的权利机能，即土地的分封（分封予大名）以及对幕府领地统治的领主权力的行驶；重要的是幕府是包括大名在内的武士集团的统合权力机关，以绝对的军事力量为背景，拥有对大名进行改易、移封、减封等处罚权利。后者在江户时期被称为“领知”或“知行所”，是大名对各自领地进行统治的行政机构，具有地方行政机构的功能。在以上统治结构下的土地所有，无疑首先是以领国分封的形式所体现——理论上讲土地所有权掌握在将军手中，并由将军分封予大名，这种领土分封建立在将军与大名之间的封建性主从关系之上，被称为“领主性土地所有”。然而必须注意的是，中世末期开始至江户初期，日本社会构造出现了一场重大的变革、即兵农分离①，兵农分离使武士脱离农业生产及农村地区，同时使农民的身份定格于农业生产；这一方面从根本上削弱了封建领主对土地的权利，一方面捆绑了农民与土地的关系，使“农民性土地所有”的色彩更加鲜明。由此可见，江户时期的土地所有关系，由幕、藩领主的“领主性土地所有”与农民的“农民性土地所有”两部分组成；换言之，理论上讲土地所有权掌握在将军手中，但实际上土地属于领主与农民共同持有。②

---

① 安土桃山时期开始实施的区分“武士”与“农民”身份的身份分离政策。在中世，武士和农民的身份较为暧昧，室町后期开始，武士逐渐脱离农业生产与经营，并开始脱离农村驻扎于城下町。丰臣秀吉于1588年发布《刀狩令》，没收民间的武器，1591年发布《身份统制令》，兵农分离政策完成。该政策下，武士与农民的身份被严格区分，武士完全脱离农业生产及农村，集中居住在城下町，而农民则不得擅自离村，不得脱离农业生产。江户幕府正是在这种社会构造的基础上成立。

② 详见北島正元編『体系日本史叢書　土地制度史Ⅱ』，山川出版社，1975年，第1—23页。

无论是“领主性土地所有”还是“农民性土地所有”均通过“石高”[①]体现，石高代表两者在各自群体中的身份、地位，同时是江户时期大米贡租制度、“石高制”[②]的基础。石高是“检地”——对每笔土地进行实地测量、对其等级及生产力（收成）进行认定或算出——的结果，该结果作为土地的法定生产力记入《检地账》[③]，成为江户时期封建领主统治农村的基本法律依据。

江户时期的检地与丰臣秀吉的太阁检地[④]有着直接的关系。江户幕府的检地可追溯至幕府成立之前、即1589（天正17）年的太阁检地期间。1589年德川家康在旧领五国[⑤]首次实施检地，次年8月德川家康成为关东地区领主之后，马上在新领国先后实施检地。德川家康期两大代表性检地，是伊奈忠次主持的“备前检地”，及大久保长安[⑥]主持的“石见检地”；前者于1590至1608年间，依次在伊豆国、武藏国、相模国、远江国、骏河国、尾张国等地实施，后者则于1596至1615年间，先后在武藏国、甲斐国、美浓国、越后国、石见国等地实施。除此之外，江户幕府于1649（庆安2）年实施“庆安检地”之时，首次出台了相对完整、规范的检地条

---

① 土地生产力的标志，不仅水田，所有土地的生产力均换算为大米的标准收成、即“石高”来表示。

② 以土地的法定生产力，即石高为标准征收贡租的制度。

③《检地账》也称《水账》，是江户时期幕府、大名将检地结果记录下来的土地台账，该土地台账以村落为单位装订成册，一般制作两册分别由领主及村落保管。内容包括该村所有水旱田及宅基地，及其每笔土地的所在地、等级、面积、收成（石高）、持有者，最后记有该村的总面积、总收成（石高）。

④“太阁检地”是日本近世检地史上唯一一次全国性检地，始于丰臣秀吉灭掉明智光秀，并征收其领地的1582（天正10）年，之后随着丰臣秀吉统治势力的不断扩大、检地制度的不断完善，检地在全国各地不断扩大实施，至丰臣秀吉1598（庆长3）年病死的16年间，检地以两种形式实施，一是由丰臣秀吉的家臣作为检地官员（检地奉行）监视实施、一是由外样大名自主实施。从广义上讲，上述两者均被称为“太阁检地”，狭义上讲“太阁检地”仅指前者，即由丰臣秀吉家臣作为检地官员实施的检地。

⑤ 三河国（现爱知县东部）、远江国（县静冈县西部）、骏河国（现静冈县中部）、甲斐国（现山梨县）、信浓国（现长野县）。

⑥ 伊奈忠次和大久保长安均为江户前期负责幕府直辖地贡租征收及民政管理的官员、即“代官头”，两者作为德川家领地统治的中心人物，在财政、民政、农政方面具有一定的管理才能，是江户初期著名的“代官头”。

例，即《庆安检地条目》或称《检地掟》，该检地条例是江户幕府“庆安检地”之前所有检地的综合成果。

为了维持与强化通过检地成立的土地关系（农民的耕种权与领主的征租权），1643（宽永 20）年，幕府发布了《田地永久买卖禁止令》，明令禁止土地的“永久性买卖”①。该禁令由三部分组成：（1）对幕府代官发布的《河川堤防维修以及其他问题的对应方法》②中第三条，“富足百姓购买田地将致其生活不断富有，而贫穷百姓贩卖田地将致其生活不断贫困，因此今后禁止田地之买卖”。（2）对农民发布的《各村惩罚条例》③第十三条中“禁止田地的永久性买卖”的规定。（3）与上述禁令同时公布的《田地永久买卖惩罚条例》④，内容如下：“一、惩卖主牢狱之苦并予以驱逐，如本人死则其子同罪；二、惩买主牢狱之苦，如本人死则其子同罪，另购置田地由卖主之代官或地头取之；三、惩买卖交易之证人牢狱之苦，如本人死其子无罪；四、如有取田地之质权者仅享耕种收割之利，而其贡租仍由抵押者缴纳之例，则与永久性买卖同罪……”

上述禁令明确限制《检地账》中记载的土地持有者对所耕种土地的处分权，事实上其限制范围包括了大名、旗本及寺院领地，即不仅农民的土地买卖权被限制，大名、旗本、寺院等统治者对自己领国或“知行地”⑤的自由买卖权也同时被限制。虽然江户时期土地耕种权的移动并未能被上述禁令完全限制——民间的土地买卖通过抵押买卖等形式发生，而

① 原文为「田畑永代売買禁止令」，主要内容是制止土地的“永久性买卖”。江户时期土地买卖包括三方面内容：（1）抵押买卖，被称为“本钱返”，即借款抵押，借款返还后可以拿回土地的耕种权。（2）限期买卖，被称为“年季卖”，约定年限到期时土地耕种权可以回到土地贩卖者处。（3）永久卖买，被称为“永代卖”，与近代以后的卖地概念相同，一旦卖出则土地的耕种权永远不会回到卖地者手中。正因为该禁止令仅限制了土地的“永久性买卖”，所以江户时期土地的“抵押性买卖”及“年季买卖”多有发生。

② 原文为「堤川除普請其外有方取扱之儀ニ付御書付」，共有七条内容；见『御触書寛保集成』，岩波書店，1958 年，寛永 20 年 3 月の条。

③ 原文为「在在御仕置之儀ニ付御書付」，共有十七条内容，出处同上。

④ 原文为「田畑永代之売買仕間敷事」，『徳川禁令考　巻四十三』，日本国立国会図書館所蔵。

⑤ 江户时期幕府及大名作为俸禄分封给家臣支配的土地。

且领主通过领地的贡租抵押将土地的收租权转移到大商业资本家之处的状况也多有发生，但是从总体上讲《田地永久买卖禁止令》不失为幕藩体制下土地制度的基础。

对以上三条史料的分析如下：首先，史料(1)中明确指出买卖土地会造成百姓的贫富两极分化，可见幕府所关心的是如何维持幕藩体制的基础，即封建小农体制的存续。其次，史料(3)的一至三条明确规定土地买卖如有发生，买、卖及证人三方均将受到相应的惩罚，同时第二条还明确指出，买方购置的田地将由卖方代官没收，其维持领主权力的目的不言自明；另外虽然抵押买卖并不在土地买卖禁令之例，但史料(3)第四条却规定，如抵押贩卖的条件为该土地的贡租仍由卖方负担之时，该抵押贩卖与永久贩卖同罪，说明幕府不希望农民持有可以不缴纳贡租的土地。通过以上分析不难看出幕府禁止土地买卖的目的，在于防止农民之间的土地买卖影响或削弱领主的土地支配权，乃至维持幕藩体制下封建小农体制以及领主与农民之间的贡租关系。由于幕府的《田地永久买卖禁止令》是维护"领主性土地所有"权利的基本法令，所以不仅在幕府领地实施，几乎在所有大名领地都被尊为重要法令加以实施。

第二节　封建领主的农村统治

江户时期的封建体制被马克思评价为"纯粹封建性的土地占有组织和发达的小农经济，同我们的大部分充满资产阶级偏见的一切历史著作相比，它为欧洲的中世纪提供了一幅更真实得多的图画……"[①]在此马克思指出，江户时期日本的封建体制是纯粹的、中世纪欧洲封建体制的真实写照。所谓"纯粹的封建性土地占有组织和发达的小农经济"，无疑是指以将军和大名之间的主从关系为基础构成的统治阶级，通过收取高额贡租对自立的小生产者，即农民进行掠夺的社会体制。这足以帮助我们

① 前出马克思著《资本论》第一卷，第 824 页。

理解江户时期将军与大名之间的关系，乃至封建领主对各自领地(更多称之为“所领”或“领国”)所持有的统治权力。换言之，在政治权力上，幕府相对藩具有绝对权威，居于幕府顶端的将军与藩主、大名之间的关系是封建主从关系。然而，经济权力上，幕府无权干涉各藩内具体经济活动，特别是藩主与农民之间的贡租关系。① 必须注意的是，幕藩体制的经济基础正是上述幕、藩等封建领主对农民的贡租征收。幕藩体制下，由于兵农分离政策的存在，领主对领国农村的统治与在地领主不同，不仅不参加农业生产活动，并且不介入村庄的具体运营，其对领地农村的统治主要包括以下三个方面。

1. 土地统治。江户时期的土地制度中，领主对土地仅持有收租权，而该权利必须在了解领地具体情况的基础上方能得以体现。对封建领主来讲，记载着领地具体情况的《检地账》对不在地领主的农村统治极为重要，为了保证《检地账》内容的真实性，检地成为领主对土地统治的最有效的方法。内藤忠兴②在与“家老”的通信中有如下表述:“所申极是，必须指令认真实施大型检见③，世间村为最重，贫瘠之处所减，加之富饶之处，万事加减第一。”④内藤的意思可以解读如下:检地是最为重要的事情，通过检地将歉收之处减少的贡租，在丰收之处找回，借以保证贡租收入，这是万事之本。足见对于领主来讲，土地统治的目的在于收租，而收租必须通过检地保证。

江户时期的检地方法及标准与太阁检地相比，出现了一定的变化。首先，太阁检地统一制定了衡量土地面积及收成的度量衡标准。其中测量土地的“曲尺”长度统一规定为 6 尺 3 寸，称之为“1 间”，1 平方间为“1

---

① 大名的领地统治权必须经过幕府的认可，幕府还制订了《武家诸法度》，通过“改易”“转封”等制度取消或更换大名对其领地的统治。但是应该注意的是该制度除初期的三代将军(德川家康、德川秀忠、德川家光)为了加强幕府对全国的统治力度多次实施之后，对外样大名几乎不再实施。由此可见藩主对藩内农村的统治具有绝对的自主性。

② 内藤忠兴是江户前期的大名，德川家康的家臣。

③ “检见”指检地。

④ 引自《磐城平藩　内藤家文書》，明治大学所属図書館所藏。

步”，300 步为“1 反”，10 反为“1 町步”；衡量土地收成的“升”使用当时京都地区使用的“升”（长宽为 4 寸 9 分，高为 2 寸 7 分），将其容积定为 1 升，10 升为 1 斗，10 斗为 1 石。由于太阁检地实施期间长达 16 年，并且包括了外样大名自主实施部分，因此具体实施标准难免具有多样性，尽管如此，在度量衡的使用上仍得到了一定程度的统一。而江户时期土地测量曲尺的长度改定为 6 尺 1 分，即 6 尺 1 分为 1 间，在步与反之间制定了中间单位亩（1 亩为 30 步）。其次，两者的具体操作方法基本相同，由检地奉行[①]带领检地官员对每笔土地的种类（水田、旱田、宅基地）、等级（土地的肥沃程度）、收成（换算为大米的收成）、持有者进行实地测量、认定、计算，最后将每笔土地的测量、认定结果记入以村落为单位的《检地账》。江户幕府的大规模检地在 17 世纪初期基本完成，之后的检地仅限于对新开垦田地、边界纷争地的测量与认定。

江户时期外样大名的领地内的检地，并不在幕府的统治范围内，也不会被强制实施，因此江户时期的检地不具备全国统一性。由此也可以看出，幕藩体制下农村统治的重要组成部分、土地统治权在极大程度上掌握在各大领主，即幕府领地（也被称为“天领”）的土地统治权掌握在将军手中，而藩领土地的统治权则掌握在各大名手中。必须注意的是，检地过程中测量面积、认定等级的最终目的，在于测算土地的收成，而记入《检地账》的土地的收成则成为领主对该土地收取贡租的依据。可见领主对土地统治的目的，实际上最终归结于收取贡租之上。

2. 贡租统治。封建领主的贡租统治与土地统治有着极其密切的关系，其统治依据同样是通过检地出台的《检地账》来体现。考察领主贡租统治的基本理念，以及其具体运作方式对理解贡租统治的内部结构极为重要。

首先，幕藩体制下封建领主贡租统治的基本理念。如上所述《检地

① 负责检地的主要责任者。

账》中记载着每笔土地的收成，通常称之为“石高”[①]。石高是领主征收贡租的依据，这种贡租征收制度被称为“石高制”[②]。关于石高制，日本学者古岛敏雄曾指出“德川期幕藩体制下的纳税制度具有以通过检地认定的石高为基准、以实物、大米的形式向领主缴纳年贡[③]的特征”[④]；有本宽进一步指出，因此“幕藩体制下封建领主贡租统治的直接对象并非人与领地而是土地的生产物；这在世界史上实属罕见”[⑤]。从以上两位学者对石高制的分析中可以看出，封建领主贡租统治的基本理念是通过石高制所体现的“生产物”统治，即领主在贡租问题上所关注的是土地的主要生产物——大米。这种贡租统治理念中的大米本位观念，是江户时期重农主义思想的产物，同时也是江户时期大米本位经济体制形成的原因。实物贡租缴纳体制使“年贡米”[⑥]的运输及贩卖成为领主贡租统治的重要组成部分，促进了江户时期海运事业[⑦]及大米交易市场[⑧]的发展。

其次，幕藩体制下封建领主的贡租征收方式。领主根据《检地账》中

---

① 封建领主通过检地记入检地账中的每笔土地的法定生产量。

② 以土地的法定生产量为基准征收年贡的制度。

③ 每年向领主缴纳的贡租。江户时期的年贡原则上以实物年贡，即大米为主，被称为“米纳”或“实物纳”；个别地区也存在货币年贡，被称为“石代纳”或“货币纳”。

④ 详见古島敏雄著『近世経済史の基礎課程』，岩波書店，1978 年，第 7 页。

⑤ 有本寛「開発経済学から見た自治村落論」，『農業史研究』第 40 号，2006 年，第 89—96 页。

⑥ 农民作为贡租向领主缴纳的大米，被称为“年贡米”。

⑦ 江户初期日本朱印船贸易等与海外的贸易往来刺激了日本海运事业的发展，大型商船建造业发展很快。自 1635 年起江户幕府实施锁国政策，禁止日本人的海外渡航，同时开始限制外洋航海船舶的建造。然而，锁国政策却没有妨碍日本海运事业的发展；由于日本政治中心与经济中心分别为江户及大阪，加之日本贡租统治上的“大米本位”观念，年贡米及各种生活物资的运送使得日本内海航运事业得到了很大的发展。“菱垣”“樽”两大廻船主承担了当时大阪与江户之间的运输；不仅如此内海航路也得到了相应的整备，代表性航路有“西廻”（从日本海沿岸过关门海峡、濑户内海到大阪的航路）与“东廻”（从日本海沿岸过津轻海峡到江户的航路）两大航路。

⑧ 江户初期大米交易并没有特定的市场，在各藩米仓集结地随时有大米商人进行交易，各地大米会所的成立时期亦不明确。西廻航路开通前东北地区的大米集结地在大津，大津大米会所成立于 1644 年，另外在大阪曾有各藩米仓发行的米票，即“米切手”交易。1697（元禄 10）年大阪“堂岛大米会所”成立，成为江户时期规模最大也最为重要的大米交易市场。该大米市场被哈佛大学的 David Moss 教授称为“世界最早的期货交易市场”。

记载的村落总体石高，以村落为单位征收贡租，该征租方式被称为“村请制”①。值得注意的是，幕藩体制下“纯粹的封建性土地占有”，具有领主与农民共同持有的、特殊的内部结构，即前者持有收租权，后者持有耕种权。但是尽管如此，前者的征租对象并非后者的土地耕种者农民，而是村落整体，也就是说村落是贡租的承担者，而村民仅是村落贡租的分担者。这种贡租征收方式使幕藩体制下领主的贡租统治具有以下两个特点：(1) 由于村请制将征租与交租的主体归之为领主与村落，领主并不介入村落内部个别农民年贡缴纳的具体问题，所以农民对年贡负担产生的不满情绪更容易转至村内年贡分割问题之上，这在一定程度上削弱了领主与农民之间本应存在的直接对立关系；(2) 一旦年贡滞纳问题出现，滞纳部分将成为整个村落的共同责任，该部分的补交也自然成为村落必须解决的问题，这在很大程度上增强了村落的自治机能。

再次，幕藩体制下封建领主贡租征收的具体运作程序。上述村请制的具体运作过程虽幕府及各藩略有不同，但大体步骤可归纳如下：(1) 领主向村落提出该年度应交的年贡数额账、即“年贡割付状”；(2) 村落根据领主的“年贡割付状”将村落应交的年贡数额分割给村民个人，制作村落的年贡分割账本、即“年贡小割账”；(3) 由村落责任者(村三役)征收年贡；(4) 年贡集中进入村落年贡米仓；(5) 运往各领主年贡米仓。整个征租过程中领主仅出现在第一个“年贡割付状”环节，而且面对的是村落整体，并不介入村内年贡分配具体过程。其中领主向村落提出的“年贡割付状”的决定方法有两种，一是与每年收成无关的固定征租法(定免法)，一是根据当年收成制定的浮动征租法(检见法)；前者根据村落的检地账及最近数年的平均收成决定，后者根据当年的检地结果决定。在此重要的是，无论领主选择怎样的“年贡割付状”决定方法，其意图均在于“增收

① 以村落为单位征收贡租的制度，换言之“村落整体向领主承诺负担贡租”的制度。

年贡”这一目的之上①。

3. 农民统治。幕藩体制下封建领主的农民统治不同于日本史上任何时代的农民统治，具有极为显著的特点。江户时期延续太阁检地后兵农分离的社会体制，作为统治阶级的武士脱离农村驻扎城下町，中世的“在地领主”②制完全解体，这使幕藩体制下封建领主的农民统治出现质的改变。脱离了农村的领主，无法对领内农民进行面对面的直接统治，必须寻找新的掌握领内农民动向的具体办法，于是以村落为单位的农民名簿《人别账》③登场。《人别账》最早出现于1609（庆长14）年，细川氏对小仓藩领内农民人口进行调查，制订了户籍《人附账》，两年后该藩重新制订了《人畜别账》。与前者相比后者不仅调查、记载了领内农民人口状况，还增加调查记载了牲畜状况。

近世领主农民统治的主要手段《人别账》，更多以《宗门人别改账》的形式存在；后者不仅包括领内人口构成及牲畜状况，还包含了幕府禁止基督教的意图。《宗门人别改账》的出现比《人别账》稍晚，于1624至1643（宽永）年间在全国普及；其出现与江户幕府1612年禁教令④的公布及其推行，乃至1637年岛原之乱⑤的发生有关。江户幕府发布禁教令

① 详细参考大石慎三郎著『享保改革の経済政策』，お茶の水書房，1961年，第4章「享保改革における年貢増徴政策について」；古島敏雄著『近世経済史の基礎過程』，岩波書店，1978年，第3章「江戸時代中期における年貢賦課」，第4章「幕府財政収入の動向と農民収奪の画期」；渡辺忠司「幕藩制的徴租法の成立過程—畝引検見法の歴史的位置—」，『歴史評論』，1981年。

② 武士作为统治者定居于自己的领地，直接统治领内的农民并从事农业生产。

③ “人别”，相当于现在的人口调查，《人别账》相当于现在的户籍册。日本近世领主为了掌握领地内农民的具体状态，经过调查领内每户农民的人员组成情况制作的农民户籍；该调查以村落为单位进行，大规模实施于江户中期。也被称为《人别改账》《人畜改账》《宗门人别账》《宗旨人别改账》。

④ 1603年幕府成立后对基督教采取了默认的态度，1612年第二代将军德川秀忠公布了《基督教禁止令》，开始全面禁止信仰基督教。之后由寺院对本村农民宗教信仰进行调查的“寺请制度”确立，领主对领内农民的调查开始由寺院承担。幕府的“寺请制度”规定每年实施调查，但各藩实施频度及状态均有所不同。

⑤ 1637至1638年间，肥前岛原及天草岛的基督徒发起的大规模暴动，当时两地藩主均为关原之战时追随德川家康的大名；暴动的直接原因有两点，一是对农民征收重租，一是对基督教徒的迫害。

后，为了打击、镇压基督教徒制定了“寺请制度”，规定个人的宗教信仰必须由寺院证明，并由此成立了寺院与信徒之间的“寺檀关系”，《宗门人别改账》也开始普及。以下是1849年2月越后国鱼沼郡根小屋村[①]《宗门人别改账》的主要内容[②]。

（封面——笔者）嘉永二年　宗门人别改账　酉二月　越后国鱼沼郡根小屋村

（以户为单位——笔者）一、所属寺院名、寺院印
户主名、年龄，
家庭成员、与户主的关系、年龄，
一、家庭总人数、男性人数、女性人数、
持有马匹数、耕种
土地石高、户印，
一、所属寺院名、寺院印
户主名、年龄……

（终页——笔者）关于基督教调查，当村人员所属寺院已经调查……并无可疑之人……

以上史料内容表明，宽永年间普及的《宗门人别改账》与江户初期登场的《人别改账》《人畜别账》相比，增加了幕府贯彻禁教政策的意图，但显然与后者同样具有户籍台账的作用，甚至在更大程度上体现了领主掌握领地内农民、农业生产状况的意图；由此可见幕藩体制下封建领主的农民统治仍然以贡租征收为主要目的。

第三节　江户时期的农业政策

江户时期经济活动人口的大约90%以上是农民，农业是支撑幕藩体

① 现在的日本新潟县鱼沼市根小屋地区。
② 日本古文书网站，http://hoshikatta.ciao.jp/otoku/iho5/2017/12/29/。

制的基础产业，因此江户时期的农业政策不仅是所有经济政策的核心，而且左右着整个社会经济发展，具有极为重要的意义。必须注意的是，在探讨江户时期农业经济、农村社会问题之时，无法绕开幕藩体制下封建土地所有关系中的领国，或称之为领地统治结构。由于领主持有对领地内的土地、贡租、农民的统治权，所以该时期的农业政策具有极为显著的多样性。本节仅就该时期农业相关政策中具有相对普遍性的内容进行考察分析。

1. 江户幕府的农业构想——封建小农经营体制的确立。幕府成立后的第一个农民法令，是由关东总奉行签署，面向关东所有公、私领①农民发布的《定书》②，其中明确规定禁止代官、领主对农民进行非法欺压，允许农民利用逃离农村（“逃散”③）或向幕府直接申诉（“直诉”④）等方式弹劾代官的非法，可见该法令的矛头是指向代官、领主阶层的。不仅如此，从幕府法令中不难见到“百姓为国家之本，故应尽察百姓之辛，防其受饥寒之苦”⑤等文字，这充分证明幕府的农业政策基调被放在“农民保护”之上；该农民保护政策的内涵，从其霸权确立后的数次检地及土地政策中可以看出端倪。

（1）通过检地确立农民性土地所有关系。对于日本近世史上首次，也是唯一一次全国性检地的太阁检地，江户初期便有以下评价：“文禄之

① 江户时期“公领”主要指幕府领地，也叫“天领”或“幕府领”；“私领”则指大名领地。

② 『德川禁令考』，「御当家令条」，国立国会図書館所蔵。

③ 江户时期严格禁止农民逃离农村、逃离土地的所谓“逃散”行为，但是幕府成立初期发布的《定书》却明文规定如果代官或领主对农民非法欺压，农民可以用“逃离”的方法反抗代官或领主的统治。

④ 江户时期领主利用各种法规限制农民申诉不满，无论是幕府直接领地还是大名领地，直接向幕府进行申诉的行为被称为“直诉”属于违法行为，另外越级申诉的行为被称为“越诉”亦被列为非法行为。

⑤ 引自1787年8月任命松平定信为老中的通达，详见児玉幸多编『近世農政史料集二』，吉川弘文館，1968年，第80页。

时，有一世之御检地，耕地、石高皆归于下作人[①]……再无主从上下之别。"[②]史料指出太阁检地将土地交给了对土地持有耕种权利的农民，清理了庄园时代从土地中衍生出来的主从上下多重权利关系，一语道出了太阁检地的历史意义。应该说江户时期的检地与太阁检地同样整理了土地相关权利的多重性与复杂性，促进了农民性土地所有关系的成立，在一定意义上保护了农民或耕种者的权利。

(2) 通过检地使农民能够立身于农。江户幕府在庆安检地时出台的《庆安检地条目》[③]，有前后共 27 条规定，不仅详细规范了检地标准、方法、步骤，还明确了检地目的、重要性以及当检地中出现问题与纠纷时的对应要点，在此主要关注以下三条的内容：

> 一、检地者，定百姓身份，为生死之根本……
>
> 一、勿论必须反复斟酌防止测量偏差、台账错记并漏检之误，但如发生因测量谬误百姓申诉之事必须再次进行测量
>
> 一、父母遗田之例，如其子分别继承持有，必须在土地台账该田之处标明该继承人之名……

幕府在第一条中指出，检地可以明确农民与土地的关系，是农民生存之基础，这无疑是幕府对检地的认识；在第二条中为农民申诉检地中的不满预留了通道，目的是希望削减农民的对立情绪，使其协助检地的正常进行，乃至安心于农业生产；在第三条中规定必须通过检地明确所有土地的持有者，严格防止出现所持者不明的土地。上述条款充分体现出检地是幕府明确土地与农民的关系，使农民能够立身于农业生产，从而保证贡租收入的手段。

(3) 就"分地禁止令"看江户幕府的农业构想。1673(宽文 13)年，江

---

① 中世后期庄园所属耕地的权利被多层次划分，诸如向庄园承租耕地的"名主"，向"名主承租的""作人"，直接耕种者的"下作人"，"下作人"对耕地的权利最为弱小。

② 野田只夫編『丹波の国山國荘史料』，「万治二年中江村惣中山売券」，史籍刊行会，1958 年。

③ 若木近世史研究会編『条令拾遺』，若樹書房，1959 年，第 46 号。

户幕府向领内农民发布了分地禁止令，即《田地分割禁止令》①，其主要内容如下："……名主、百姓等持田者，所持田地数量如名主②少于二十石，百姓③少于十石则禁止肆意分割，如有违者无论何人必惩之……"法令明确指出名主、百姓耕种的田地如分别在二十石和十石以下，则不准自行分割予他人。此后 1713 年将分地限制数额改订为石高十石、耕地面积一町。④ 可以看出幕府对农业的构想，或者说对农业经营规模的构想是，收成在十石左右、耕地面积在一町左右的小农经营。反言之，幕府认为石高小于十石、耕地面积小于一町的农民无法达到立身之目的，当然也无法承担缴纳贡租的责任。

以上幕府的农业构想得到多数大名的赞同，1683(天和 3)年津藩藤堂藩主发布了同样的分地限制令，指出"如百姓立身之本过度减少，则无法拥有牛马，故仿公仪⑤代官令，禁止分割十石以内石高的田地……"此外《农家惯行》⑥下卷中收集的著名史料"前田家分地限制令"中，同样有以下的记载："所有十石以下百姓之田地分割，是为禁例，将石高分予无高百姓、或将田地分予兄弟之子，则本家渐薄弱，终与兄弟同没落，故禁之。"上述史料均说明江户时期的大名对领内农民经营体的构想与幕府相同，认为农业经营体的规模不能小于十石，耕种土地不得小于一町。

2. 大力推行新田开发工程。作为贡租增收对策，封建领主通过各种奖励政策推行新田开发。16 世纪末太阁检地之后，日本全国的耕地面积大约为 200 万公顷，到了 19 世纪后期的明治初期增加至 400 万公顷，同期耕地产量也由约 1800 万石，增加到约 3200 万石；⑦二百多年间耕地总

---

① 原文「田畑の細分を禁ず」，前出『徳川禁令考　巻四十三』。

② 江户时期的名主身份为农民，即百姓，一般是村落中的豪农，同时是村政责任者，相当于关西地区的庄屋。

③ 江户时期对农民的称呼。

④ 町是土地面积单位，1 町约等于 1 公顷。

⑤ "公仪"指将军。

⑥ 滝本誠一編『日本経済叢書第 5 巻』，大鐙閣，1923 年。

⑦ 关于数字的统计方法详见木村礎著『近世の村』，教育社，1980 年，第 24—27 页。

面积增加了一倍。江户时期的新田开发可分为前、后两期，前期开发目标多集中于水田而后期则更多旱田。其主要原因有三点：(1) 前期大规模的水田开发达到一定的饱和程度，(2) 江户后期商品经济发展为旱田的经济作物提供了一定的市场，(3) 与水田相比旱田的贡租相对较低，提高了农民开发旱田的积极性。

领主新田开发政策的主要内容如下：(1) 1667(宽文 7)年 2 月，幕府在“御当家令”中指出“本田地[①]不得种植烟草，但开野山造新田不在禁例”[②]；(2) 1721(享保 6)年 7 月，幕府面对勘定奉行发布的备忘录“勘定奉行觉”中指示，“开垦荒地可使荒地复耕，但仅地主之力难以实现，有数年后再弃之例，故应村中百姓同心合力，如村中合力仍难以实现，则可经权衡后御普请[③]行之……开垦新田免收二、三年或四、五年年贡，免租年数超后征收相应贡租”[④]；(3) 1730(享保 15)年 5 月，幕府通告“新田村名主之仪”中写道，“所有新村之内村民可由它村引入、或由开发者村人进入，检地后可为一新村，村名”[⑤]。以上史料表明，新田开发在不影响原有田地生产的前提下实施；领主利用免去数年年贡或允许种植经济作物，甚至允许以御普请方式进行开发等政策，调动农民的开垦积极性；通过新田开发出现大量新村落，不仅开垦事业本身规模之大可见一斑，大量新村民的出现，说明新田开发与贫穷百姓寻求自立的欲求密切相关。

3. 积极整备农业基础设施。江户前期新田开发的主要目标是水田，这与江户时期的大米本位经济体制有直接关系。但是与旱田相比，水田的开发需要同时修建灌溉用水设施，必须投入更多的人力、物力、技术。表 2-1 是日本近世农业基础设施及新田开发工程统计。

---

① 指已记入检地账之田地。

② 前出児玉幸多編『近世農政史料集　一』，第 71 页。

③ 御普请指开发费用由领主负责的工程。

④ 前出児玉幸多編『近世農政史料集　一』，第 156 页。

⑤ 前出児玉幸多編『近世農政史料集　一』，第 192 页。

表 2－1　日本近世农业基础设施及新田开发工程统计表(单位:件)

分期		蓄水池	用水路	共计	新田开发
第一期	1551(天文 20)年—1600(庆长 5)年	3	11	14	14
第二期	1601(庆长 6)年—1650(庆安 3)年	66	55	121	122
第三期	1651(庆安 4)年—1700(元禄 3)年	93	121	214	220
第四期	1701(元禄 14)年—1750(宽延 3)年	27	52	79	103
第五期	1751(宝历 1)年—1800(宽政 12)年	23	31	54	88
第六期	1801(享和 1)年—1867(庆应 3)年	99	139	238	450

注:根据古島敏雄著『日本封建農業史』制成,(四海書房,1941 年)。

表 2－1 中第一期时值镰仓末期至安土桃山末期,将近五十年间农业基础设施工程仅十四件,基本集中于水田的开发、整备之上。进入江户时期不仅新田开发数量开始成倍增长,灌溉用水设施工程也以同样速度增加;第二期到第四期,即江户前期数字表明,水利设施与新田开发的数量基本持平,可以推测该时期的新田开发主要集中于水田开发之上;但第五、六期,即江户中后期,水利工程与新田开发的数量开始失去平衡,证明新田开发中心开始转向旱田。

以下重点关注水利设施工程中经费分担问题。1687(贞享 4)年 11 月,幕府向勘定组头①及代官发布"勘定组头并御代官心得",其中关于灌溉用水工程经费负担做了详细说明:

> 所有普请,如以田地供养为目的,石高百石,劳力五十人迄,由百姓负担,超过之时可赐劳力负担,如为维护农田的河川堤防工程,则勿论石高人员多少均予以劳力负担,其他金银等必须费用勿论灌溉或堤防均予以提供,竹木绳草等必须用品如有给予提供,无则提供经费……(朱批)关于本条,当时御普请劳力百石,五十人由村民

① 江户时期的官职,是勘定奉行(负责监视幕府直辖地代官及幕府财政管理官员)的属下。

负责劳役，劳役费一人七合五勺，其他超员劳力按一人一升七合提供费用，其他以本规定为准，附河川堤防及用水工事的普请，限每年三月中决算，如无故拖延则惩御代官之罪……①

史料中明确规定了灌溉用水及维护农田的河川堤防工事费用分担规则，灌溉工程规模超过百石、劳力超过50人，则由幕府支付超出的劳力负担，堤防工程的劳力负担均由幕府支付。除此之外，两者所需其他物资费用均由幕府负担。通告朱批部分详细规定了劳力费用额度及支付期限，指令代官按时决算不可拖延。幕府在水利工程中的大量投入，体现了其农业政策中"农民保护"的基调。另1726(享保11)年幕府公布的"新田检地规则"中能够看到以下内容："……建有用水设施可为水田之地，为旱田而用者，按水田检地，其故在于对开发请愿已做斟酌"②，明令如水田被用于旱田则仍按水田收租，指出幕府不允许支付过水利工程费用的田地成为旱田；充分体现了幕府在水利工程上的投入目的在于收取"年贡米"，即幕府"农民保护"的目的仍然是征收贡租。

第四节　江户时期农业生产力的提高

江户时期农业生产力的提高是商品经济发展的原动力，为近代日本培育了资本原始积累的胚胎。日本经济、历史人口学家速水融认为，江户农业生产力发展是通过与"产业革命"完全相反的"勤勉革命"实现的，他指出"产业革命"是通过机械化提高劳动生产率达到集中资本、节约劳动之目的；而"勤勉革命"则由人代替资本达到资本节约、劳动力集中之目的。速水在考察浓尾地区《宗门改账》记载时发现，该地区农业生产力发展的同时

① 前出児玉幸多編『近世農政史料集　一』，第95页。文中"御普请"为幕府负担的工程，"普请"指所有水利、堤防工程；另外江户时期的水利工程中"自普请"指百姓负担，"村普请"指村落负担，"国普请"一般指大名负担的工程。

② 前出児玉幸多編『近世農政史料集　一』，第182页。

牲畜减少、人口增加,认为这是江户农村出现的"勤勉革命"①。据推测,江户初期人口为 1200 万到 1700 万之间,最为可信的数字是江户中期即 1721(享保 6)年的人口调查,共 2605 万 5425 人(武士及家属除外),中期以后的人口维持在 3000 万左右。② 尽管以上数字缺乏精准性,但可以看出江户上半期人口总数增长较快,无疑人口增长对农业生产力的提高起到了一定的作用。本节在以上观点的基础上将考察焦点放在以下三个方面。

1. 耕地面积及平均产量的提高。上文提到江户时期新田开发速度较快,耕地面积从江户初期的约 200 万公顷增至明治初期的约 400 万公顷,石高也从约 1800 万石增至约 3200 万石;耕地面积增加了 100%,石高增加了 77.8%。单纯从耕地面积与石高的增比中无法看到耕地平均产量的提高,但江户时期贡租征收以实物即大米为主,对旱田产量的评价同样换算为大米产量记入土地台账;而从表 2-1 中具体数字可以看出,江户中期以后新田开发的中心开始转向旱田,因此整体耕地,特别是水田平均产量的提高无法直接表现在耕地面积及石高的增比之中。表 2-2是现存史料中能够看到的田租法,记载着不同时期田租法中对耕地平均产量的评估。

表 2-2　贡租体制中耕地平均产量变化表

年代	上等田(石)	中等田(石)	下等田(石)
镰仓田租法、1186(文治 2)年	1.2	1.0	0.9
文禄田租法、1594(文禄 3)年	1.3	1.1	1.0
贞享田租法、1686(贞享 3)年	1.5	1.3	1.1
明治地租改正、1873(明治 6)年	—	1.6	—

注:根据農業発達史調查会編『日本農業発達史　1』第 1 章制成,(中央公論社,1978 年)。

对表 2-2 中数字分析如下。首先中世以后,日本耕地平均产量处于

① 详细请参照速水融著『江戸の農民生活史—宗門改帳にみる濃尾の一農村』,NHKブックス,1988 年;同『人口から読む日本の歴史』,講談社学術文庫,2000 年。

② 详细请参照関山直太郎著『近世日本の人口構造』,吉川弘文館,1958 年。

增长状态，虽然增长幅度较为缓慢。但是江户时期的增长速度与中世相比有了较大幅度的提高，贞享田租法迄的不到一百年之间增长幅度将近20％，并且直至幕末仍以同样速度增长。其次田租法是贡租征收主体，即封建领主的评估体系，能否代表土地的实际生产水平仍存有提出疑问的余地。但应该注意的是，田租法并非贡租的征收标准，无论是中世或近世，征租权均掌握在各大封建领主手中，并且不受田租法的左右。因此田租法仅为该时期土地生产水平的标志，存在一定的客观性。

2. 从农具的发展看农业生产力的提高。江户时期农业耕种工具的发展，对提高农业生产力起到了非常积极的作用，现存史料中能够看到其发展轨迹。元禄年间的《地方见闻书》①中有“百姓所用农具，牛，其用首当耕地，同有唐犁……马，用于施肥、上山、收割、脱谷等，若乞丰收、多种者，无马则不成，同有……唐臼”的记载。说明当时已经开始借用牛的力量耕地，并且引进了中国农具唐犁；同时施肥、脱谷更多利用马匹，脱谷农具也开始使用唐臼。

同时期的《农业全书》中对农具的选择方法记载如下：“所有农具的选择，据土地不同选易用之物，但凡农具之刃，有锐钝之分，其功效速迟甚异，愚农不考其用，尽财却取不适者，日日尽心劳作所得甚少……故牛马农具应选适合者而用。”②史料关于农具选择应该适合当地耕种情况的讲解，说明当时农具的选项较多，也体现出农具发展状况的一斑。

3. 从栽培技术及肥料的发展看农业生产力提高。江户时期农业栽培技术提高及肥料的使用促进了农业生产力发展。首先是虫害对策的多样化。农业生产中农田的虫害是种植过程中最为棘手的问题，以下是幕府发布的虫害对策通告《告御代官》③，其中写道：往年虫害之时“虽各施其策仍有难防之处……今附水田治虫之策，散布鲸油可除虫害，无鲸

① 原文「地方の聞書」，纪州伊都郡学文路村的地方官员大畑才藏写于1688至1704年的元禄年间，亦称『才蔵記』，收于農山漁村文化協会刊『日本農書全集』，1978年，第28卷。

② 土屋喬雄校訂『農業全書』，岩波書店，1936年，作者是江户前期著名农学家宫崎安贞。

③ 原文「御代官へ申渡し」。引自前出児玉幸多編『近世農政史料集　下』，第92页。

油之处可……须记以上对策，教谕村民，防虫之时不得有误”。显示了虫害对策的发展，并且可以看到，治理虫害过程中体现了领主主导的特点。

其次金肥的使用是江户农业生产力发展的重要原因之一，江户时期在市场上流通的肥料被称为金肥，区别于传统的自给肥料。金肥主要包括鱼肥、油糟等，来源于渔业及菜籽油榨油业。近畿地区是最早利用金肥的地区，17 世纪前期用于种植棉花的旱田，到了 17 世纪末的元禄时期得以普及。表 2－3 中记载了近畿地区武库郡上瓦林村冈本家水田平均产量变迁，从中可以看到金肥普及以后农业生产力出现了飞跃性发展。

表 2－3　摄津国武库郡上瓦林村冈本家水田平均产量变迁

时期	年号	平均产量(石)
1727 年—1735 年	享保 12—同 20 年	1.39
1742 年—1745 年	宽保 2 年—延享 2 年	1.51
1753 年—1760 年	宝历 3 年—同 10 年	1.70
1770 年—1782 年	明和 7 年—天明 2 年	1.96
1880 年—1806 年	宽政 12 年—文化 3 年	2.17
1824 年—1830 年	文政 7 年—天保 1 年	2.23

注：引自岩波講座『日本歴史 12　近世 4』第 338 页，（岩波書店，1967 年）。

第五节　江户幕府的农业政策与商品经济发展的关系

毫无疑问，江户时期农业生产力的发展带动了整个社会经济，乃至商品及货币经济的发展，反之其特殊的社会结构及贡租体制又成为刺激农业生产力提高的动因，多种关系错综复杂相互关联。本节所关注的焦点在于，考察、分析江户时期农业相关政策对商品经济发展所起到的作用。

1. 兵农分离社会结构对商品经济的影响。

江户时期兵农分离的社会结构创造了刚性城市需求，为商品、货币经济提供了非常自然的成长条件。始于太阁检地的兵农分离政策，不仅打破中世庄园性土地统治方式，实现封建统治机构的重建，使农民性土地所有及小农经营体制得以确立；同时武士阶层脱离农村聚集于城下町，使城下町成为商业都市发展的承载体——虽然城下町的规模与领国规模同样有大小之别，但均具有成为商业都市的承载功能。①

幕府“参觐交代”②政策与城下町的成立同样，是刺激江户时期商业都市及商品、货币经济发展的要素之一。参觐交代加快了作为政治中心的江户成为巨大商业都市的步伐。大名频繁来往于领地与江户之间，促进了道路交通的整备，著名的“五街道”连接了江户与各藩之间的往来，不仅完善了江户大商业都市功能，而且加快了藩领城下町等地方商业都市的成长，为商品、货币经济提供了良好的环境。

2. 贡租体制与“大米本位”经济体制的运营。

江户时期实物贡租体制使大米成为主要农产品，大米本位经济体制形成。为此，年贡米的运输与贩卖成为各大封建领主维持领主经济的重要任务。年贡米的运输促进了海运事业的发展，运输手段的整备使大米市场不断完善；从各藩仓周边的大米市场到大阪“堂岛大米会所”的成立，大米实物及期货交易使商品经济手段及规模不断扩大。以下是关于堂岛大米会所的记载：

> ……因交易繁盛故大米交易今移入会所，专事大米买卖，因正米交易中时有虽经商定后日成交却难成之事出现，届时备前屋权兵卫，柴屋长右卫门初设建物米之称，定某月某日为限，是日迄成交，称之为延买卖，市场亦可繁荣……故予以批准③

① 通常关于江户时期大名领地数量有“江户 300 藩”之说，明治初期的统计数字是 270 个藩，这是幕末时期的数字，是最为精确的一次统计。江户时期称大名领地为“领国”“领分”“大名领”“私领”等，“藩”是明治初期对大名领地的称呼。其规模参差不齐，最大的当然是幕府领地，大概 400 万石，同时幕府掌握着大阪、京都、长崎等大型都市；最小的藩仅 1 万石左右。

② 大名定期到江户谒见将军、执勤幕府的政策。详见吴廷璆主编《日本史》，南开大学出版社，1994 年，第 220 页。

③『堂島旧記　巻一』，国立国会図書館所蔵。

史料指出因大米交易繁荣促成了大米会所的成立，同时详细记载了堂岛大米市场出现正米交易（实物交易）及期货交易的原因及过程，证明江户时期大米市场交易已经达到一定的交易水平。

表 2 - 4 是江户中期大阪运往江户的生活物资数量，大米以外生活必需品的市场交易量之多并不逊色于大米交易，说明随着陆运海运通道的整备，带动了其他物品交易，商品、货币经济得到很大程度的发展。

表 2 - 4　享保年间大阪运往江户主要日常生活用品数量表

年度	1724 年	1725 年	1726 年	1727 年	1728 年	1729 年	1730 年
大米（俵）	3,278	450	3	3,870	37,201	74,946	4,780
碳（俵）	251	30	764	1,053	565	300	168
酒（樽）	265,395	26,066	177,687	211,443	189,828	221,846	235,997
酱油（樽）	112,196	13,627	101,457	131,817	58,088	153,469	162,411
油（樽）	73,651	62,820	69,172	49,744	57,301	48,639	77,022
鱼油（樽）	296	22	—	77	—	—	23
盐（俵）	6,780	—	248	400	—	—	2,400
木棉（个）	10,471	8,180	12,171	20,179	13,926	12,893	12,947
棉花（本）	102,530	69,012	98,119	134,381	78,696	102,398	84,025

注：根据大阪市参事会编『大阪市史　第 1 巻』第 769—779 页制成，（大阪市参事会，1913 年）。

3. 经济作物栽培与“专卖”制度对商品经济的影响。

江户前期领主为了维护贡租征收，限制种植经济作物。最早的限制令公布于 1616（元和 2）年，禁止种植烟草，1642（宽文 19）年公布“田地自由种植禁止令”[①]，禁止在“本田”（原有田地）种植烟草，禁止在水田种植棉花，禁止种植油菜籽。上文曾指出江户中期以后，新田开发的重心从水田向旱田移动，经济作物的种植随之增加。1720（元禄 15）

① 原文「田畑勝手作禁止令」，前出『徳川禁令考』，国立国会図書館所蔵。

年，对于烟草种植的限制放宽，不仅允许在新田种植，也允许部分本田种植烟草。经济作物的种植加快了商品经济的发展，反之商品经济的发展刺激经济作物的种植，使江户时期"农民性"商品、货币经济得以形成。

江户初期起作为"领主性"商品、货币经济的特例"专卖制度"，即特定商品的垄断买卖制度已经出现，例如加贺、仙台两藩的盐专卖，盛冈藩的紫根专卖等。江户中期以后随着商品经济的发展，加之领主财政问题的出现，专卖制度成为藩政改革的主要手段，奖励领内特产的生产与种植，进行垄断买卖。值得注意的是，专卖行为盛行源于商品经济的发展，但实质上其违背了市场经济的自由买卖原则，破坏了市场的正常运营。为此 1841(天保 12)年，幕府发布禁止专卖行为的指令。

1715(正德 5)年，幕府发布题为"货币通用事宜"①的指令，作为新货币使用普及手段在大阪创建了"两替组合"(金融业协会)，规定各"两替商"(金融商)必须每月指定一人作为协会责任者，以及限制各"两替商"每月的营业额，目的在于促进新货币流通的稳定性。体现出江户中后期货币经济的发展程度。

第六节　幕末农民阶层分化与"民富"现象的产生

关于农民性商品、货币经济的形成，江户时期著名思想家荻生徂徕的《政谈》②中有如下记载："往昔钱币极殊，所有物品均非以钱币而以米、麦所购，是于某村耳闻，近闻元禄时起钱币亦往村舍，均以钱币购物也"，由此可见江户中期开始，农村经济也已经从实物经济转向货币经济。然而，货币经济的出现必然会给农村带来贫富差距，其主要表现为以下几个方面。

首先，经济作物种植扩大，刺激了商品经济发展，为农民带来了财

① 原文「金銀通用之事」，详见大阪市参事会编『大阪市史　第 3 卷』，大阪市参事会，1913 年。
② 收于日本思想大系第 36 卷『荻生徂徠』，岩波書店，1970 年。

富，但也带来了地区之间贫富差距。上节曾以表 2－3 揭示了近畿地区农业生产力增长速度，在此利用该地区与武藏国地区的对比，说明两者之间的差距及其原因（见表 2－5）。近畿地区是菜籽种植及渔业的中心，也是榨油业聚集地区，因此最早将金肥使用于农业生产。相反武藏地区的农业生产方式，仍沿用传统方式，肥料是传统自给肥料。表 2－5 中的数字显示了两种农法下单产增长速度及稳定度的不同，给农民的财富积累造成了地区性差别。

表 2－5　摄津国武库郡上瓦林村冈本家与武藏国多摩郡原村石川家农业单产推移比较

时期	平均产量（石）	
	摄津国武库郡上瓦林村冈本家	武藏国多摩郡原村石川家
1742 年—1745 年	1.51	2.00
1753 年—1760 年	1.70	1.77
1770 年—1782 年	1.96	2.19
1880 年—1806 年	2.17	1.83
1824 年—1830 年	2.23	1.92

注：引自岩波講座『日本歷史 12　近世 4』第 338 页，（岩波書店，1967 年）。

其次，商品、货币经济的发展与农民层分化。江户时期的检地继承了太阁检地的主旨，通过检地账认定农民与土地的关系，农民承担缴纳贡租的责任（虽然农民的交租责任是通过村请制体现），被称为“本百姓”或“持高百姓”，即持有土地的百姓，是构成江户时期农民阶层的主要群体，而另一构成群体则是不持有自耕土地的“无高百姓”或“水呑百姓”。以上两者的构成比例较为复杂，并具有地区性及多样性，缺乏整体上的史料统计。在此通过摄津国武库郡上瓦林村的个例考察分析江户前期农民层构造。上瓦林村 1673（延保元）年的宗门改账中的记载如下：

一、庄屋一户，持高三十石以上；

一、本役人（村内有一定地位的百姓）二十二户，其中二户持高二十石以上，八户持高十五石以上，七户持高十石以上，四户持高五石以上，一户持高五石以下；

一、半役人（村内有地位的百姓）三户，其中一户持高十五石以上，一户十石以上，一户五石以下；

一、隐居（户主的父母或独居老人）19户，其中三户持高十五石以上，一户持高十石以上，二户持高五石以上，二户五石以下，十一户无高；

一、柄在家（寡妇）三户，其中一户持高五石以下，一户无高；

一、家持下人（有家室的下人）五户，其中一户持高十石以上，一户持高五石以下，三户无高；

一、其他三户，无高；

一、理发业等二户，持高五石以下；

一、寺院一户，持高十五石以上。

如史料所示，上瓦林村共有59户，其中40户是本百姓，占全村农户的67%，庄屋是该村持有土地最多的农户；十九户属于无高百姓，占全村农户的32%；另外在本百姓中达到幕府自立经营规模10石以上的农户共26户，仅占全村农户的44%。这至少说明江户前期近畿地区农民土地持有状况及其内部构造。应该指出的是，随着全国性新田开发的推广，“新本百姓”不断出现，使本百姓的比例有所增高；但作为44%以外的零星小农及无高百姓的佃农，在商品、货币经济发展中终将成为农民层分化的主要受害者。江户中期以后，幕府多次发布土地买卖禁止令，乃至规范抵押土地的交易规则，对土地买卖者进行处罚之例不断增多①；说明商品、货币经济不断发展中，土地的抵押买卖、期限买卖（年季买卖），甚至被禁止的耕种权移动买卖开始出现，封建领主制度下大地主的出现，代表了“民富”现象的产生。

第三，农村工业的形成。日本的农村工业登场于江户中期以后，农业生产力的提高，农村商品、货币经济的发展，农民层的贫富分化，地主制的

① 详细请参照前出北島正元編『土地制度史Ⅱ』，第83—124页。

出现，佃农的增加，以上所有现象为农村工业的产生创造了良好的条件。幕末日本农村工业的主要内容及分布状况，可见明治政府公布的《明治7年府县物产表》。① 分析该物产表可知，明治七年工业生产中，纺织业（包括服饰类）及酒业（包括酱油、茶叶、砂糖等食品业）的生产占生产总量的70%左右。纺织类中以棉布为主，其中传统白棉布、绢、锦缎的生产量最大，是江户农村工业的传统产品，主要地区包括大阪在内的十一个地区；酒类的生产地集中在大米、大麦、大豆产地，同样是江户农村工业的传统产业。

第七节　幕藩体制下“领主性土地所有”的危机

1853年佩里来航迫使日本建立对外港口、打开国门，幕藩体制开始走向末路。然而事实上18世纪末至19世纪初幕藩体制内部已经开始出现危机，天明、天保两次全国性自然灾害的发生，给领主财政及农民生活带来巨大的打击；农民层贫富两极分化及领主财政危机向农民的转移等多种因素导致各地农民斗争（一揆）爆发，在很大程度上撼动了领主统治的安定。本节的重点在于通过考察幕藩体制内部危机产生的主要原因，探讨幕末农业、农村所面临的问题。

1. 领主性土地所有危机。幕藩体制下领主性土地所有的基础是通过对土地的统治达到征收贡租的目的，从而支撑领主财政维护政权的安定。上节曾经指出，贡租的征收权掌握在各领主手中，因此江户时期贡租征收幅度因领主而异，参差不齐。表2－6是幕府领地自1726年至1841年迄农业贡租数据；虽然缺少江户前期及19世纪后期的数据，但仍然能够从中看到幕府征租过程中出现的问题。

---

① 原文「明治7年府県物産表」，收于明治文献資料刊行会編，『明治前期産業発達史資料　第1集』，明治文献資料刊行会，1959年。

表 2-6 1726(享保 11)年—1841(天保 12)年幕府领贡租(每 10 年平均)

年代	1726—1735	1736—1745	1746—1755	1756—1765	1766—1775	1776—1785
石高(石)	4,473,764	4,596,668	4,428,588	4,425,009	4,380,819	4,362,064
年贡(石)	1,477,350	1,580,404	1,666,845	1,646,788	1,518,487	1,463,986
贡租率(%)	33.02	34.38	37.63	37.21	34.66	33.56
年代	1786—1795	1796—1805	1806—1815	1816—1825	1826—1835	1836—1841
石高(石)	4,392,941	4,493,038	4,452,564	4,328,432	4,204,538	4,192,202
年贡(石)	1,413,323	1,536,752	1,495,765	1,462,816	1,397,593	1,327,148
贡租率(%)	32.17	34.20	33.59	33.79	32.81	31.66

注:根据岩波講座『日本歷史　近世 4』第 4 页制成,(岩波書店,1967 年)。

表 2-6 中数字是 18 世纪前期至 19 世纪中期幕府领的年贡及征租比例。115 年间幕府领的贡租征收平均比例约为 34%,并且 1726(享保 11)至 1755(宝历 5)年的 30 年之间,贡租征收水平处于上升阶段,其后进入不断下降的趋势。问题在于上述 115 年正值农业生产力不断上升,商品、货币经济不断发展阶段;抛开天明(1782—1787)、天保(1833—1836)两大饥馑之外,幕府的征租水平不仅未出现明显上升,甚至开始出现下滑趋势。19 世纪初期开始,幕府多次发布禁止申请"御普请"公告,1811(文化 8)年 9 月通告中指出:"因御勤俭之由,除堤防破损等紧急场所之外,均不予准许"①,禁止代官及村落申请"御普请";另宽政改革及之后的天保改革均包含增收年贡、节约财政支出等内容,足以证明幕府财政问题的严重性。

不仅幕府财政出现问题,将军直属家臣"旗本""御家人"等武士阶层的经济危机也非常严重。1789(宽政元)年幕府公布"弃捐令",单方面勾销家臣的借贷,将家臣的经济问题转嫁给高利贷商人。以上幕府贡租征收问题乃至财政窘况的出现,已经为领主性土地所有种下了危机。

2. 农民性土地所有的动摇。江户时期发展势头迅猛的新田开发,使

① 前出児玉幸多編『近世農政史料集 二』,第 169 页。

耕地面积成倍增长，一度使本百姓的比例得到一定的提高。但值得注意的是，在新田开发过程中幕府曾实施招募町人承担新田开发的政策。1722(享保 7)年，幕府在江户日本桥贴出如下公告：

> 诸国幕府领地，或与私领交界之处，若有可成新田之处，与其代官，地头并百姓商谈，得之许可便可为之，五畿内向京都奉行所，西国中国向大阪奉行所，北国关八州向江户奉行所提交附详细内容，图纸等之申请。①

公告内容表明，只要征得幕府领地代官、地头及当地百姓的允许，町人可以承担新田开发事宜，并且招募范围涉及全国各地的幕府领地。对此政策荻生徂徕在《政谈》②中写道："摄河两国之内新田极多，是为大阪市豪门中内家之人得将军之准、掷重金所开新田，地主居大阪之宅，新田仅以其名遣支配人治之"。

幕府招募町人开发新田政策的主要目的在于，利用町人财力填补伴随新田开发产生的水利工程费用，但却导致大量寄生地主(将土地租予佃农收取地租的地主)及佃农出现，动摇了幕府土地统治中重要部分，即农民性土地所有的基本构造。

3. 农民暴动频发。江户后期幕府贡租征收水平的降低，造成财政问题严重，为此增收自 18 世纪前期开始便成为幕府的主要政策目标，然而表 2-6 的数据表明其效果不佳。1843(天保 14)年，幕府在天保改革的同时，发布"上地令"以"天领中贫地居多贡租征收率低下……与天领相比私领高租之地居多"为由试图没收大名甚至旗本领地，缓解幕府财政之急；可见幕府增收贡租的矛头不仅对准农民、甚至开始转向大名及旗本。

18 世纪中期开始，农民暴动不断增加，除与上述领主增收贡租的动向有关之外，农民层的分解，寄生地主与佃农的增加及其租佃关系的恶

---

① 前出児玉幸多編『近世農政史料集 二』，第 161 页。
② 收于日本思想大系第 36 卷『荻生徂徠』，岩波書店，1970 年。

化也是农民暴动增加的原因之一。幕府成立后到1742年的近140年间共发生农民暴动273件，而1752至1867年的115年间共发生农民暴动967件；江户后期的农民暴动件数是前期的3.5倍①以上。农民暴动数量的增加，使早已存在于统治机构内部的问题，即商品、货币经济发展与封建统治基础，即土地统治之间的矛盾加大，江户时期持续了270年左右的幕藩体制将在佩里来航这一外力的冲击下崩溃。

综上，近三百年的幕藩体制下，日本农业生产力得到一定的发展，主要体现在耕地面积扩大、农具及农耕技术提高等方面。农业生产力的提高虽然刺激了商品及货币经济发展，却相反动摇了封建统治的基础，即瓦解了幕藩体制下领主性土地所有与农民性土地所有共存的构造。必须注意的是：(1) 江户时期的小农经济体制并未能随着耕地面积增加而得到相应改善，新田开发一方面使一定数量的"无高百姓"成为"新本百姓"，另一方面因为商人的介入，出现了一定数量的寄生地主，他们将自己的土地分租给佃农耕种，这种耕地租赁关系的出现为近代的寄生地主制提供了一定的基础。(2) 江户时期农业生产力的提高带动商品及货币经济的发展，同时商品及货币经济的发展带来了农民层的贫富分化，两者为日本近代化准备了良好的基础。

① 数字来源于黒正巌「百姓一揆概観及年表」，日本経済史研究所編『経済史研究』，新和出版社，1971年，17の3。

第三章　明治政府的土地制度改革——地租改正

明治政府的成立预示着持续了将近三百年的幕藩体制崩溃，新的统治政权、新的治国理念出现。明治政府的最大目标是将一个农业国家改造为一个能够"与列强为伍"①的近代资本主义国家，随之而来的是诸多封建遗制的改革，乃至诸多近代化政策的推行。日本著名历史学家北岛正元指出："新政权的经济路线有着强烈的日本国家资本主义色彩，其原始资本除掠夺农民之外别无他策。并且基于财政需要，必须将实物贡租改为货币贡租，这种变革被称为地租改正。"②可见地租改正③是明治政府对江户时期封建土地、贡租制度，乃至确立新政府财政基础的关键性改革，同时是确保日本国家资本主义掠夺农业，乃至农民的重要手段之一。

① 1871(明治4)年7月14日「太政官布告」,『法令全書』,明治4年7月14日の条,国立国会図書館所蔵。

② 前出北島正元編『土地制度史Ⅱ』,第197页。

③ 在我国日本史学界通常译为"地税改革"(请参照吴廷璆主编:《日本史》,南开大学出版社1994年版,第385—391页);本文为方便文献、史料的引用,沿用明治政府的称呼。

第一节　朝藩体制下的土地问题

1867 年 11 月 9 日(庆应 3 年 10 月 14 日),江户幕府第 15 代将军德川庆喜提出将政权交还朝廷,次日得到允诺,此政治事件被称为大政奉还,以此为契机江户幕府将掌握了近 300 年的统治权交还朝廷。然而倒幕派的运动并未因此停止,以岩仓具视及萨、长为首的倒幕势力,于 1868 年 1 月 3 日(庆应 3 年 12 月 9 日),发布以天皇"告谕"为形式的"王政复古大号令",宣布"德川内府奉还从前委任之大政、辞退将军之职两条,今断然听取……今后废除摄关、幕府等职,暨今暂设总裁、议定、参与三职,可行万机"[①],自此明治新政权起步。届时距幕府决定"安正开港"已经十年,十年间经历了两次幕府与雄藩之间的战争,其结果则是上述大政奉还及王政复古的实施。不仅如此,倒幕派于王政复古大号令发布的同日,在小御所会议上要求将军辞官、纳地[②],引发了之后的戊辰战争。新政府在戊辰战争胜利后的 1871(明治 4)年 7 月,果断实施废藩置县,剥夺了新政府起步之后依然掌握在旧领主手中的地方统治权,中央集权统治体制确立。1867 年 11 月的将军失职至 1871 年 7 月的废藩置县讫,日本的政权结构被称为朝藩体制,是江户幕府倒台到中央集权体制成立的过渡期。

首先,与幕藩体制相比,朝藩体制在统治结构上并没有实质性的变化。1868 年 1 月 10 日朝廷向农商务省发出的布告的主要内容如下:

> 德川庆喜察天下大势之无奈,愿奉还大政、辞退将军之职,已被允诺。然仅限于言并无将土地、人民奉还之实……今彼引起战端,庆喜谋叛之意已明。尤其始终欺瞒朝廷,大逆不道,朝廷已无赦免之策,不得不对其追讨,一度以战端相对,尽快诛灭众贼以免万民涂

① 維新史料編纂事務局編『維新史　第 5 巻』,維新史料編纂事務局,1941 年,第 73 页。

② 大政奉还后,德川庆喜将国家的统治权及将军职交还朝廷,但仍肩负"内大臣"一官职。小御所会议上倒幕派主张德川庆喜应该辞官——辞去内大臣一职、纳地——上交幕府领地。

> 炭……迄今德川统治领地被称为天领，实属无道理可言，今沿太古之例，全部恢复为天朝之御领，使之成为真正天领。[①]

同年4月7日再度发布太政官布告："诸国万石以上、以下私领并寺院领，迄今向幕府提交领内明细附上村高账[②]抄本，火速提交予民政役所。"[③]前者指出，虽德川将军自请奉还大政，但实则拒绝辞官纳地，并惹起战端，大逆不道，朝廷已无法容忍，故以兵相对，并没收幕府领地；后者指出，作为私领的大名领地及寺院领等，迄今应向幕府提交的领内状况说明，今另附上领内村落石高账本交予民政部门。两史料的内容表明，新政府成立后收复原幕府的权利及领地，而私领（大名领地等）则仍掌握在各大领主手中。此后，政府于1869年6月17日发布版籍奉还指令，其内容如下："今列藩建言版籍奉还之事，深察时势、广为公议、采政令归一之虑，纳建言之意，依此令其藩亦返还封土版籍，任官某藩知事"[④]，表明在版籍奉还的同时，令原藩主任"知藩事"；虽然知藩事的任命主旨在于"政令归一"，即赋予其中央集权统治下地方官的机能，但事实上被任命为知藩事的旧藩主对旧领地的封建割据色彩更浓。可见朝藩体制下，江户时期的领主性土地所有并未完全消失。

其次，朝藩体制下的贡租征收。新政府成立后，于1868年8月，就贡租征收问题做了如下指示："不明诸国风土而贸然设立新法，反而会有悖人情，故一两年间姑且依旧惯而行，其苛法弊俗若有难耐之情，向会计官禀议予以处分。且没收旧幕府麾下村邑，交近旁府县或诸藩管理。"[⑤]其中"不明诸国风土而贸然设立新法，反而会有悖人情"之处，可

---

① 1868（明治元戊辰）年1月10日「農商へ」,『法令全書』,明治元戊辰年正月十日の条,国立国会図書館所蔵。

② 记载着领国内的村名、村落的石高的账本。

③ 1868（明治元戊辰）年4月7日「太政官」,同『法令全書』,明治元戊辰年四月七日の条。

④ 1869（明治二己巳）年6月17日「抄」,同『法令全書』,明治二己巳年六月17日の条。"某藩知事"是在冠藩名之时的称呼，该职位被称为"知藩事"。

⑤ 大内兵衛・土屋喬雄編『明治前期財政経済史料集成　第7巻』,原書房,1979年,第169页。

以看出，新政府成立之初便有意改革贡租制度，但因顾及“人情”而不得不暂且“依旧惯而行”。由此可见朝藩体制下不仅统治结构与幕藩体制相比并无质的差异，而且贡租体制上也延续了幕藩体制下的征租方式；不同的仅仅是朝廷政府代替了幕府而已。值得注意的是：(1) 所谓“诸国”当然包括旧藩领在内，因此“人情”亦不仅仅指“民情”，包括诸旧藩主之情绪，而“旧惯”无疑是江户时期的贡租征收法；(2) 政府不仅没收了幕府领(即旧天领)，同时没收了幕府家臣的领地(诸如旗领等知行地)，并将其交托府县及诸藩管理。一方面说明新政府的政权仍处于不稳定阶段，需要旧藩主即知藩事的支持，另一方面说明即使是旗领等幕府家臣领地的贡租制度亦并非统一，其管理繁杂，故不得不交予近旁府县或藩领管理。

事实上在朝藩体制之际，对于各地贡租制度的现状，新政府虽然指出应“依旧惯而行”，但是亦并非完全放置无视，特别是戊辰战争结束后，采取了一系列的整理措施。例如 1870 年 3 月 8 日发布通达，指示对各藩负责管理下的旧旗本领地的租法进行改革，令“斟酌其风土人情，区分适宜之法及当改之法，并提交意见予以禀议”①；同年 7 月大藏省发布通告指示各地实施检见法②，借以“斟酌风土人情”，了解领地的实际土地及收成的状况，为贡租改革做准备；1871 年 1 月 25 日，对各藩发布通达指示“租税乃建国之基本，系民心之向背……必将制定海内③一定之法，故各藩若重新改革增减等，所有必须经(政府——笔者注)裁决”④，不仅对各藩内的租法给予了一定的关注，并强调了政府的统治权。

第二节　废藩置县与土地制度改革方针的确立

戊辰战争后，江户幕府及其势力完全崩溃，新政府的政权基础得到

---

① 前出大内兵衛・土屋喬雄編『明治前期財政経済史料集成　第 7 巻』，第 169 页。

② “检见”指实地调查当年的收成，决定貢租的数量。

③ 指日本国内。

④ 同①，第 124 页。

了很大程度的巩固。接下来的是如何解决其面临的两大问题，一是没有稳定的财政收入，一是与中央集权体制并不协调的地方割据，两者均与藩的存在相关，废藩置县势在必行。

首先，废藩置县与明治新政府的财政基础。1871 年 7 月新政府公布《太政官布告》，宣布实行废藩置县。布告指出曾“纳版籍奉还之请，任命新知藩事，令各奉其职，然数百年因袭已久，或有冠其名而不行其实者，何以保万民与万国为伍也……今废藩置县，除繁就简，除有名无实之弊，使再无政令多岐之忧”①。对以上布告可解读如下：(1) 明治政府的治国目标是“与万国为伍”，即以西方列强为榜样发展资本主义，目的是加入列强之行列，其背后的意思当然是废除所有封建遗制；(2) 虽然 1869(明治 2)年版籍奉还之时，任命各领主为知藩事，实施新政权体制，但百年旧习使新政有名无实，政府意图无法贯彻统一；(3) 断行废藩置县，即废除藩制及藩知事，重新设置县(县令由政府重新任命，旧藩主被召集至东京居住)为新的地方统治机构。废藩置县使明治政府拿到了曾经掌握在封建领主手中的地方统治权，自然掌握在各“知藩事”手中的贡租征收权也一并进入新政府的掌握之中。

表 3-1　1868(明治元)年至 1875(明治 8)年政府税收表(单位：日元，小数点后省略)

总税收	地租				其他税收
282,870,871	232,711,465				50,159,406
	一期	二期	三期	四期	
	2,009,013	3,355,963	8,218,969	11,430,983	
	五期	六期	七期	八期	
	20,051,917	60,604,242	59,412,428	67,717,946	

注：根据大内兵衛・土屋喬雄編『明治前期財政経済史料集成　第 4 巻』第 7—11 页制成，(原書房，1979 年)。

废藩置县前后，即自 1868(明治元)年至 1875(明治 8)年 6 月迄，

① 前出大内兵衛・土屋喬雄編『明治前期財政経済史料集成　第 4 巻』，第 9 页。

明治新政府税收的主要内容可见表3-1。如该表中所示上述八年半，政府税收为2亿8287万871日元，其中地租收入为2亿3271万1465日元，占政府税收的82%，并且第三期开始政府收入幅度不断提高。关于以上税收变化政府在决算报告中陈述如下："此地租为政府岁入之基础……虽八期然实为明治7年迄之地税，其渐增之原因如下，一、二期因兵马之乱而收入甚微，三期增加因明治二年削罪藩疆土立县所致，四期增加因丰收之年所致……五期之后增加则因四年废藩置县所致。"①以上内容表明：(1) 第五期之后税收的大幅度增加，表明废藩置县后新政府掌握了旧藩主领地的税收权力，旧藩主完全丧失了地方统治权，中央集权统治结构确立；(2) 前八期的政府税收的82%来自地租收入，该地租可理解为农业税收②，可见明治新政府的财政基础是农业税收。

其次，关于旧贡租制度的弊病。1868(明治元)年8月，政府发布的太政官布告指出："王政复古，百事更新，皇张政纲，耸动人心者是税法之科敛，且无甚于该陋习者，故税法之改革为庶政改革之要……然人心尚未安抚，此时不可骤然改革至重至大之税法，姑且依旧法而行。"③此处之"旧法"无疑是江户时期贡租制度，此处亦证明新政府成立之初，虽然已经认识到必须改革旧贡租制度，但因为税法的重要而表现出慎重的态度。

废藩置县后，新政府掌握了全国的征租权，由于仍延续江户时期的贡租制度，致使征租体制出现了很大的问题。(1) 旧贡租制度因领主而异，故贡租标准出现地区之差；(2) 由于旧贡租的实物征收导致政府的财政收入受当年收成及米价影响而出现浮动；(3) 实物贡租征收体

① 前出大内兵衛・土屋喬雄編『明治前期財政経済史料集成　第4巻』，第9页。

② 政府决算报告中对第四期至第八期地租的说明中提到，平均地租四千零三十七万三千九百三十五日元中，包括平均市街地卷税，即城市土地税伍拾肆万七千五百七十四日元，此前此项税收免税，可见其间地租收入中的城市平均地租仅占总平均值的1.4%。

③ 前出大内兵衛・土屋喬雄編『明治前期財政経済史料集成　第7巻』，第300页。

系在征收、运输及贩卖等方面给新政府带来极大的不便；(4) 通过废藩置县，旧土地制度中存在的“领主性土地所有”走向崩溃，而“农民性土地所有”并未得到法律上的承认，土地所有制度出现很大漏洞。

1871 年 9 月，大藏卿大久保利通与大藏大辅井上馨联名向正院提交的咨询书中，对旧贡租体制做了如下评价：“税法为治民之要务、理财会计之根本，其当否系国之隆萧、民之盛衰，为至大至重之要件……然皇国中古①以后惯行之税法，系战国之遗法、不当之处甚多，如土地有石高、贯高、束高、无高、无反别，税法则有检见法、定免法，亦有有名无实的五公五民法。”②从中可知旧贡租法收租标准众多不一、且因地而异；使新政府在收租过程中遇到极大的困难。因此，此时政府的当务之急是改革税收制度，统一征税标准，以保证新政府具有稳定的财政收入。

再次，明治政府贡租制度改革的准备工作。上文指出新政府成立后，痛感旧贡租制度存在缺陷，但在政权仍不稳定的废藩置县之前，仍维持了原有的征租体制。废藩置县后，新政府废除了仍掌握在旧藩主手中的地方统治权，中央集权统治结构初步确立，面临的首要任务则是纳税制度的改革。事实上新政府对贡租制度改革作了充分的准备工作。

其一，贡租制度改革的研讨。新政府成立至地租改正法出台的近六年间，进行了大范围的讨论，代表性建议应属神田孝平③向公议所提交的《田地买卖许可问题》④，及同氏公开发表的文章《田租改革建议》⑤。神田在前者中向公议所提问“废除旧法、解除田地买卖禁令，以地券⑥价值为基准征收租税可否”；在后者中指出了旧贡租法中缺乏统一性之弊，并提议“今改革税法，排除以上弊病，允许田地买卖，以土地沽卷为征税标准最为可行”；两者均表达了神田对贡租制度改革方法

---

① “中古”指平安时代，在此中古以后指平安时代之后的中世乃至近世。
② 前出大内兵衛・土屋喬雄編『明治前期財政経済史料集成　第 7 巻』，第 307 页。
③ 幕末兰学家，明治政府官员，先后任兵库县令、元老院议官、贵族院议员等职。
④ 福島正夫著『本邦地租沿革解題』，お茶の水書房，1977 年，第 67 页。
⑤ 前出大内兵衛・土屋喬雄編『明治前期財政経済史料集成　第 7 巻』，第 302 页。
⑥ 地券相当于现在的地产证。

的建议，认为必须首先改革江户时期的土地制度，澄清土地的所有权，准许土地的自由买卖，以土地价格为基准征收税金。神田的建议基本解决了封建遗制中存在的主要问题，奠定了明治政府土地、贡租制度改革的基调。

其二，贡租制度改革的序曲。1872 年 2 月 15 日，政府公布太政官布告第 50 号《解除土地永久买卖禁令》，宣布废除江户幕府发布的田地永久买卖禁止令。同 24 日，大藏省发布《土地交易之时发行地券》的法令，指出今后在土地买卖交易的同时，向土地所有者发放土地证。同年 7 月 4 日，大藏省再度发布关于发行土地证的法令《向所有土地发行地券》，宣布不仅土地交易之时发放土地证，将向所有土地所有者发放土地证，从法律上承认了农民的土地私有权，同时也认定或明确了土地的纳税责任者。至此明治新政府彻底废除了江户时期的土地制度——领主与农民共同持有制度，以及纳税制度——村请制，同时开始着手制定符合新时代需求的土地及贡租制度。

第三节　地租改正法的出台及其内容分析

经历了上述酝酿及准备过程，明治政府开始着手对沿用了数年的江户时期的土地及贡租制度进行改革。1873(明治 6)年 7 月 28 日，政府公布了由五个文件组成的地租改正系列法，包括《上谕》《太政官布告第 272 号》《地租改正条例》《地租改正实施规则》《地方官须知》。[①] 地租改正系列法是明治政府关于地租改正的法律文件，其内容体现了日本土地制度近代化过程中，政府对农业的态度，并必将影响其后农业部门的发展及走向。

首先，《上谕》中对地租改正法的出台做了如下解释："旧法非统一之法，宽苛轻重欠公平之处，故思改正。乃采所司之群议，尽地方官之众

① 详细参照前出大内兵衛・土屋喬雄編『明治前期財政経済史料集成　第 7 巻』，第 325—335 页。

论，更与内阁众臣商议裁定，颁此公平化一之地租改正法。”主旨在于向国民说明，地租改正法是经过所管部门、地方官以及内阁众臣的充分讨论、斟酌后出台的，是匡正旧租法中存在的非统一性、非公正性弊病之新法。

其次，《太政官布告第 272 号》中，对新法的内容作了以下说明：“今地租改正之际，旧来田地贡租之法悉废，并待地券调查之后，以地价之百分之三为地租……且从前官厅并郡村费等取之于所在地之费用，现均以地价为基准课之，其金额不得超过正税的三分之一也。”以上内容可归纳为两点：(1) 通过地券调查决定土地价格，取地价的百分之三为地租；(2) 今后官厅、郡村等运营费用，亦以地价为基准征收，但征收额度必须在地租的三分之一以内。

再次，《地租改正条例》共七章内容，主要制定了地租改正的具体实施办法及问题对策，指出：(1) 因地区之别可能出现缓急不一的现象，故不要求改革速度，不要求全国统一实施，亦不要求以府县为单位，可以郡、区为单位酌情先后实施；(2) 改正后地租不根据收成状况进行增减，丰收之年不增税、歉收之年不减税；(3) 当物品税超过二百万元之时，地租逐渐减至地价的百分之一；(4) 至地租改正完成迄，暂以旧贡租标准征收地租，如有对旧租法不满而申冤者，非特别偏高偏重者不予受理。

最后，《地租改正规则》与《地方官心得》中，对地价的决定方法、步骤做了详细规定，其主要内容如下：(1) 主要步骤为测量土地面积、勘察土地等级、认定土地产量、计算土地价格；(2) 土地产量的认定方法是，先由土地所有者申告，由地租改正官员实地调查后认定；(3) 地价根据土地产量、种子肥料费用、地租、村费及平均利率等数据通过资本还原方式计算。《地方官心得》第十二章，第一、二两则中，讲解了地价的具体计算方式，其主要内容可归纳为表 3 - 2。

表 3－2　地价计算公式

第一则（自耕地）	$X地价=\dfrac{P(大米收获量\times米价)-0.15P(种子肥料价格)-0.03X(地租)-0.01X(村费)}{0.06(两年间假定平均利率)}$
第二则（租佃地）	$X地价=\dfrac{0.68P(佃租)-0.03X(地租)-0.01X(村费)}{0.04(两年间假定平均利率)}$

注：根据大内兵衛・土屋喬雄編「明治前期財政経済史料集成　第 7 巻」第 328—339 页制成，（原書房，1979 年）。

分析上述地租改正系列法的具体内容，可以得出以下几点结论。

1. 政府对地租改正的实施表现出极为慎重的态度，其主要原因在于占税收 80％以上的地租收入，直接关系着政府财政基础的确立。政府对地租改正的慎重不仅体现在相关法律出台迄展开的大范围论证过程中，而且体现在系列法的条文中。诸如《上谕》中对系列法制定过程的再三解释，《太政官布告》中的“减租约定”（从地价的百分之三减至地价的百分之一，实际上这个约定并未兑现），改租的实施方式（不要求统一而允许以地区为单位酌情先后实施），以及直接左右地价的土地收成的认定方法（先由土地所有者自行申告，再由地租改正官员认定）等处，均体现了政府对改租的慎重态度，并希望通过“抚民”获取农民对地租改正的支持。

2. 地价计算方法对大土地所有及租佃地主的土地所有更加有利，因此地租改正法为维持地主与佃农之间的半封建性（该半封建性体现在以非经济强制性手段索取高额实物地租之上）关系提供了法律依据。对此可以在地价算定公式中得到答案。首先以第一则为例，在地价的计算过程中以土地的收成为基础，虽然对生产成本给予考虑，但却无视了农民的劳动成本，使小土地所有者的农业经营相对困难。其次在第二则中，将所有农业生产的 60％以上作为法定实物佃租纳入地价计算公式，为租佃地主通过非经济手段强制性向佃农收取实物地租提供了法律依据。

3. 关于两则地价计算方式，政府在《地方官心得》的第十三章中规定:“自耕地调查之时使用第一则,租佃地调查之时使用第二则”①,即第一则适用于自耕地,而第二则适用于租佃地的地价调查。但随后在第十四章中指出:“佃租是地主与佃农间相争之物,调查土地收成多寡之真实情况,是防止人民之间出现相互欺瞒的主要方法,以第二则最为适宜。故自耕地之调查,亦以租佃地之比例假设佃租米之数量,据第二则调查其地价之当否,以供参考。”②表明政府希望利用地主与佃农之间的相互牵制,防止地价调查中通过隐瞒土地收成降低地价等现象的出现,明确指出在地价调查之际,无论自耕地或租佃地均采用第二则进行计算。值得注意的是,政府在《地方官心得》第十六章中指出:“虽佃租米为算定地价之标准,但古来名田租佃、永久租佃等租赁土地的佃农,对地主之土地并无自由利用之权利,故佃农不应成为缴纳贡租及其他杂税的主体。”③在此,政府指出,虽然“佃租米”是租佃地的地价算出的标准,但是,租佃地的纳税主体是农民而不是佃农。也就是说,佃农仅负有向地主缴纳租赁土地产生的佃租米的责任,而向政府缴纳该土地贡租的责任则仍在地主之处。这表明政府从法律上否认了佃农对土地的自由利用权,同时在法律上保护了地主对土地的绝对权力;并且该权利的具体内容可以解读为,通过高于所有农业生产收成60%的实物佃租,从佃农处剥夺所有剩余价值,这使得明治时期地主与佃农的关系染上极其浓重的封建色彩。

第四节　地租改正法的矛盾与农民斗争

地租改正系列法公布后,日本历史上继太阁检地后的又一次全国性土地调查开始。《地租改正条例》规定,改租以府县或地区为单位展开,在时间上不要求全国统一实施,甚至不要求在各府县内的统一实施。事

① 前出大内兵衛・土屋喬雄編『明治前期財政経済史料集成　第7巻』,第329页。
② 同上。
③ 同上。

实上，地租改正系列法公布之前，即 1872 年的地券发行期间，一些地区已经开始实施改租；不仅如此，各地区的改租结束时期亦大相径庭。整体上讲地租改正开始于 1872(明治 5)年 2 月左右，结束于地租改正局关闭的 1881(明治 14)年 6 月，前后持续将近 10 年的时间。1881 年 6 月，太政官三条实美署名的"地租改正事务局关闭事宜"中指示：地租改正事务局于"本月三十日迄关闭，其余残务交大藏省"①。由此可知，事实上 1881 年 6 月，地租改正事务局内仍有残留公务存在。明治政府在 1875 年发表的太政官通达第 154 号中曾经指出："以明治 9 年作为各地方一般改正之期限"②，说明明治政府希望地租改正能够在明治 9 年，即 1876 年结束，然而与政府预期相比，地租改正延迟了整整五年的时间。其主要原因在于地租改正实施过程中受到农民顽强的抵抗，而农民的不满源于地租改正系列法内部存在的根本性矛盾。

明治政府成立之初，地租收入或称之为农业税收，占政府所有税收的 80%以上，政府必须在改革封建贡租体制的同时，保证财政收入的稳定性。现存大藏省文书《论将地券税额定为原价百分之三》③一文，解释了将地租定为地价的百分之三的原因。

> 施地卷税之时，重在取地价百分之几为地租。地租改正主旨在于洗旧租之弊，设公平课税之率，上足国用，下济民力。故算旧租之额，量今必收之数，立课地价比率之概算……则地价之百分之三为适宜。抑或如今为多事之秋，旧来之岁入不足今日之经费，然切不可不量民力而欲增额……故地租改正之始，先以不减于旧日岁入为目的，得课税之宜，平民众之幸与不幸，达改正之主旨。是自今以原价百分之三为税额之所以。

① 前出大内兵衛・土屋喬雄編『明治前期財政経済史料集成　第 7 巻』，第 360 页。

② 同上，第 341 页。

③ 原文「地券税額ヲ原価百分ノ三ニ定ムルコトヲ論定ス」，前出大内兵衛・土屋喬雄編『明治前期財政経済史料集成　第 7 巻』，第 337 页。该文是 1876(明治 9)年 12 月的文书。

上文内容非常重要，可归纳为以下几点：(1) 明确地租的征收标准的重要性。文中指出，对地租改正来讲，最重要的是如何决定征税标准，即取地价的百分之几最为适宜。(2) 阐述地租改正的目的。文中指出，地租改正的目的在于废除旧贡租体制的弊病，且必须“上足国用，下济民力”，显然主要目的在于“足国用”。(3) 指出必须保证今后地租收入不低于旧租水平。文中关于“足国用”做了如下说明，目前旧租之额度已不能“足国用”，但盲目增租会引起民众不满，故改租后的地租收入首先必须“不减于旧日岁入”。然而保证改正后地租不低于旧贡租收入水平，与希望得到农民的赞同与协助之间，存在着无法调和的矛盾，而这种理念上的矛盾如实反映在整个地租改正实施过程中，引起各地农民的强烈反对。①

1876(明治 9)年 12 月，茨城真壁、那珂两郡，由于对政府提示的地价不满，加之米价暴落发生农民起义，最后扩大为伊势暴动。伊势暴动迫使政府不得不将地租征收率降至地价的 2.5%。此后 1887 年 2 月熊本县阿苏谷，1878 年 9 月爱知县东春日井郡及岐阜县先后发生农民暴动，使地租改正无法正常完成。除此之外，地价调查阶段全国各地出现大量以村落为单位、以申诉不满的方式对地租改正进行抵制的农民运动，使政府的该项改革不能如期完成。表 3－3 是对政府公示的地价表示不满并进行申诉的主要村落及政府的解决方式申诉件数，足以证明农民对地租改正及新地租的不满与反对；同时也证明对农民来讲，新地租与旧贡租在负担程度上并无任何改善。

① 为了争取农民的赞同，政府在地租改正法中加入一定的“抚民”政策，诸如：(1) 地价调查阶段，土地产量等关键数据的调查中，采取在农民申报基础上政府斟酌决定的方法；(2) 设置将来地租降低至地价的百分之一等规定。然而，为了保证地价的百分之三不低于旧贡租水平，地价调查阶段，政府并未能按照规定步骤进行，而是突然单方面公布地价数据，使农民通过地租改正降低纳税水平的希望落空，各地农民先后展开反对斗争。

表 3-3　对政府公示地价表示不服的主要村落一览表

不服村落	解决方法	开始及结束时期
岐阜县中岛郡内 20 村、多芸郡内 14 村	说服	1847.1—1876.3
山梨县巨摩郡内 8 村、八代郡内 2 村	根据 1876 年太政官第 68 号文件①处分	1875.8—1876.9
三重县桑名、朝明、河曲郡内 60 村	土地再调查。其中 55 村减 5 村增	1875.3—1876.4
三重县员弁郡全郡村落	说服申诉领导者	1875.3—1876.4
石川县越七郡内 28 村	越前郡全郡土地再调查	1876.8—1878.12
新潟县北蒲原郡内 75 村	说服	1875—1880.4
和歌山县名草、伊都、日高、牟娄郡内 33 村	68 号文件	1875.3—1876.7
北条县粂南条、胜南郡全郡	说服	1873—1875.12
鸟取县久米郡内 60 村、八桥郡内 52 村	105 村 68 号文件，另 7 村因水害减额	1874.8—1876.9
高知县安芸郡内 43 村	说服及地价修正	1875.3—1880.3

注：根据地租改正資料刊行会编『明治初年地租改正基礎資料』上、中、下制成，（有斐閣，1953 年）。

第五节　地租改正的成果及其历史意义

地租改正于 1881 年 6 月基本完成。1882 年 2 月大藏省《地租改正报告书》中，对本次土地及贡租制度改革的成果做了如下评价：

本邦古来以农为本，财政亦概以农租而立。故其轻重盈亏关国运之盛衰、系民生之休戚。而中古以后受封土分裂之弊，田制紊乱，租法错杂，无一定之律。是明治六年七月颁地租改正之法……下为改革之实计……以上面积租额经实地查定各适所当……数百年来混乱之田制租法今悉更张，经界整正，赋课平准。此举可明民产，可

① 1876（明治 9）年 5 月 12 日太政官第 68 号布告，主要内容是针对不服村采取“不服地价根据近旁同样土地价格决定”。

谋经济，乃国家经论之基本……①

以上史料出自时任参议并兼任大藏卿的松方正义之笔，体现了明治政府对地租改正的评价与认识。首先，政府认为封建土地及贡租制度是“田制紊乱，租法错杂，无一定之律”。指出江户时期土地所有权所在不明，及贡租法各不相同之弊病。其次，将地租改正的成果总结为“可明民产，可谋经济，乃国家经论之基本”。“明民产”是指通过地租改正，曾经所在不明的土地所有权得以明确，土地的状态亦得以清查。“谋经济，乃国家经论之基本”是指新租法可以维持今后国家的经济运作，是政府财政基础。再者，政府认为通过地租改正“经实地查定各适所当”，即均经过实地查实，是极其适当的结果。值得注意的是，政府认识中的第三点，即土地调查及新地租额度“经实地查定各适所当”之评价，这表明政府的改租目标——“以不减于旧日岁入为目的”——已经达到。而关于地租改正后的地租总额是否达到预期水平可见表 3－4。

表 3－4　地租改正前后地租对比

	耕宅地	山林原野	合计
改正后土地面积(町)	4,848,567	7,633,614	12,482,181
改正后地价(円)	1,624,040,123	24,724,353	1,648,764,476
改正后地租(税率 3%)(円)	48,721,213	741,731	49,462,945
改正后地租(税率 2.5%)(円)	40,601,003	618,136	41,219,139
旧土地面积(町)	3,260,443	655,633	3,916,076
旧地租(円)	52,206,406	161,647	52,368,054
土地面积增减比较(町)	＋1,588,123	＋6,977,980	＋8,566,104
地租增减比较(税率 3%)(円)	－3,485,193	＋580,083	－2,905,109
地租增减比较(税率 2.5%)(円)	－11,605,403	＋456,488	－11,148,915

注：根据大内兵衛・土屋喬雄編『明治前期財政経済史料集成　第 7 巻』第 80—121 页制成，(原書房，1979 年)。小数点后省略，旧贡租金额为各府县改租前三年间实收贡租的平均值。

① 前出大内兵衛・土屋喬雄編『明治前期財政経済史料集成　第 7 巻』，第 1 页。

如上表所示，地租改正前后土地面积的增加非常显著，耕宅地面积增加158万8123公顷，山林原野面积增加697万7980公顷。耕地面积的增加与江户时期新田开发后并非所有耕地均记入检地账有关，而山林原野地并非江户时期检地账记载地种。值得关注的是地租的增减数量。按照1877(明治10)年因伊势农民暴动降低租率后的改正后地租收入计算，政府的地租收入与改租前相比减少1114万8915日元。如何解释上述将近1115万日元的减租与政府当初维持旧租水平的预算之间的差距，对理解政府《地租改正报告书》中"经实地查定各适所当"观点，乃至探讨地租改正后农业结构的变化亦有很大的帮助。事实上表3-4中旧地租是改租前，即1874(明治7)年迄三年贡租的平均值。由于改租前地租以实物地租为主，加之届时米价相对较高，导致地租金额较高，成为近1115万日元减租的主要原因；因此可以认为该减租并未影响政府当初制定的地租改正后的地租征收目标，即"地租改正法制定的当初预算目标，通过改租得到了很好的实现"①，这也正是政府对改租结果表示满意的原因。重要的是政府不仅通过地租改正建立了符合近代国家要求、稳固的财政基础，同时今后很长一段时间内地租将成为日本资本主义发展的重要财政源泉。

从上述考察分析可以看出，明治政府通过对封建土地制度的改革，达到了确立政府财政基础的目的，但是对于农民来讲新地租的负担并未能有较大的改善。然而尽管如此，地租改正在日本土地制度史上仍然具有划时代意义，具体可归纳如下：(1)实现土地制度的近代化。地租改正通过法律手段确认了农民的土地所有权，建立了近代土地私有制。(2)建立全国统一征税制度。地租改正建立了以地价为基准的统一货币纳税制度，即收取地价的3%(后改为2.5%)为地租；同时因为明确了土地所有权所在，纳税义务分担到土地所有者个人，近代纳税制度成立。(3)新土地台账的形成。地租改正是继太阁检地后又一次全国性统一

① 福島正夫著『地租改正の研究』，有斐閣，1962年，第457页。

"检地",通过最新一轮的土地测量,废除了出自江户时期各地区检地,甚至是太阁检地时制作的,已经失去实际意义的检地账。

第六节　地租改正后日本农业结构的变化

如前所述,地租改正废除了封建土地及贡租制度,完成了日本土地制度及纳税制度的近代化改革。自此土地的私有产权及以全国统一标准征收的货币地租成立,政府的财政基础也得以确立。然而,对农民来讲租税负担并未得到相应的削减。在近代资本主义发展进程中,承担着与旧贡租同样负担的农民,如何面临资本主义发展的契机,江户时期维系了近三百年的小农经济结构如何变化是本节重点关注的问题。

首先,农业生产结构的变化。江户时期由于实物贡租体制的影响,农业生产以大米为中心,封建领主曾多次发布法令禁止土地的自由种植以及水田他用。虽然江户中后期,由于新田开发,旱田数量增加,经济作物种植数量提高;但大米本位农业生产结构仍然占据主导地位。明治维新后,政府废除了土地自由耕种禁止令,农业生产结构开始出现变化。表 3－5 是明治时期农田类别状况表,其中 1882 年的统计数字与明治后期相比,水田和旱田的比例在不断接近,江户时期以水田为中心的耕种结构出现了很大的改变。

表 3－5　明治时期耕地类别状况

土地种类 时间	水田(公顷)	旱田(公顷)	合计(公顷)	旱田/水田(%)
1882(明治 15)年	2,630,672	1,862,185	4,492,857	70
1904 年	2,818,276	2,47,584	5,294.860	88
1910 年	2,902,189	2,750,473	5,652,662	94

注:根据「農林センサス累年統計」、「耕地経営状況」制成,(日本農林水産省官方网站),都道府县合计数字。

养蚕及生丝生产量也不断提高，据《农林调查累年统计》[1]中记载，1892(明治25)年桑田种植面积为54814公顷，生丝产量为4 492 616公斤，到1910年桑田种植面积增加至438 790公顷，生丝产量达到1 1904 281公斤；桑田种植面积增长了1.7倍，而生丝产量则增长了2.6倍；可见明治时期农村工业的发展速度之快。

其次，农业经营结构的变化。明治时期的农业经营规模出现了一定程度的变化(见表3-6)。表中虽然仅有明治末期两个年度的数字，但仍可以看出0.5至1公顷及3至5公顷以上经营规模的农户数量处于增加趋势，而中间1至3公顷经营规模农户的数量则处于减少的趋势。说明农业经营体的规模处于两极分化的趋势之中。并且5公顷以下的农户占总农户的98%，1公顷以下的农户占总农户的70.1%，不得不说总体农业经营体的规模仍处于过小农经营体制之中。从表3-7中数字来看，虽然明治后期农业经营体数量处于相对稳定状态，但是后期兼业农户的数量增多，这同样表明由于0.5未满至1.0经营规模农户的大量增加，给农业经营带来了一定的压力。除上述经营规模的变化之外，明治时期自耕农的数量不断减少，1887年政府调查结果表示，日本自耕农与佃农的比例为66%与34%，但到1905年时该比例为55%与45%[2]，表示至明治末年迄日本自耕农与佃农的比例几乎相同。

表3-6　经营耕地面积不同规模农业经营体(农户)数

年度　规模	总计	0.5未满	0.5—1.0	1.0—2.0	2.0—3.0	3.0—5.0	5.0以上
1908年	5,408,363	2,016,286	1,763,890	1,055,243	348,153	162,902	61,902
1910年	5,416,937	2,031,811	1,788,848	1,047,616	322,069	155,609	70,984

注：根据「農林センサス累年統計」、「経営耕地面積規模別農家数(都道府県)」制成，(日本農林水産省官方网站)。

① 原文「農林センサス累年統計」，日本農林水産省ホームページ。

② 数字引自斎藤萬吉著『実地経済農業指針　日本農業の経済的変遷』，農文協，1976年，第85页。

表 3－7　明治时期农业经营体(农户)总数及专兼业变化

年度　　类别	农户总数	专业农户	兼业农户
1904(明治 37)	5,416,703	3,776,798	1,639,905
1906	5,378,337	3,809,624	1,584,264
1908	5,408,363	3,748,157	1,661,847
1910	5,416,937	3,694,370	1,721,967

注:根据「農林センサス累年統計」、「専兼業別農家数」制成,(日本農林水産省官方网站)。

综上,明治维新推翻江户幕府,建立了中央集权统治机构,近代国家成立。地租改正是明治新政府最为重要的近代化政策之一,为其建立了稳定的财政基础,为日本资本主义发展准备了必要条件。地租改正后农民获取了土地私有权,但由于与旧贡租相比新地租负担并未得到相应的削减,造成小农经济体制下农民经营出现一定困难,明治后期佃农的增加以及下文将涉及的寄生地主的出现,均证明地租改正在为日本资本主义原始积累创造了一定条件的同时,为半封建农业经济关系提供了残存条件。

第四章　日本资本主义发展与寄生地主制的成立

寄生地主一般指将土地租给佃农（小作农）收取佃租（小作料）的地主经营方式，当这种地主经营——地主与佃农的关系——在农业经济中占据主导地位，成为左右农业、农民动向的主要经济关系之时，则被称为寄生地主制。对寄生地主制一般存在两种理解，一是狭义上的理解，从地主的主体形式上看，由自己不从事农业生产而将土地租佃给佃农耕种，从而获取佃租的地主与佃农之间构成的农业经济关系（古岛敏夫）；另一是广义上的理解，从土地制度上看，地主是否在村、是否仍有自耕土地、是否从事商业或金融业等并不影响地主与佃农关系的实质，因此将寄生地主理解为寄生地主制中的一种土地所有形态（北岛正元）。关于寄生地主制的成立，日本经济史家安良城盛昭指出：明治前期“明治政府为了扶植资本主义，在全面实施原始积累政策的背景下，对农民进行残酷的掠夺，与此同时地主性土地所有急速扩大，1892 年全国耕地面积的 40.67％转化为租佃地”①。可见寄生地主制的成立与日本资本主义的发展有着极为密切的关联。

---

① 安良城盛昭「地主の展開」，岩波講座『日本歴史　16　近代 3』，岩波書店，1967 年，第 53 页。

第一节 近代日本资本主义的原始积累

地租改正从法律上承认了土地的私有权，使农民从土地的束缚中解放，生产手段与劳动力得以分离，为日本资本主义创造了资本原始积累的条件。地租改正后日本资本主义原始积累主要表现为以下两种形式：一是通过向农民征收高额地租支撑以官营重、军工企业为中心的国家资本及其政商的形成；一是寄生地主制的形成。

地租改正对政府来讲不仅达到"不减于旧时岁入"之目的，通过固定税收——丰收、歉收均不增减地租——稳定财政收入，同时地方、村落费用也被纳入以地价为基准的税收范围中，呈现国税与地方税的分类收入，从形式上实现了近代税收的格局。从内容上看，旧贡租具有领主私人财产、自主用于生活费用及其统治活动费用的性质，而新地租是在解除土地领有权的基础上征收的土地税金，其用于国家的统治活动及官僚的工资费用，据有国税的性质。但值得注意的是，新地租的决定并不仅以土地收益为基准，而主要是以维持旧贡租水平、保证政府财政收入为基准，这使得新地租负担与旧贡租基本持平。从征收方式上看，1876（明治9）年太政官第4号布告规定，对逾期不缴纳地租者可抵押其财产；次年再次发布太政官第79号布告，宣布废除前年第4号布告，对逾期不缴纳地租者处以拍卖财产充缴地租的惩罚。以上地租的决定方式以及通过国家权力强行征收地租之举，削减了新地租的近代性，使之染上半封建性贡租的色彩。

如表3-6中数字所示，地租改正后所有耕地在1公顷以下的农户占总农户的70.1%，其中37.5%的农户所有耕地面积仅在0.5公顷以下。在这种小农经营结构下，农民虽然得到土地所有权，却不得不面临以下几种状况：(1) 高负担货币地租使农民丧失了资本原始积累条件，无法步入提高农业生产力阶段；(2) 为了换取货币，农民不得不在缴纳地租之前贩卖农作物，因此难以摆脱商人对米价的操纵，承受再次剥削；(3) 过小农经营的农民无法承受以上压力走向经济崩溃的边缘，而能够承受压力的大土地所有者及商业资本则开始收购土地，农民层的两极分化再次出现。与此同时，银行及豪农资本通过“借贷税金”的方式介入农民的纳税过程，迫使小农经营体在高利贷的压力下加快放弃土地的速度。

关于银行及豪农资本的介入，明治政府在1873(明治6)年制定的《土地典当规则》《动产不动产抵押借贷金钱谷物规则》[①]中规定，无论是典当及抵押贷款，贷款方在借款方无力偿还贷款之时均有权没收借款方的财产，对金融资本方进行了法律上的保护，使银行及豪农资本更加容易集中于土地。以上背景下，小农经营体的破产使其不得不放弃土地成为佃农，明治初期租佃地面积占总耕地面积的30%左右，至明治末年达到44.4%(见表4-1)。地主与佃农的两极分化带来了资本的积累及雇佣劳动力的生成。

表4-1　明治时期佃农耕地面积变化

年度	水田		旱田		合计	
	自耕地	佃农耕地	自耕地	佃农耕地	自耕地	佃农耕地
1884(明治17)年	59.7%	40.3%	68.2%	31.8%	63.2%	36.8%
1887(明治20)年	56.4%	43.6%	66.6%	33.4%	60.7%	39.3%
1892(明治25)年	50.0%	50.0%	65.7%	34.3%	60.0%	40.0%
1903(明治36)年	50.8%	49.2%	61.0%	39.0%	55.6%	44.4%

注：引自農業発達史調査委員会編『日本農業発達史1』第91页，(中央公論社，1978年)。

与地租改正同样，殖产兴业是明治政府创建近代产业资本的重要环节，在前期资本原始积累过程中，殖产兴业主要由工部省及内务省管辖的两部分组成。1888年公布的《工部省沿革报告书》中有如下内容：“工部省始于明治三年十月，终于明治十八年十二月，其间多致力于铺设铁路、架立电线及灯台、兴政府所需之工事……劝奖百工脾民利世之

---

① 原文「地所質入規則」、「動産不動産書入金穀貸借規則」，『法令全書明治6年』，日本国立国会図書館所蔵。http://dl.ndl.go.jp/info:ndljp/pid/787955。

益……目的之一为民间工业之勃兴承担启蒙指导之任务，其二，期待通过兴建国营工业获财政、军事等种种利益，相比之下勿论重点于后者之处。”[①]清楚地指出了政府殖产兴业政策的目的及主要内容，在于通过建立官营企业获取财政及军事利益。工部省官营企业由三部分组成：(1) 维新后政府接管的江户时期幕府、藩营的矿山、制铁所、造船所；(2) 铁道、电信等运输通信部门；(3) 以推广示范为目的的官营模范工厂。工部省管辖的官营工厂之外，陆海军省管辖下的军工厂同样是殖产兴业政策中的重点工业，两者起到了弥补民间产业中存在的生产手段生产部门不足的缺陷。另外，内务省管辖的官营产业以农牧业及农产品加工业为主，农牧业包括农学校、育种场、农具生产及牧羊厂等，农产品加工业主要是制丝及毛纺织业。整体上看虽然内务省管辖的各模范工厂的经营赤字显著，但为日后民间工厂的建立奠定了一定的产业基础。值得注意的是，官营企业的起业费用问题。工部省兴业费一项的记载中指出，各工厂营业之前的投入费用以及扩大规模之时的建筑费用共“二千九百二十九万二千五百八十七元三十三钱四厘……其中常用金支付二千三百六十五万五千八百九十七元二十二钱八厘”[②]，来源于国库的常用金支付占总支付的约 81%。可见起步于殖产兴业政策下的，以官营重工业及军事产业构成的国家资本积累立足于地租，或称之为农业部门的收入。

第二节　近代日本资本主义体制的确立

关于日本资本主义体制的确立，日本学界有两种观点：一是以棉纺织工业的大型机械化成立以及面纱出口额高于棉花进口额为衡量标准，认为日本资本主义确立于 1897(明治 30)年左右[③]；一是主张不仅

① 前出大内兵衛・土屋喬雄編『明治前期財政経済史料集成　第 17 巻』，第 2 页。

② 同上，第 432 页。

③ 详细请参照大内力『日本資本主義の発展』，東京大学出版会，1957 年。

消费资料生产部门（轻工业），同时生产手段生产部门（重工业）的大型机械化成立方能成为衡量标准，因此认为日本资本主义确立于日本八幡制铁所成立以及日本造舰技术达到世界水平的1905（明治38）年左右[①]。对此，我国日本经济史学家杨栋梁认为，因为日本是后发资本主义国家，因此其资本主义发展不可能完全走西方资本主义的老路，"实际过程中尽管棉纺工业率先实现了工业化目标，但也是轻重工业技术几乎同时移植的。从这一意义上说'两部类定置'[②]说更能反映日本产业革命的特点"[③]。

明治政府成立后至日本资本主义确立（1897至1905年间，即明治30年代）讫，经历了松方财政及数次对外战争。在国家权利的行使下，矿山、铁路、电信等基础设施建设，军工厂、生产机械生产部门的扩充，形成了强大的国家资本；同时明治前期对商业资本的保护过程中产生了大土地所有者及大量佃农，创造了无产或半无产阶级。值得注意的是，在资本主义确立过程中农业部门资本与劳动的关系并未直接与资本主义生产方式，即资本与雇佣关系接轨；出现了地主向佃农索取高额佃租的半封建性土地及租佃关系，可见日本资本主义原型中农业部门已被置于资本主义生产方式之外。

1. 松方财政的主要内容。首先是纸币整顿。明治政府成立后内乱不断，1873（明治6）年征韩论之后的士族叛乱，1877年的西南战争，加之1874年的台湾出兵等对外扩张，庞大的战争及战后处理费用使政府财政极度困难。仅西南战争费用共计4170万日元，占当年政府税收入的90%；此外进口物品增加，正币流出严重使洋银兑换市场价格上涨，政府不得不大量发行不兑换纸币。1875年末共发行了1亿607万日元的不兑换纸币，至1877年末增加到1亿2002万日元，1878年末则增加到1亿6604万日元。国家财政出现破绽，不换纸币大量发行带

① 详细请参照山田盛太郎『日本資本主義分析』，岩波書店，1934年。
② 指第二种观点。
③ 杨栋梁著《日本近现代经济史》，世界知识出版社，第110页。

来严重的通货膨胀，贷款利率上升为资本投资市场带来很大阻碍，纸币整顿成为政府亟待解决的问题。

为此，政府一方面派外务卿寺岛宗则赴英美争取修改条约要回关税自主权，限制进口商品的数量；一方面整理洋银市场秩序，将国库内正币投入市场，希望调整洋银价格，但均无明显效果。1880(明治13)年5月，时任大藏卿的大隈重信提议进行纸币整顿以及下放内务省及工部省管辖下的共十四所模范工厂。“明治14年政变”大隈下台，松方正义接任大藏卿后，采取的一系列政策被称为“松方财政”取得一定的成果。松方的纸币整顿以增加收入、减少支出的财政紧缩及平衡政策为中心展开。松方认为政府财政危机的主要原因在于纸币价值降低，纸币整顿必须首先增加正币准备、充足兑换基础，达到确立兑换制度的目的。松方财政下的纸币整顿于1882(明治15)年告一段落，其成果可归纳为日本银行成立、兑换制度实施、货币制度的统一等内容。

松方货币整顿的主要手段是财政紧缩及增加税收，这给国民乃至农民的生产及生活带来一定的压力，表4-2是1879(明治12)年至1883年地租国税及地方地租附加税的增加状况，可以看出1879年起地租国税及地方地租附加税稳步增加，与1879年相比，1883年地租国税增加了142.5万日元；地方地租附加税增加682万日元；农民的负担总额，即两者合计增加了824.5万日元，增加率为14.7%。1884年农商务省编辑的《兴业意见》中对农民的生活有如下记载：“农户因无力施加充足的肥料，收益与昌盛之时相比减半，积年负债典当之田地山林亦无力赎回，更有甚者因纳税无方，举村受拍卖之处分。”[①]农户因无法缴纳地租被迫贩卖土地，沦落为佃农的现象时有发生，加速了农民的贫富分化。

① 原文「興行意見」，前出大内兵衛・土屋喬雄編『明治前期財政経済史料集成　第18卷』，第37页。

表 4-2　纸币整顿前后地租负担的变化

年度	地租国税（千元）	地租地方税（千元）			
		道府县税	市税	町税	合计
		地租附加税	地租附加税	地租附加税	
1879	42,112	5,802		7,994	13,796
1880	42,346	6,431		9,190	15,621
1881	43,274	9,197		10,318	19,515
1882	43,342	9,508		10,617	20,125
1883	43,537	9,970		10,646	20,616

注：根据高橋亀吉著『明治大正農村経済の変遷』第 325 页制成，（農文協，1976 年）。

其次是官营企业的下放。官营企业中盈利部门以铁道、造币、矿山、造船、电信等为主，模范工厂如农商物省管辖下的纺织、制糖等亏损显著，给政府财政带来一定的危机。① 1880 年 11 月，明治政府对内务省、工部省、大藏省、开拓使发布《工厂下放概则》，下放条件是"数人合资或一人独资具有缴纳必要的资本金能力者均可，工厂营业资本金必须届时全部缴纳，兴业费可视该工厂种类、营业难易斟酌分年度缴纳"②，即申请下放的民间资本必须在工厂下放时缴纳所有营业资本金，并且起业费虽可酌情但仍需要分几年偿还。如此条件对于当时尚不成熟的民间资本是不小的负担，因此官营工厂的下放并不顺利。

松方接手后工厂下放并非按照以上概则规定实施，1884 年 1 月起按照个案适当条件，油户煤矿、深川水泥制造所、品川玻璃制造所、小坂银山等官营企业先后下放，同 10 月松方废除了《工厂下放概则》，指出"工

① 详细请参照永井秀夫著「殖産興業政策論―官営事業を中心として―」，「北海道大学文学部紀要」第 10 号，1961 年。

② 『太政類典・第四編・明治十三年・第二十八巻・産業・工業』，日本国立公文書館所蔵，https://www.digital.archives.go.jp/das/image-j/M0000000000000865741。

厂下放概则存募集障碍之忧……今后工厂下放之时持各自方案禀议”①。概则废除后下放先后实施，届时概则中营业资本及起业资本回收条款已不存在，但下放方向却被定位在具有强大资本能力的群体之上，并且曾经留为官营的优良矿山也被列入下放目标。事实上官营企业可以说是以最小的价格（近乎无偿）下放到政商手中，促进了政商资本向产业资本的转化。

2. 甲午战争后的“战后经营”。1894（明治27）年甲午战争爆发，以甲午战争为契机政府财政支出高腾，甲午战争的战费超过两亿日元，是当时国家财政收入的两倍，其中大部分出自公债。甲午战争使银行资本与国家财政之间的关系更加密切，军需物资的需求促进了官营军工产业的生产及规模扩大，民营产业诸如铁道、运输、纺织业、制革业等也得到快速的发展。与产业发展配套的金融业也得到一定的发展，以日本银行为中心的特殊银行与民间银行的分业体系成立，国家资本主导的资本构造确立。一度被通过侵略导致政府财政支出高腾所定性的日本资本主义，无法放弃其在以上过程中尝到的“甜头”。甲午战争后的战后经营当然是以对外扩张为目的的军事扩张，战争赔偿金约3亿6400万日元的一半以上被用于陆海军扩充费用。这种以军扩为中心的政府财政支出规模不断扩大，1896年已经是战前1893年的两倍，并且仍在不断上升。战后经营的财政支出来自以赔偿金为财源的公债及税收，为此政府在甲午战争后三次增税，其中包括提高酒税及烟草专卖，砂糖税及地租增税。以上增税均与农民及农业经济有着极其密切的关系，给农民生活带来极大的打击。

3. 日俄战争后日本资本主义体制的确立。与甲午战争同样日俄战争中，国家财政突飞猛进式膨胀，仅临时军费预算便达到19亿8400万，是当时国家预算的8倍，这种庞大规模预算的财源，只能通过削减行政开支、增税及战时公债筹资。其中增税部分以1904（明治37）年4月法律

---

① 前出大内兵衛・土屋喬雄編『明治前期財政経済史料集成　第17巻』，第34页。

第3号《非常特别税法》为基准实施，该法规定“因临时事件发生，为支付其经费，依照本法增收地租、营业税、所得税、酒税、砂糖消费税、酱油税、登录税、交易所税、狩猎执照税、矿区税及各种进口税，毛织物及石油新设消费税，民事诉讼增贴官税券……郡村宅基地增收地价3.5%、其他土地增收地价1.8%”①。

值得注意的是，上述具有战时临时增税意义的非常特别税法，并未因战争的结束而失效，事实上1904年的非常税法之后很长一段时间内成为常态，直至1913(大正2)年废除为止多次改订并进行增税，足以证明日俄战争后，国家资本投入仍处于不断增加的态势，其中主要投入仍以军扩及重工业部门为主。日俄战争后的战后经营目标是，促进军备扩张及商工业发展，以求韬养国力。日俄战争后在与列强军备扩张的竞争中，日本的产业政策以建造世界水平军舰为目标，致力于官营工厂的扩张、设备更新及支持政商企业成为政府军工产业的辅助产业。为此重工业发展的基础钢铁产业，特别是除官营之外民间钢铁产业的发展速度加快，大型民间钢铁工厂不断增加；1912年迄铁道部门(钢轨、车厢)、造船部门的钢铁达到完全自给。与此同时纺织业也由于战争需求及战后出口商品的增加得到很大发展，通过新立或合并扩大的大型纺织工厂出现。

以上日俄战争后的战后经营，使甲午战争后日本资本主义原型——军事性国家资本比重过大、产业资本与银行资本的失衡、生产手段生产部门的官营一强——得到了一定程度的改善，为日本向垄断资本主义发展提供了稳定的基础。

第三节　农民阶层的贫富分化与寄生地主制的确立

地租改正在否定了江户时期的领主性土地所有的基础上实施，事

① 「非常特別税法」，『法令全書明治37年』，日本国立国会図書館所蔵。http://dl.ndl.go.jp/info:ndljp/pid/788035/7。

实上此时的土地关系并非由于领主性土地所有的崩溃而变得简单明了，换言之在土地关系中仍然存在农民性土地所有与地主性土地所有的共存部分，而地租改正必须本着“一地一主”的原则完成土地关系的近代化，即土地的私有化。为此，明治政府否定了佃农对土地的权利，却在法律上容忍了高额实物佃租的存在，为日后地主与佃农之间的半封建性关系的残留，即寄生地主制的确立创造了绝好的条件。

1. 明治初期租佃土地大幅度增加。如上所述，寄生地主在江户中后期已经存在，领主与农民这一主要农业经济关系下，新田开发、商品及货币经济发展中获取大量土地的“在乡商人”（农村商人）及町人，将土地租佃给佃农从中获取高额佃租。地租改正结束（1881 年）前后租佃耕地占所有耕地的 30％左右，其后的 1884（明治 17）年增加至 36.8％，1887 年达到 39.3％，六年左右租佃耕地面积共增长将近 9 个百分点；而 1892 年的租佃地占比为 40％，与 1887 年相比，五年间仅增长 0.7 个百分点，增长速度明显降低（见表 4－1）。

明治前期租佃土地增长幅度较大的主要原因有以下两点：(1) 1884年迄米价上涨幅度较大。表 4－3 是明治前期米价变化与地租关系，表中数字表明，1884（明治 17）年迄米价不断上涨，如以 1874 年为标准，地租率是 100 的话，1875 至 1879 年的五年间地租由于米价的提高仅相当于 1874 年的 86％，减少 14 个百分点；而 1880 年至 1884 年间地租仅为 1874 年的 61％。由于实物佃租相对较多，因此米价的上涨对地主阶层非常有利，为大土地所有者的土地兼并创造了条件。(2) 1881 年松方财政的财政紧缩政策实施。上文曾指出松方财政时期，财政紧缩政策的主要内容是减少财政开支、增加税收。表 4－2 数字表明，政府增加税收的幅度，给小农经营体带来很大压力，加快了农民层的贫富分化。另外表 4－4 是明治前期迄，即松方财政下农民的负债情况，该数字表明通货紧缩对自耕农及佃农的影响较大，同时为地主阶层向贫困农民贷款获取利率创造了机会，加快了农民层的分化及土地买卖频度。

表 4-3 明治前期大米价格变化及其与地租的关系

年度（五年平均值）	据税率推算地租①（千日元）	东京市平均米价（单位：日元）	据米价换算实物米（单位：千石）	减租比例（%）
1874（明治 7）年	49,463	6.16	8,030	100
1875—1879 年	44,517	6.45	6,902	86
1880—1884 年	41,219	8.47	4,866	61
1885—1889 年	41,219	5.61	7,347	91

注：根据高橋亀吉著『明治大正農村経済の変遷』第 81 页制成，（農文協，1976 年）。

表 4-4 农户负债平均数

年度　　种类	大地主			自耕农			佃农		
	A	B	B—A	A	B	B—A	A	B	B—A
1887 年	2,767	8,729	5,962	85	54	—31	26	5	—21
1892 年	2,822	8,534	5,712	87	69	—18	41	5	—36

注：根据斎藤万吉著『実地経済農業指針　日本農業の経済的変遷』第 332 页制成，（農文協，1976 年）。表中 A＝负债额，B＝借出款或存款额，B－A＝负债或借出及存款额。单位：日元。

2. 明治前期地主土地所有规模。通过上文的考察得知，明治前期租佃土地大幅度增加，地主与佃农关系在农业经济中所占份额增大，但地主土地所有的规模并不明确。农商务省实施的“农事调查”中，记载着 1888（明治 21）年各府县（39 个）所有土地在十公顷以上地主的统计数字，该数字可归纳为表 4-5。1888 年十公顷以上的土地所有者仅占全国总土地所有者的 1%，并且集中在表中所示的十个县中。该调查中并未给出十公顷以上土地所有者的具体土地所有数量及内部结构，但在大土地所有者仅占 1%的 1888 年，租佃土地则占总土地的近 40%，从中不

① 地租改正法规定地租根据地价与税率决定，取地价的 3%为地租。然而，法定地价（通过地租改正登入地卷的地价）并非一成不变，规定每五年改定一次。表中 1874 年地租根据当时地价的 3%算出，1875—1879 年地租大幅度减少的主要原因是自 1877 年起地租税率降至地价的 2.5%，1881 年起地价的改订被取消。

难看出大土地所有者所有土地的规模及农业经营规模的失衡。进一步证明日本资本主义发展进程中农业部门已被置于资本主义生产方式之外。

表 4－5　明治 21 年所有土地在十公顷以上的地租数字及其比例

类别	土地所有者总数	10 公顷以上土地所有者	10 公顷以上所占比例(%)
全国总计	3,974,507	39,265	1%
新潟	175,036	2,984	1.7
埼玉	139,776	2,760	1.97
山梨	53,171	682	1.28
岐阜	125,341	1,660	1.32
宫城	71,224	821	1.15
青森	50,417	729	1.44
山形	77,561	971	1.25
秋田	67,237	2,583	3.84
岛根	71,589	6,886	9.61
爱媛	120,212	1,321	1.09

注:根据農商務省農務局第一課編『農事調查表　卷 1』第 15 页制成,(農業書誌研究会,1958 年)。

3. 寄生地主制的确立。日本寄生地主制的成立,以民法成立之前的 1887 年"租佃条例草案"的出台,以及 1890 年民法草案的成立为标志,其原因在于以上两法对地主与佃农的关系给予了极大的关注并试图进行法律上的规制及保护,说明此时地主与佃农的关系在农业经济中已经占据非常重要的位置。

地租改正基本完成后,作为改租期间法律文件的《地租改正条例》的使命则即将结束,关于土地制度的法律体系亟待完善。1881 年 3 月,明治政府公布了太政官布告第 7 号《地租条例》,自此作为公法的《地租条例》成为国家土地政策的准则。然而包括了土地相关法规在内的一般法的《民法》,却在审议过程中,因为法案中对地主的过度保护遭到国民强烈反对，迟迟未能成立。1884年农商务省召开“劝业咨询会”，并向太政官提交了《兴业意见》，其中“关于发布租佃条例一事”指出：“地主与佃农之间契约不全，或并无契约却安于惯行之弊，于农业至关重大”；应“制定地主与佃农之间的契约法，明确地主、佃农的权利及义务，明确土地所有权、预付所有权[①]及永久租佃[②]等关系”[③]。可见政府认为当时仍多数按照惯行缔结的租佃关系已经出现一定的问题，对农业经济产生影响；希望通过契约法规制租佃关系，明确租佃双方的权利及义务，减少不完善的租佃关系对农业经济产生的影响。

1885年出台的“租佃条例草案”主要内容如下：(1) 不承认永久租佃权，不对其物权进行法律上的保护；(2) 已经缔结证书的租佃期限限制在三十年以内，无证书者期限在一年以内；(3) 以旧惯为依据的永久租佃亦以前条为准更改；(4) 开垦租佃等特殊情况可向地主申请赔偿。可以看出草案的目的并非树立近代性土地所有权，而是强化对地主土地所有权的法律保护。1890年出台的“民法草案”继承了“租佃条例草案”的主旨，对地主的土地所有权进行法律保护。上述两草案引起广泛的论争，均未能在短期内实施。然而1898(明治31)年公布实施的明治民法，基本继承了明治政府保护地主土地所有权，无视佃农利益的内容，为明治时期寄生地主制的确立提供了法律保护。

以上两草案出台之时农业经营体的内部结构，可从农商务省的农事调查及帝国统计年鉴的记载中略知一二(见表4-6)。首先，该表上段数字表示，1884年纯自耕农户仅占全国农户的37.3%，佃农所占比例是19.7%；值得注意的是自耕农兼佃农所占比例是42.9%，说明自耕农仅靠自耕农业已经无法维持生活，不得不开始租佃地主土地接济生活；并且自耕兼租佃与佃农的合计占总农户的69.98%，即接近七成的农户向

---

① 租佃惯行的一种，日语称之为“入额所有权”，指租佃土地时预先缴纳数年的佃租。

② 租佃惯行的一种，无租佃期限，佃农无特别失误外，地主无权将土地收回，佃农甚至持有土地的处分权。

③ 前出大内兵衛・土屋喬雄編『明治前期財政経済史料集成　第20巻』，第667页。

地主租佃土地从事农业生产。其次，该表中下段数字是兼业农民在各自群体中所占的比例，可以看到佃农的兼业率最高，占比达到 37.45%，表明与自耕农相比，佃农更需要通过兼业收入来弥补农业经营中的破绽。

表 4-6　1884—1886 年寄生地主制确立期农业经营构造

年度	类别	自耕农	自耕+租佃	租佃	总计
1884(明治 17)年	农户(户)	1,457,327	1,676,435	770,487	3,904,249
	所占比例(%)	37.3	42.9	19.7	100
1886 年(明治 19)年	兼业占比	自耕兼业/自耕	佃农兼业/佃农	兼业农户/全农户	
	(%)	31.13	37.45	32.53	

注：根据農商務省農務局第一課編『農事調査表　卷 1』第 23 页，(農業書誌研究会，1958 年)；内閣統計局編纂『第五次日本帝国統計年鑑』第 88—89 页，(東京プリント出版社，1962 年)制成。

第四节　地主的资本积累方式及其投资路径

日本资本主义发展、确立过程中，农民层的两极分化，乃至大地主的土地获取及小农经营体的没落不断出现，为资本主义经营方式提供了一定的条件，即经营者与雇佣劳动者群体的出现。但是农业部门的资本主义经营方式不但未能实现，相反却出现了地主向佃农索取高额佃租的半封建性土地制度及租佃关系，使农业部门被置于资本主义生产及经营方式之外。其主要原因，可以以地主的资本积累方式及其投资路径作为切入点进行分析。

首先，地主的资本积累方式。地主通过贩卖向佃农征收的实物佃租，即大米获取货币，积累大量财富。明治初期以来日本大米市场，包括进出口市场及国内市场均得到很大的发展。大米进口的契机是 1869(明治 2)年出现的全国性大米歉收，而大米出口始于 1872(明治 5)年。1871 年 7 月，政府通过废藩置县掌握了全国贡租征收权后，大米价格与政府财政收入息息相关，而促进大米出口是政府保证国内大米市场价格的主要手段之一。大米出口开始后的整个明治前期，大米进出口贸易一直处于顺差的状态。① 1888（明治21）年，大米出口量达到最高点的139万1672石，进出口贸易顺差为138万6656石；1890年后大米进口量不断提高，甲午战争后大米进出口贸易逆差开始增加，至1900年后贸易逆差成为大米进出口贸易的常态。大米进口量的增加与日本国内大米消费量的增加有关，自1882年起大米消费处于不断增加趋势，1882年人均消费0.825石，而1901年增至1.048石。② 在国内大米市场不断扩大的背景下，农民开始以大米贩卖的主体出现，表4－7是1890年不同农业经营体大米贩卖量的比较。表中数字表明，地主的大米贩卖量占其收入大米的89％，与自耕农及佃农相比收入大米的商品化率相对较高；不仅如此，1890年后大米的市场价格亦处于增长趋势，从1890年的每石平均7.364日元，增加到1912年的21.623日元。③ 可见地主阶层在以上背景下通过佃租米的商品化过程为自己带来了更多的财富。

表4－7　1890（明治23）年地主、自耕农、佃农大米贩卖量比例

	地主	自耕农	佃农
佃租米	＋130石		－9.7石
自耕米	21石		
收入米总量	151石	27石	18石
食用米	17石	10石	6.2石
贩卖米	134石	17石	2.1石
贩卖米所占比例	89％	63％	11％
所有土地规模	16.7町	1.9町	1.2町

注：根据農商務省農務局編『農家経済調查』制成，（農林省農務局，1927年）。

其次，地主的投资路径。地主通过佃租米贩卖获取大量资本，而其

① 具体数字请参照農林大臣官房編『米統計表』第56—57，農林省大臣官房，1936年。

② 关于明治时期大米消费量变化的具体数字请参照山田伸吾著『米価の研究』，岩波書店，1917年。

③ 详细数字请参照前出山田伸吾著『米価の研究』。

投资路径并未回归农业部门，却通过各种途径投向商、工、金融业等非农业部门，并再度通过商业、高利贷及农村工业获取财富。地方豪农的商人化，在幕末商品及货币经济发展过程中已经开始，其利用在商品经济发展中获得的财富，从事商业及对没落农民实施借贷（高利贷业），开设酿造及纺织作坊等农村工业等，农业经营份额开始减少，以致寄生地主不断增加。明治以后，在大米市场不断扩大的背景下，地主不仅以大米贩卖者的身份，并开始以大米商人的身份参加大米交易，寄生地主化程度再度加大。《实地经济农业指针》中有如下记载：调查结果表示“明治二十年至二十五年的第一期，作为物价标准的米价相对较高，交际费、教育费等其他支出较轻，家庭生活非常安泰……大地主的收入除租佃地的佃租之外，贷款等其他现金收入今年显著增大”①，指出大地主的高利贷及其他农业部门之外的收入显著增加，足以证明大地主将实物佃租在大米市场上的收入，投入非农业部门（诸如贷款业）现象的存在。

第五节　明治前期农业政策的主要内容及其特点

明治政府成立后提出“与列强对峙”，实为“与列强为伍”的核心目标，推行富国强兵、殖产兴业政策，走上发展资本主义的道路。作为殖产兴业政策的一环，明治政府实施了一系列的劝农政策。该政策的主要内容是国家主导促进农业、畜牧业发展及北海道开发，并试图引进西方农业生产方式及技术，对“在来农业”②进行改良。除此之外，以保证政府农业税收为目的，实施了相应的农业补助金③政策。明治前期政府补助金

---

① 原文『実地経済農業指針　日本農業の経済的変遷』，斋藤万吉著，農山漁村文化協会，1976年，第333—334页。

② 指日本传统农业生产方式。

③ 本文涉及的补助金概念，援用江見康一，塩野谷裕一著《長期統計7财政支出》“第五章　補助金の分析”（日本：東洋経済新報社，1966年，第40页）中的概念，即补助金“……不仅局限于在预算中被冠以‘补助金’之项目，同时包括在预算中被冠以‘交付金、助成金、补给金、奖励金’等称呼，而实质上与补助金有着同样机能的项目”。

政策的主流，通常被认为是利用农业部门的剩余价值，作为工业部门的补助金，以达到殖产兴业的目的。[①] 但值得注意的是，明治前期政府投入农业部门的补助金占有相当大的比例，说明为了确保农业部门剩余价值，政府不得不对工农业补助金政策的内容及比例进行一定的调整[②]。

1. 明治前期劝农政策的得失。明治政府的殖产兴业政策，具有半强制性国家主导的特点，主要内容包括官营企业的建立及干涉性奖励政策的实施，具有极浓的“劝业”色彩。而农业政策作为殖产兴业政策的组成部分，同样以国家主导的“劝农政策”——技术改良、开荒奖励、农事奖励——为主。1869（明治 2）年 4 月，民部省成立，政府在民部省内设置了负责“开垦、物产、水利”的官员，这也是明治政府中最早的农政官僚。从其所管工作内容可以看出，当时政府农业政策的主要内容之一是开垦荒地。民部省农政官僚的第一个工作是建立“东京开垦所”，借以推广开垦技术及促进开垦荒地。翌年 9 月民部省内设置了劝农局，12 月更名为开垦局，负责督促全国各地的荒地开垦。为此明治前期农业部门的荒地开垦速度很快，从现有资料中可以看到，明治政府成立时的耕地面积（水旱田合计）约为 325.67 万公顷，到了 1882 年增长为 449.29 万公顷。[③] 荒地开垦也带动了畜牧业的兴起，为农业生产结构的变化提供了一定的条件。为了提高荒地开垦效率，政府 1871 年成立“驹场农事修学场”，推广西洋农具并传授关于开垦农牧业的西洋农业技术。

---

① 详细请参照長妻廣至著『補助金の社会史』，人文書院，2001 年。

② 关于明治初期政府的农业补助金问题将在下章具体论述。

③ 数据来源于政府統計「農林センサス累年統計—農業編」、「耕地経営状況」，https://www.e-stat.go.jp/stat-search/files?page=1&layout=datalist&toukei=00500209&tstat=000001016170&cycle=0&tclass1=000001112708&tclass2=000001112709&stat_infid=000031676787&cycle_facet=tclass1%3Atclass2&second2=1，内兵衛・土屋喬雄編『明治前期財政経済史料集成　第 7 巻』，第 80 页。关于明治政府成立时的耕地面积数字，使用了旧地租征收时的数字。该数字中应该不包括江户时期“隐田”（没计入土地台账的耕地数字，因此不计入征租范围）的数字。地租改正土地调查时，隐田的调查成为重要调查内容。由于地租改正前荒地开垦已经开始，因此很难找到“隐田”的具体数字。

1871年民部省解散，大藏省内设置劝农寮推行劝农政策，1874年又将内务省内劝业寮改为劝农局，农业部门政策实施权限转移至内务省劝农局。然而管辖部门的变化并未影响整个政策内容，其仍以推行西洋农法为主要内容，先后成立了内藤新宿试验场、三田育种场等官营农场兼农学校，引进外国教师传授西方农业知识。地方政府亦以中央政策为例组织地方具有经验的“老农”举行“农谈会”交流农业技术，推行西洋农具的使用、畜牧业、养蚕、制茶等农村产业。然而政府的劝农政策下成立的政府及民间农业部门的相关产业先后失利，致使其不得不下放官营纺织业、处理官营农场，结果并不尽如人意。

1885(明治18)年起，政府的劝农政策，即农业改良指导从推行西洋农法的大农制主义转向在来农法的小农制主义。明治前期劝农政策失败的主要原因可归纳为两点：(1) 政府对诸如纺织、制茶等农村工业的奖励贷款及投资带动了民间的起业热潮，在没有关税自主权以及进出口贸易赤字的背景下，导致国内市场竞争不断激化；(2) 地租改正后，日本政府坚持保护地主利益，维持地主与零星佃农之间的半封建关系，乃至容忍半封建性土地关系的存在，以上与盲目引进西洋大农制经营的劝农政策之间产生政策性脱节。但是值得注意的是，尽管劝农政策失败，但该政策推行过程中，诸如农业技术、知识传授及交流组织体制的确立，为其后日本农学校及农民组织的成立创造了良好的组织基础。

2. 明治农法[①]的形成及其操手。明治政府的“雇佣外国人”马克思·费斯卡[②]对日本农业做了如下评价：“关于日本农业的缺陷，可列举如下：(1) 耕耘过浅；(2) 排水不完全；(3) 施肥不仅不充分，而且方法有

① 农法指“生产力视点的农业生产方法”。农业是生产人类食物的产业，其生产过程受自然条件的影响，人类所能作的仅仅是帮助农作物生长的辅助性劳动，因此与工业提高生产力水平的手段有着根本性区别。工业可以通过机械提高生产力水平，而农业必须在利用土地及自然的条件下找到提高生产力的良好方法。

② 明治政府聘请的外国专家被称为“雇佣外国人”，马克思·费斯卡是其中一员，他是来自德国的农学家，1882年来日后，于驹场农学校兼任教授，并对日本全国农业地区进行调研，著有《日本地产论》等名著。

误，价格过高；(4) 农作物的轮栽法有误。”[①]可见，虽然江户时期唐犁及牛耕的出现、金肥的使用等，使农业生产力有了一定的提高，但是费斯卡所言问题的存在，足以说明日本近世农法与西方农法相比仍存在一定的差距。因此，代替人力浅耕的畜力耕、改恒年湿田为干田、将金肥用于稻田等，成为明治农法的重要目标。

在明治农法成立的过程中，首先在农村内部，农民对农事改良、农业技术进步产生了极大的关心，其中具有农业生产技术及知识的老农起到了积极的作用。据《石川县农谈会议事录》[②]记载，最早的民间农业技术交流会召开于 1874 年，由石川县石川郡野野市村农民自主召开，主要以交换种子为目的。同年在三重县，次年在京都，1877 年之前在岐阜县，1878 年在爱媛县同样的农谈会均有召开，表现出农民对农事改良的积极态度。1876 年，岩手县招聘福冈县马耕教师传授马耕技术，开始在本县使用福冈马耕用“立犂”耕耘土地。此后，在具有农业技术及农业知识的老农为主的民间交流的背景下，于 1885 年以后，江户时期主要用于旱田的金肥在稻田的利用、农作物品种改良及普及、蓄力耕耘的推广、湿田的干田化等方面迅速展开，1880 年代明治农法开始初具规模。然而，深耕、施肥与水田的干田化三者之间相互关联，形成体系需要其他技术体系的支持。例如，干田化能够提高农业生产力，但畜力深耕成为必要条件，除此之外间隔灌水等排水问题，水田的区域(区划)整理等配套技术，为了维持土地“地力”的施肥等均成为必要条件。因此明治农法的确立需要政府政策的支持。

---

① 马克思・费斯卡著『日本地産論　日本農業及北海道植民論』，農山漁村文化協会，1977 年，第 13—14 页。的确费斯卡是以西方农法为标准，指出日本农法中存在的问题。一般认为日本与西洋农法的不同来源于水田农业与旱田农业的差别，两者性格——水田农业是劳动集约型农业，因此其具有追求土地生产力的性格；而旱田农业是劳动节约型农业，因此其具有追求劳动生产力的性格——不同，因此两者的对比缺乏整合性。然而事实上，从历史发展的角度上看，西方旱田农业并非自古代起便具有劳动节约型性格，而水田农业同样并非单纯追求土地生产力的农业。至少明治 10 年代费斯卡看到的日本农法与西洋农法相比，在整体农业生产力上存在很大的差距。

② 石川县县立图书馆所藏。

其次，明治政府劝农政策的影响。西洋式大农业是明治政府对日本农业未来的构想，“雇佣外国人”为此提供了大量的理论依据。例如关于日本农法中存在上述问题的主要原因，费斯卡指出：

日本农业的管理及其组织法、即所谓小农组织，各农地的平均面积七反五亩，八町步的面积为最大。而耕地面积的三分之二为自耕农，其余三分之一为物品佃农……耕作主要依靠农夫的劳动，饲养牛马却不驱使，农户饲养家畜，虽可供产粪肥，尚可用之于耕耘，但因农地之划分狭小故无法利用。如此农作物与畜牧乃至家畜饲养完全互不相关。此为日本小农组织的不利之处……①

可见费斯卡认为，日本农法中存在的浅耕、排水不良、少肥及轮栽等问题，与小农经济体制，乃至农地区域划分狭小有直接的关系。此见解与明治政府引进西洋大农业技术的方针一拍即合。政府的西洋农业技术引进方法具有强烈的模仿色彩，诸如设立内藤新宿试验场、驹场农事修学场、三田育种场、三本木下总牧羊场等，旨在传授西洋农业技术知识，推行西洋大农具的使用，但该政府行为并未能与农村内部展开的农事改良相融合。为此，政府决定利用农谈会、启用老农推广劝农技术。并且如上文中所述，在此过程中政府不得不对劝农政策进行方向性调整。可见政府的指导力与农民实践过程中总结出的农业生产知识及技术相比，对近代农法的影响甚微。政府的贡献最终体现在本文后述的明治中期以后的土地改良、耕地整理事业中。

第六节　大日本农会的成立及其“官治性”

1881(明治14)年成立的“大日本农会”，是日本第一个全国性农会组织，是在内务省农政官僚的主导下成立的农事改良团体，第一代干事长是内务省劝农局长品川弥二郎。上文中提到明治政府劝农政策推行过

① 前出马克思・费斯卡著『日本地産論　日本農業及北海道植民論』，第212页。

程中，各地区通过召开农谈会交流推广农业技术，而大日本农会的成立与农谈会的召开及发展有着密切的关系。关于农谈会的发展盛况，史料中有如下记载：

> 近频闻农事集谈会之事，近年连年增多，如昨十四年，东京府外一府二十四县前后开会至八十一回，其脾益于农事。今阅各地之通讯，此会以明治十一年一月于爱媛县召开第一回劝业会为嚆矢，本会以各区劝业员为议员，劝业科长为议长，专议劝业实施之方法，以多数之论决可否。之后各地召开之会或名曰劝业会，劝业科员及通讯委员聚会一堂，讨论劝业施行之方法，或名为农谈会，招集老农使其谈论各自之惯行经验，虽各会之性质不同但皆图农事之改良进步……①

史料指出，1878年劝业会的召开成为地方农谈会的嚆矢，1881年包括东京在内的二府二十四县共召开81次会议，尽显其盛况。在以上农谈会相继召开的形式下，1879年4月，以千叶下总牧羊场毕业生为主要成员的东洋农会成立；之后的1880年3月，东京农谈会成立，其主要成员是劝农局官员及三田育种场成员。两会不仅定期召开农谈会，交流农事经验，并均拥有定期刊物，面向社会报告会议内容。当时的内务少辅兼劝农局长品川弥二郎，便是东京农谈会的成员。1881年3月，政府在召开全国劝业博览会的同时，在东京召开全国农谈会；借此机会东洋农会和东京农谈会合并，成立了大日本农会。大日本农会汇集了当时多数农谈会成员、官营农场成员、劝农官员及全国各地的老农，是日本首个农业组织。

然而必须注意的是：(1) 农谈会从召开之首，政府农政官员便在会议召开及内容策划上掌握着主导权；(2) 无论是东洋农会或东京农谈会，均以政府官营农场成员为主；(3) 大日本农会特别会员藤田一郎在集会上

① 農林省農務局『明治前期勧農事蹟輯録　上巻』，長崎出版社株式会社，1975年，440页。

的发言中讲到:"欲图农业之盛大,必先改良农具",足见大日本农会与政府大农主义方针同出一辙。以上三点表明,大日本农会的成员虽包含全国各地老农,具有民间农业团体之形式,但事实上其官治性极强,应该说仅是传达农政官员劝农方针的"民间农业团体"。表 4－8 是大日本农会初期工作内容概况,从中可以看到不仅其会址是农商务省所有,工作内容接受农商务省及农务局委托,并且亦接受农商务省经济支援,充分证明其作为农商务省外围团体,传达农商务省劝农精神的作用。

表 4－8　大日本农会初期工作内容概况

1881 年(明治 14 年)	6 月:第一次集会;7 月:刊发《大日本农会报告》;9 月:选举任命农艺委员,调查农艺委员责任范围;10 月:制定分会成立规则,成立 35 个分会,分会负责召开府县农产品品评会、物产共进会,设立府县农事试验场、试做场,召开大型集会,展开农事经济调查,颁布蚕种制造,介绍农产种苗,刊发会报等。
1882 年	1 月:获宫内省恩赐金 1000 日元;3 月:在东京召开第一次大型集会(后每年召开一次),受农商务省委托于农商务省议事堂召开谷物、烟草、菜种集谈会,由全国老农 124 人参加、会期 8 天。
1883 年	6 月:农商务省将同省在东京市木挽町建筑物无偿借予大日本农会、大日本山林会、大日本水产会,三会事务所移此地址;7 月:制定大日本农会农产品品评会规则;8 月:召开第 1 次农产品品评会,后 9、10、11、12 月共召开 4 次品评会;各地分会成立等。
1884 年	第 6—9 次农产品品评会召开;农务局将三田育种场委托予大日本农会并每月支付 300 日元。
1885 年	第 10—13 次品评会召开;田中芳男当选干事长;受农务局委托调查稻种品目;受农商务省委托出版《报德记》;设置农事巡回委员职位,从事农事奖励工作等。
1886 年	第 14—17 次品评会召开;废除三田育种场返还事项;向福冈派遣农艺委员等。
1887 年	第 18—19 次品评会召开;地方支会成立、解散等。
1888 年	召开第 20—21 次品评会等。

续表

1889 年	召开第 22—23 次品评会;委托农商物省农政官员作为大日本农会成员参加巴黎万国农会员大会等。
1890 年	受农商务省委托调查农事事物,并接受 7000 日元补贴;接受召开农谈会资金 600 日元等。
1892 年	召开重要农产品展览会;《大日本农会报告》改名为《大日本农会报》等。

注:根据日本農業発達史調查会編『日本農業発達史　3』第 284—285 页制成,(共同印刷株式会社,1954 年)。

综上,在明治政府主导的殖产兴业政策实施过程中,在国家财政的支持下,近代日本资本主义得以确立。其整个过程中,政府财政基础建立于土地制度改革后的地租体制之上,可见日本资本主义发展、确立在极大程度上依靠政府从农业部门征收的地租。然而,值得注意的是,农业部门在日本资本主义发展、确立过程中,并未能在提供资本积累的过程中得到自身的蜕变,其原因在于寄生地主制的出现使日本农业结构仍然被制约于地主与佃农的半封建性土地制度及农业经济关系之中,不能完成向资本与雇佣劳动的生产关系的转化;而该现象正是明治政府土地政策与劝农政策上存在的非整合性的产物。

第五章　明治政府的农业保护政策

发达资本主义国家的农业保护政策，出现于资本主义开始迈入垄断资本主义阶段的19世纪末期。在美国等新大陆廉价农产品的冲击下，德国等西欧资本主义国家开始利用农产品进口关税，对本国农业进行保护，以进口关税为主要手段的农业保护政策登场。20世纪30年代，世界经济危机爆发，发达资本主义国家开始进入国家垄断资本主义阶段，国家权利通过通货制度直接介入经济过程，借以回避经济危机的影响。农业保护政策也开始突破以关税为主的间接措施体系，形成了一整套包括农产品贸易管理及价格支持在内的，与农产品流通、生产过程相关的政策体系，旨在通过维持农业收入及农业经营的安定达到保护农业的目的。然而，与西方资本主义国家的农业保护政策的系统化相比，日本近代的农业保护政策却显得缺乏作为社会政策的积极内容。明治政府的"雇佣外国人"，德国经济学家伊戈尔特·乌多在《日本振农策》[①]中指出："为了日本帝国整体，政府亦应关注农业部门，排除农民无法自力解决的障碍，缓解农业发展的困难，放弃迄今

① 原文『日本振農策』。

为止的消极性救助，必须主动给予积极性救助”①。足见伊戈尔特认为，日本政府的农业保护政策仅为“消极救助”之策。

第一节　明治时期的农业保护政策论

德国经济学家保罗·马耶特与伊戈尔特同样，应明治政府之聘赴日②，于1878(明治11)年5月，成为大藏省的“雇佣外国人”之后，一直就财政经济政策为明治政府献策。赴任后的马耶特立即向政府提交了《削减地租说》③，建议通过减轻农民的地租负担保护农业。1879(明治12)年，马耶特向大藏省大隈重信提交了《地租补充资金法案》，主张建立对受灾而无法缴纳地租的农民提供补助或设置借贷制度，该建议得到明治政府的支持，于1880年公布了《备荒储蓄法》。1890年马耶特出版了《农业保险论》一书，收载了其关于设立、实施农业保险的多个建议书及其法案。虽然日本农业保险制度迟迟未能出台，最终成立于1939(昭和14)年，比《农业保险论》的出版晚了50年，并且两者内容及其性格上的差异极大，但是仍不可否认，近代日本农业保护政策，在很大程度上受到“雇佣外国人”的影响。

首先，农业保护政策中的农业补助金论。被伊戈尔特定性为“消极救助”的日本明治初期农业补助金政策，其具体投入方向，更多是用于农业基础设施整备，投入方法同样更多以“旧惯”为依据，因此不可否认该补助金政策具有前近代“御普请”④“国役普请”⑤的色彩。1880年福冈县

① 服部之総·小西四郎監修『史料近代日本史　農民問題史料　明治農業論集』，創元社，1955年，第279页。

② 马耶特在日本明治农业史上留下了不朽的业绩，其著作《农业保险论》、《日本农民的疲惫及其救治之策》(原为『日本農民ノ疲弊及其救治策』)，迄今仍被尊为明治农史研究的第一手史料。关于其赴日时间有多种推测，一说为明治七、八年赴日，明治二十五、六年回国；一说为明治10年赴日，在日期间共17年。因此，马耶特应该是明治初年赴日，明治30年之前离日。

③ 原文「地租軽減ノ説」。

④ 江户时期由幕府及藩出资的基础设施整备工程，特别是河川疏通、农田用水整备、道桥建设等工程。

⑤ 江户幕府实施的河川、道路修筑等大规模土木工程。该种工程的费用以同一标准向相关地区的公私领主征收，其中幕府负担大约十分之一的费用。

令渡边清向中央政府提交的《渡边清关于福冈县土木费的意见书》①中便有如下记载：

> 维新以来虽所有民政均经改革，唯土木之法一切以旧惯为基准，该现象并非源于旧法之良好，而源于该问题之重要，乃至无法轻易改变之因。然旧惯却源于各藩各自之法，费用之支出，或官费、或民费、或官民分别负担等，不以各州郡区为界，不以工程难易多少为据，不以灌溉之广狭利害为由，仅以藩政之良否及藩财政之富贫为凭而定；当今均属同一政府之下，岂有如此不公平之理……

如该史料所示，明治初期政府的土木工程，包括河川、灌溉工程等农业基础设施相关工程费用的补助政策均“以旧惯为基础”，即始终以江户幕府的相关政策为依据实施，这无疑是伊戈尔特将其定性为“消极救助”的主要原因之一。事实上，国家财政直接介入农业生产，并具有奖励性质的农业补助金制度成立于日俄战争后的明治末期。

其次，农业保护政策中的削减地租论。马耶特的《削减地租说》中指出，如果以纯收益的百分率计算地租的话，日本的地租以地价的百分之三计算全国的地租收入，相对地价农民的收益为地价的百分之七，纯收益应为扣除地租之前的地价的 1 成，假设此收益的全额作为 100 的话，日本的地租额是纯收益的 3 成，该数额是欧洲各先进国家的 2 至 5 倍(见表 5－1)。马耶特将日本的高额地租评价为“日本开明的障碍”，认为“地租过高使人民完全失去对农业的改良及起业之心，终为农业进步之一大障碍，故政府应奖励农事改良及起业，因改良之增收，又因开垦荒地而增纯收益，一定年限中免其地租”②。马耶特的奖励农事改良及削减地租论在明治时期农业保护政策论中占据一席位置。

---

① 原文《福岡県土木費に関する渡辺清意見書》，《梧荫文库》井上毅文书(原文，「梧陰文庫」井上毅文書)B—3454，東京大学総合図書館所蔵。

② 前出服部之総・小西四郎監修『史料近代日本史　農民問題史料　明治農業論集』，第 108 页。

表 5－1　近代日本与欧洲各资本主义国家的地租占土地纯收益比例

年度	国家	地租在土地纯收益中占比
1878	日本	3 成
1798	英国	1.635 成
1857	奥地利	1.6 成
1790	法国	0.6 成
1865	普鲁士	0.95 成
1859	比利时	0.9 成

注：根据服部之総・小西四郎監修『史料近代日本史　農民問題史料　明治農業論集』第102 页制成，(創元社，1955 年)。

最后，农业保护政策中的农业保险论。马耶特的《农业保险论》是其上呈内务卿山县有朋的“日本农民地位改良方策”。书中首先指出近来日本各地农民“的状态颇为衰颓，若举例可见，或暴动以害国安、或生负债纠纷、或卖身、或土地被拍卖……”，认为解决这种问题需要“(1) 救济即将破产流离之农民，使其免遭高利债主酷遇之方法；(2) 今后使无辜农民不再陷入灾害困境之方法”①。前者可以通过政府发行抵押债券的方法将债权转移，由负债者分期偿还，后者则可通过设立农业保险法，对农民的资产及收成给予保护。关于农业保险论，伊戈尔特在《日本振农策》中有同样的倡议，他在对日本农业现场做了详细调研后指出，“明治十九年日本全国……的米田总面积的三分之一遭受或多或少的损害，该损害最高的竟然达到收成的 36%。因此若以今年的损害为标准，每年的保险费应该在每年收成的 11%以上”②。值得注意的是，两者的农业保险论中均包含了救灾的政策性内容，诸如严重灾害时保险费用的国库补助等措施。

① 前出服部之総・小西四郎監修『史料近代日本史　農民問題史料　明治農業論集』，第21 页。

② 同上，第 200 页。

第二节　明治前期农业补助金的政策意图

明治政府财政统计上的"补助金"①项目并不鲜见，几乎与新政府的成立同时出现，明治前期政府财政统计中所有具有补助金性格的财政投入可概括为表 5－2。

表 5－2　明治前期(1868—1885 年)国库补助金具体内容

年度	通常岁入	农业部门补助金	非农业部门补助金
1868—1874	199,790,297	归农资金:1,220,333	诸向扶助:558,788
1875—1885	683,597,295	府县堤防、土木交付金:15,332,271 各省厅堤防补助金:2,197,458 各官营农牧畜业资本填补金:72,424 受灾农民救助金:206,007 备荒储蓄补助金:7,598,248 大日本农会等补助金:8,900 地租改正补助金:1,369,428 合计:26,784,736	学校补助金:2,540,383 医院设立补助金:154,465 各官营矿、工业资本填补金:796,866 三菱会社借款抵消:816,007 三菱会社补助金:1,831,251 日本铁道会社补助金:355,893 航海补助金:349,848 合计:6,844,713

注：根据大内兵衛・土屋喬雄編『明治前期財政経済史料集成　第 4、5、6 巻』制成，(原書房，1979 年)。表中数字均来源于年度决算表，保留至个位数，单位：日元。

表 5－2 所示内容可整理为以下几个要点：(1) 1868(明治元)年至 1874 年间，政府补助金基本用于版籍奉还及废藩置县后，家禄奉

① 本文将涉及的农业补助金及明治时期补助金概念，援用江见康一・盐野谷裕著《长期统计 7 财政支出》"第五章　补助金的分析"(东洋经济新报社，1966 年，第 40 页)中的补助金概念，即"不仅局限于在预算中被冠以'补助金'之项目，同时包括在预算中被冠以'交付金、助成金、补给金、奖励金'等称呼，而实质上与补助金有着同样机能的项目"。

还者的归农资金或生活补助；两者分别占政府税收的0.61％及0.28％。这是明治政府成立之初所面临的最大问题，即解散旧封建家臣组织建立中央集权政府，作为善后之策政府不得不对被解散的旧封建家臣进行救济，其主要方法是奖励其回归农业。（2）1875年开始，政府补助金多数开始投入产业部门，1885年迄投入农业部门的补助金为2678万4736日元，投入非农业部门的补助金（包括教育医疗部门）为684万4713日元；农业部门补助金是非农业部门补助金的3.9倍；各占政府税收的3.92％和1.0％。以上数字充分体现出明治前期，政府对农业部门的投入力度并不逊色于对非农业部门的投入。（3）堤防、土木工程及地租改正补助金共计1889万9149日元，占农业部门补助金的70.56％。可见政府投入农业部门补助金的绝大多数，用于农业基础设施，即堤防、农道、灌溉设施等土木工程及农政体制的确立。值得注意的是，虽然农业部门补助金中29.14％用于灾害救助，在一定程度上具有支持农业经营的目的，但绝大多数用于对农业基础设施补助的现象，仍说明该时期政府的农业补助金并不具备将农业部门作为近代产业进行保护的性质。

明治政府财政收入与主要财政支出的比较可见表5－3。其内容表明：(1) 明治前期政府财政收入主要来源于地租，即农业税收，平均占整个财政收入72.37％。可见农业对政府来讲是维持财政收入的生命线。(2) 虽然明治初期政府补助金的投入，偏重于农业部门，是非农业部门的3.9倍；但是对产业部门的主要财政投入，却集中于非农业部门，是农业部门的3.36倍；两者数额非常接近。然而，问题在于该大体相同的两项财政资金的投入在本质上有着明显的差别。其一，主要通过直接财政投入形式支出、用于非农业部门的资金，其目的在于非农业部门产业的设备投入以及该部门产业的扩大再生产，即近代产业扶植、发展，该资金的投入具有产业资本的性质。① 其二，主要通过补助金的形式支出、用于农业部门的资金，其目的并不在于提高农业生产率、扩大农业生产规模之上，而仅仅在于维持农业生产的正常进行，该资金的投入当然不具有产业资本的性质。

表 5－3　明治前期政府财政收入及主要财政支出

年度	通常岁入(地租)	政府对产业部门的主要财政投入	
		农业部门	非农业部门
1868—1874	199,790,297 (164,993,519) ※地租占通常收入的82.58%	河川，堤防，道路土木费：6,517,519	矿山，制铁，电信兴业费： 17,609,496
1875—1885	683, 597, 295 (474, 346,392) ※地租占通常收入的69.40%	内务省、劝农局畜牧兴业费： 1,147,318 劝农局农事试验费： 117,193	各省矿山，铁道，制铁，电信，采油，造船，工厂兴业费②： 8,564,900
总计	883,387,592 (639,339,911) ※地租占通常收入的72.37%	7,782,030	26,174,396
		在政府主要财政投入中非农业部门是农业部门的 3.36 倍	

注：根据大内兵卫、土屋乔雄编《明治前期财政经济史料集成》第四卷、第五卷、第六卷制成(原書房，1979 年)。表中数字均来源于年度决算，保留至个位；单位：日元。自 1868 年度至 1874 年度决算均为该年 1 月—12 月间决算，自 1875 年度起均为该年 7 月至次年 6 月间决算；1975 年 1 月至 6 月决算未计入本表。

① 近代经济学认为，投入工业、农业、运输业等产业部门的产业资本，与投入流通部门的商业资本及用来产生利息的资本有着根本的不同。其最初作为商业资本以用来购买生产手段及劳动力的货币资本的形式出现，其次由于生产手段与劳动力的生产活动创造剩余价值而成为生产资本，而包括该剩余价值的产品被作为商品资本贩卖而得以增值，并再度转化为货币资本。由此可见，产业资本具有通过购买生产手段与劳动力，并利用生产手段与劳动力的生产活动创造剩余价值即利润，进行扩大再生产的性质。

② 因 1875 年工部省岁出内容无详细记载，故未记入该数值。该年度的工部省总岁出为 4,631,066日元，其中包括工部省所属产业兴业费及工部省所有行政支出。

第三节　备荒储蓄法及其实施

备荒储蓄法公布于1880年6月，于1881年1月1日开始实施。原法案由德国经济学家、明治政府的“雇佣外国人”马耶特策划提议，原案名为《地租补充资金法案》。马耶特在《地租保险论》中提到，他曾在1878年的《削减地租说》中提议，设立地租补充资金，用以确保地租收入，同时救助遭遇突然灾害及歉收的农民。此后马耶特在大藏卿大限重信的指示下起草法案，1879年12月《地租补充资金法案》(以下简称“马耶特草案”)完成并呈交大限，“该法案改名为‘备荒储蓄法’，诸如法律目的采用余之建议，于1880年6月15日公布”①。在此不能忽视的是:(1) 该法案在大藏卿大限的指示下起草，并且于1879年12月提交予大限手中；(2) 马耶特对新法内容的评价是采用了原法案的“诸如法律目的”之处；(3) 大限在接到马耶特法案之前的1879年6月，曾向太政官提交“财政四策”②一文，其中第二策则名为“储蓄备荒之事”(以下简称“大限第二策”)。由此可见，《备荒储蓄法》并非单纯由“雇佣外国人”马耶特提议实施，其酝酿实施过程中时任大藏卿的大限重信起到了重要的或者可以说主导性作用，这一点从马耶特草案与大限第二策以及最后公布的法案内容亦可得到证实。

第一，马耶特本人关于草案中被修改之处做了如下的叙述:

> 余之草案……郡储蓄金一事，因仍未设郡会，若令经町村会议议决此事则会出现困难，故废除此项。为此，以郡储蓄金充当农业借款之方案亦被随之废除。余所建议农业借款之处，目的是使凡因天灾、非自己过失而遭损害的纳租者，能够继续从事农业，在必要之

① 前出服部之総・小西四郎監修『史料近代日本史　農民問題史料　明治農業論集』，第5页。

② 大限四策以“地租再查之事”(「地租再查ノ事」)，“储蓄备荒之事”(「儲蓄備荒ノ事」)，“增加纸币偿还额度及决策附随事项”(「紙幣支消ノ額ヲ増シテ之ヲ裁断ニ付スル事」)，“节减外交费用之事”(「外国関係ノ用度ヲ節減スル事」)组成。

时向其无息借款二倍地租的金额，并允许其以年赋偿还。该借款方案，若将来开设地方郡会，在各郡设立备荒储蓄金，则足以给地方高利贷者予极大打击。故其之废除乃余最大遗憾。①

可见新法废除了马耶特草案中设立农业借款的条款，关于废除原因被解释为，因当时仍未设置郡议会，因此在郡储蓄金——地方储蓄金预算成立过程中，必须通过町村会议决定，这样则必然出现极大的困难。而马耶特认为，农业借款旨在帮助受灾农民能够继续从事农业生产，并且如该项借款成立，则能够抵制地方高利贷对农民的掠夺，防止农民失去自己的土地，故该条款的废除是马耶特的"最大遗憾"。值得注意的是，马耶特草案，虽具有灾害救助之意，但更重要的是通过灾害救助，使农民能够免除高利贷的压迫，达到防止受灾农民破产的目的；因此马耶特草案具有积极的保护农业——维护自耕农利益——的意义。

第二，大隈第二策中指出，征租的旧规是丰收之年重收、歉收之年轻收，因此政府税收根据当年的收成增减，此为最大的不便，而新法（地租改正法）不论丰凶每年税收一定，此为新法最大利处；但是任何法制均会是"利弊相伴"。大隈认为，一方面因旧法中有重收之年，故国用不会因歉收而匮乏，同时能够在歉收之年用丰年重收之储蓄救济灾民；另一方面因旧法中有轻收之年，人民不会因灾难而落魄，顺利完成交租。但新法实施之后，地租额固定，人民不得不在丰收之年储蓄用来为歉收之年交租而用；可谓"往日凶荒预防由官府承担，但今日由人民负担"。然而，今日民间并非丰年储蓄以备荒年之状态，相反大有丰收之年挥霍，歉收之年不仅无法交租，甚至要求官府救济之风。1877（明治10）年，政府"凶年地租缓缴规则"②即因此而定。然而"因缓缴而至土地的债租负担愈加增大，竞买之时田价愈加低廉，如此下去不久的将来全土将失去无债租

① 前出服部之総・小西四郎監修『史料近代日本史　農民問題史料　明治農業論集』，第118页。

② 原文「凶歳租税延納規則」，1877年9月1日太政官第62号布告，国立国会図書館所蔵。

负担之地”，因此地租缓缴规则必须废除。大限指出该缓缴规则的问题在于“(1) 灾害年度的纳税延期必然带来次年重叠纳税问题；(2) 该对策非众人协力而是各自对抗灾害；(3) 纳税额度的调节属于私人积累而非公共储蓄性质”[①]，同时指出新法必须避免上述三点问题。从大限第二策的上述内容不难看出，大限认为新法应该通过聚集众人的力量对应灾害，其方法是公储并非依靠各自的丰年储蓄，其最终目的并非救助灾民，而是防止“地价愈加低廉”，防止“全土失去无债租负担之地”，即防止地价的降低以及所有土地的地租均能及时缴纳，以保证政府的财政收入。大限第二策与马耶特草案的不同尽在此处。

第三，备荒储蓄法的主要内容。1880 年 6 月 15 日太政官第 31 号布告、《备荒储蓄法》[②]公布，1881 年 1 月 1 日起实施。该法第 11 条明确规定，此法“实施 20 年，期满后府县储蓄金的保存方法由各府县会决定”，因此其法律实施年限被定为 20 年。该法第一条中明确指出该项资金储蓄的目的在于“向遭受严重灾荒、意外灾害的穷民发放食物、房屋补贴、农具费、种子费，另向因罹灾而无法缴纳地租（仅限国税部分）者，补助或借予地租费用”[③]；其资金储蓄及支出方法可见图 5－1。对该图可做如下解释：(1) 具体财源由两部分组成，一是国库补助金公共 120 万日元，分为中央储蓄金（由大藏省管理）与府县储蓄金两部分，前者 30 万日元，后者 90 万日元，后者的分配根据各府县地租水平而定；另一是公储金，由土地所有者以所缴纳地租为标准缴纳予所在府县，与国库补助金分配的府县补助金部分合流作为各府县储蓄金；(2) 遭遇灾害时利用府县储

① 明治財政史編纂会編『明治財政史　第 10 巻　預金・恩賞・諸録・罹災救助』，丸善，1905 年，第 854 页。

② 原文「備荒儲蓄法」，1880 年 6 月公布。1890 年 2 月法律第 5 号《备荒储蓄法中改正一件》（「備荒儲蓄法中改正ノ件」）公布，对备荒储蓄法进行了部分修改；1899 年 3 月法律第 77 号公布，废除了延续了将近 20 年的备荒储蓄法，开始实施“罹灾救助基金法”（「罹災救助基金法」）。

③ 「太政官布告第 31 条」，明治 13 年 6 月 15 日の条，『法令全書』，内閣官報局，国立国会図書館所蔵。

蓄金向受灾者发放生活必需品及农具，乃至种子费用，对其进行救助，同时对纳税困难者，针对地租额给予补助或借款（第 6 条第 2 款规定，地租的补助及借款仅限“因受灾必须贩卖土地房产方能缴纳地租者”），当府县储蓄金支出高于储蓄金额的三分之二时（后改为 5%），由府县令呈报内务、大藏两卿，根据两卿的协议由中央储蓄金支出。正如马耶特所言，备荒储蓄法继承了马耶特草案中救济灾民的目的，但对因受灾无法缴纳地租的农民（限不得不贩卖土地及房产者）的地租补助或借予仅限国税部分，换言之受灾农民（受灾程度必须达到贩卖房地产）无法缴纳地租的地方税部分完全被忽视，因此该法所具有的保证政府财政收入及防止地价下滑的性格被完全凸显。

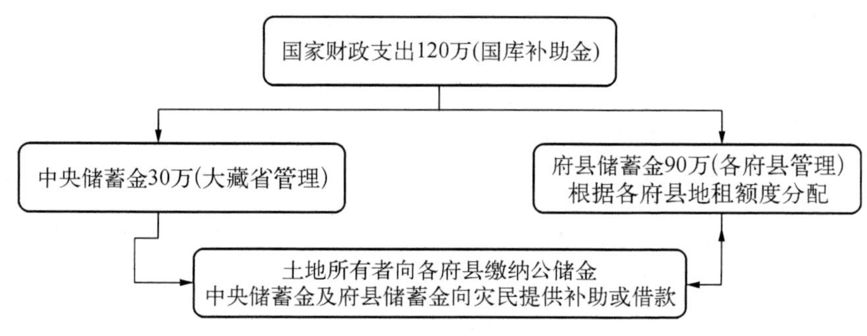

图 5－1　备荒储蓄法的资金储蓄及支出方法

注：根据《备荒储蓄法》制成。

第四，备荒储蓄法的实施成果。1881 年起备荒储蓄法开始实施，为此废除了 1875 年 7 月太政官第 122 号通达“穷民一次性救助规则”①，及 1877 年 9 月第 62 号太政官布告“凶年地租缓缴规则”，由国家财政支援的基金式农业灾害政策登场。备荒储蓄法实施期间的主要支出明细可见表 5－4。从表中数字可以归纳出以下几点内容：(1) 可以看到所有赈灾款项中的将近 60%被用于对受灾农民的食物及房屋补助之上，因此备荒储蓄法，在对受灾农民的生活救助上起到了积极的作用。(2) 前四项

① 原文“県治条例中窮民一時救助規則ヲ廃シ更ニ同規則ヲ定ム”。

补助费用占总赈灾费用的 80%以上，在救助力度之上与被取代的“穷民一次性救助规则”相比，有了极大程度的提高。备荒储蓄法规定“对因受灾而无法生存者提供食物的时间在 30 天以内，房屋补助费每户 10 日元以内，农具及种子费每户 20 日元以内”，并且无须偿还；而穷民一次性救助规则的补助额度为食物 15 天以内、房屋及农具等补助 15 日元迄，并须分 5 年偿还，两者之差非常明显。(3) 地租补助及地租借款支出虽然仅占赈灾款项的 17%，但是因其中借款部分为无息借贷，在防止灾民因受灾而不得不贩卖土地问题上起到了一定的缓解作用，同时与“凶年地租缓缴规则”相比，地租补助部分减轻了受灾农民的地租负担程度，在保护农民的意义上有了一定程度的进步。

表 5-4　备荒储蓄金各年度主要支出明细(单位:日元)

年度	1 食物费	2 房屋费	2 农具费	4 种子费	5 补助	6 地租借款	赈灾总计
1881	49,535	132,617	72,754	17,096	782	5,022	278,141
1882	56,719	144,367	65,906	14,805	2,098	24,044	307,938
1883	103,274	106,392	71,448	39,088	121,937	253,803	695,942
1884	193,138	479,264	85,010	53,097	41,058	191,118	1,042,684
1885	173,555	196,709	66,615	79,071	58,350	303,464	877,745
1886	116,383	208,031	65,162	75,510	34,307	68,092	567,484
1887	50,144	122,141	55,534	55,848	18,237	23,714	326,306
1888	54,609	139,597	52,604	33,555	7,891	14,080	304,704
1889	316,301	172,533	117,601	90,246	179,770	132,835	1,018,561
1890	224,308	166,738	56,174	196,806	46,634	184,567	880,222
1891	381,466	727,572	117,739	29,176	18,107	19,958	1,299,899
1892	130,230	125,388	70,011	82,759	16,830	31,097	484,353
1893	257,666	173,253	87,245	92,335	25,137	104,373	751,914
1894	148,865	126,429	39,033	94,407	49,844	68,420	530,201
1895	129,597	145,471	28,283	40,163	11,483	27,169	389,684
1896	1,057,040	453,546	182,764	327,540	38,131	39,859	2,177,562

续表

年度	1食物费	2房屋费	2农具费	4种子费	5补助	6地租借款	赈灾总计
1897	356,767	91,641	35,491	178,809	14,712	61,080	748,173
1898	308,492	77,700	42,508	200,721	6,589	9,772	651,228
1899	12,626	21,323	10,791	20,196	32	30	66,194
总计	4,120,715	3,810,712	1,322,673	1,721,228	691,929	1,562,497	13,398,935
占总赈灾支出的比例	31%	28%	10%	13%	5%	12%	100%

注：根据大藏省印刷局編『官報』(明治17年～明治34年)制成，(大藏省印刷局，1901年)，国立国会図書館所藏。数字四舍五入取至个位数，总计下段为占总赈灾支出的比利。因统计方式不同，1881—1890年赈灾总计中含杂费。表中第五项“补助”为“地租补助”。

第五，备荒储蓄法的资金运用分析。如前所述，备荒储蓄法中规定，国家财政支出的120万日元分为30万及90万两部分，前者由中央(大藏省)管理，后者作为“中央分配金”按各府县地租额度分配到地方(府县)管理运营。同时规定地方向土地所有者征收“公储金”作为府县储蓄金的另一部分收入，其总数不能低于中央分配金的额度。当赈灾救助总数超过储蓄金额度的三分之二之时(后改为5%)，从中央储蓄金中给予补助。中央储蓄金的每年度结余及府县储蓄金中的主要收入及结余可整理为表5-5。

表5-5　备荒储蓄金各年度储蓄余额及浮现储蓄金中主要收入明细(单位:日元)

年度	中央储蓄金余额	府县储蓄金			
		公储金收入	中央分配金	中央补助金	余额
1881	1,748,248	926,578	900,000	553	2,483,782
1882	2,047,695	914,492	900,000	0	4,234,427
1883	2,375,567	887,242	900,000	73,518	5,776,381
1884	2,579,981	901,011	900,000	90,030	6,996,596
1885	2,711,629	692,151	675,000	27,342	7,839,350
1886	3,061,987	907,891	900,000	49,317	10,333,221

续表

年度	中央储蓄金余额	府县储蓄金			
		公储金收入	中央分配金	中央补助金	余额
1887	3,417,653	914,157	900,000	0	12,489,663
1888	3,823,156	920,397	900,000	0	14,755,726
1889	4,090,572	922,774	900,000	238,830	16,806,285
1890	3,452,700	—	—	468,422	16,487,971
1891	2,107,605	—	—	973,722	17,955,429
1892	2,095,781	—	—	128,519	18,397,805
1893	1,837,744	—	—	390,727	19,227,516
1894	1,828,046	—	—	144,805	19,809,329
1895	1,748,347	—	—	125,178	20,541,653
1896	384,321	—	—	1,473,341	20,858,000
1897	8,928	—	—	342,433	21,441,311
1898	46,002	—	—	28,551	21,742,776
1899	50,157	—	—	0	22,106,924

注：根据大藏省印刷局编『官報』(明治 17 年～明治 34 年)制成，(大藏省印刷局，1901 年)，国立国会図書館所蔵。数字四舍五入取至个位数。

对表 5 - 5 中的数字做以下分析：(1) 政策实施初期中央储蓄金的运作相对稳定，但 1889 年起连续大型自然灾害的发生，使中央补助金的支出大幅增加，1893 年结余接近储蓄金运营的初始水平，至 1897 年结余跌到不足 9000 日元，虽然当时已接近储蓄金运营年限，但仍说明资金的运营出现困难。(2) 1890 年后，府县储蓄金收入中的公储金及国库分配金收入出现空档。1890 年 2 月 7 日法律第 5 号对备荒储蓄法进行了部分修改，其中关于储蓄金的运营方法改为，中央及府县储蓄金均以 1889 年迄两者的结余储蓄金“及其运作盈利”进行运营；为此中央储蓄金中每年来自国库的 30 万补助金同样不再进账，这也成为之后中央储蓄金出现资金运营困难的原因之一。(3) 1890 年备荒储蓄法修改之际，将中央补助金支出标准,从府县赈灾救助总数超过储蓄金余额的三分之二,改为百分之五,提高了中央补助金支付的标准。为此1890年以后,中央补助金支付不断增加,1896年甚至超过该法修改前中央分配金的上限。1899年3月2日"第十三届帝国议会众议院议事速记录第40号"中,关于"罹灾救助基金法案"的审议,有如下记载:"现行备荒储蓄法实施期限为1900年12月,然而备荒储蓄法实施中,每年府县储蓄金支付的救灾金额,若超出府县储蓄金百分之五,超出部分则由中央储蓄金支付……但前年中央储蓄金已被全部支出,今若无一文,虽该法仍在实施期间,但事实上已无法执行。为此制定'罹灾救助基金法'①,与现行备荒储蓄发一并救助灾民"②,充分说明备荒储蓄法资金运作过程中出现的困难,为此政府不得不加快"罹灾救助基金法"的审议速度。

第四节　耕地整理事业中的国家补助政策

为了促进土地的农业利用,1899年3月明治政府出台了《耕地整理法》(1899年法律第82号),耕地整理事业在国家法律的规制下正式开始。该法第一条规定"本法中所指耕地整理以促进耕地利用为目的,由土地所有者共同实施土地的交换或分合,区划形状的变化,道路及田埂或沟渠的变更与废置",明确指出耕地整理以"促进耕地利用",即农业利用为目的;同时第三条中规定"具有特别价值用途的耕地以及非耕地如无所有者同意则不得编入整理地区。然前项土地无所有者同意,却有必

① 1899年《罹灾救助基金法》代替了《备荒储蓄法》开始实施,两者虽然同样具有对国民进行灾害救助的意义,但后者对受灾者进行救助之际,与前者相比更多具有对农户,乃至农民在生产工具及种子费用上的支援,更重要的是含有对受灾农户进行地租补助及借贷的内容。换言之后者具有帮助农民重建生产、生活的意义。与此同时,后者的重点从受灾农民转向所有国民,将重心转向灾害救助之上。该法第二条规定"罹灾救助基金为,当府县全部或部分地区出现重大灾害之际,向受灾者发放的救助基金",基金可支付的救灾费用为"避难所费用、食物费、被服费、房屋补助费等",可见其救助重点已经从"受灾农户"转向所有国民。具体法律内容可参考1899年3月22日「官報」(国立国会图书馆藏)。

② 「衆議院議事速記録第40号」,「官報号外　明治三十二年三月三日」,国立国会図書館所蔵。

要实施整理之际，可将其全部或部分编入耕地整理地区”，表明虽耕地整理必须尊重土地所有者的意见，但当该土地有必要实施耕地整理却无地权者同意之时，可以将其编入耕地整理地区。由此可见，《耕地整理法》下实施的耕地整理具有一定的强制性。

必须指出的是，日本的耕地整理事业，最早可以追溯至律令时期的条理制①；条里制之后的再次大规模耕地整理，当属江户时期与新田开发同步进行的耕地整理，当时的耕地整理以灌溉设施、防洪工程为中心。前者以公地公民的律令制度为背景，具有国家主导的性质，而后者则以领主与农民共同持有的土地制度为背景。考察其具体实施案例可以看到，江户时期的耕地整理既有领主主导，亦有农民（豪农）自发实施的性质②。地租改正之后，土地私有制成立，地租缴纳的货币化、固定化，使地主为了增产，自发兴起区划整理③，因此明治初期土地的区划整理，具有农民（豪农主导）自发实施的性质。而本书关注的在《耕地整理法》规制下实施的耕地整理事业，是上述土地区划、土地改良、土地区划整理的集大成，是在国家法律体系下，在国家融资政策及国库补助金的支持下，由法人化的民间团体及地方自治体主导实施的大规模、近代耕地整理

① 古代日本律令体制下的耕地区划制度。方格形土地区划分割方法，耕地以 6 町（654m）间隔横、竖分割为方形作为 1 区划；每 1 区划以 1 町（109m）为间隔横竖分割为 36 坪，即 1 区划为 36 坪；土地以区划排列，南北方向每 1 区划称之为“条”（从北边开始 1 条、1 条……），东西方向每 1 区划称之为“里”（从东边开始 1 里、2 里……）。每一町土地均有地标，即几条几里几町。条里制的成立过程并不明确，但公元 6 世纪末至 7 世纪初已经在部分地区出现，公元 7 世纪后期至 8 世纪中期，班田收授法的成立使日本土地开垦及耕地整理、水利设施及农道的整备迅速展开，成为日本农史上具有划时代意义的时期。11 世纪后期至 12 世纪前期，由于庄园主及在地领主的介入，条理制出现混乱，12 世纪后期开始，庄园及领国为单位的土地统制使条里制走向完全崩溃。

② 据土木学会编『明治以前日本土木史』（岩波書店，1936 年），江户时期土地改良工程共 390 件，其中领主施工共 240 件，商人、町人、矿山主等施工共 35 件，豪农等农民施工共 115 件。详细请参照该书第二篇。

③ 耕地整理意义上的“道路、水渠、田埂、区划的合理分布及组合”，江户时期领主在区划整理问题上态度消极，因此区划整理的多数由豪农在自己所有土地范围内实施。明治前期，区划整理工程数量不断增加，1887 年—1896 年的明治 20 年代，被称为“田区改正”（耕地的区划整理）时代，成为区划整理的全盛期。

工程。

首先,《耕地整理法》的成立契机。如上所述,地租改正后由豪农主导实施的区划整理工程逐渐增加,虽然江户末期已经出现由豪农主导的区划整理,但两者存在根本的不同。前者是在个人所持土地范围内实施的个人行为,而后者的实施范围开始扩大至数人乃至数十人的土地,属于集团行为。明治前期具有代表性的集团区划整理工程,当属静冈县磐田郡田原村彦岛地区开展的道路、水路、田埂改良工程。该工程于1872年由豪农名仓太郎马发起,在自家及另一农户所有土地上实施,并且工程范围逐渐扩大,最终1875年竣工之时的施工范围扩大至33公顷;其间所有的设施费用均由名仓太郎马负担(总额达到250日元左右),33公顷耕地整理后的耕地面积大约增加了1公顷。1880年代日本传统农法中存在的"浅耕、少肥、排水不良"三大问题得到了一定程度的改善,水稻优良品种及改良技术不断提高,明治农法逐步成立,耕地整理的必要性愈加明显。例如石川县自1886年起聘请林远里(马耕技术传播者)在县内各地传授马耕技术,希望通过先进农法促使县内粮食增产,为此土地改良势在必行。1887年起各府县向大藏省提交的建议及咨询文件中,当属耕地整理相关问题最多,其中石川县的动向可见表5-6。明治前期耕地整理工程的集团化,以及府县主导的耕地整理事业的出现,成为耕地整理的立法契机。

表5-6　明治前期石川县耕地改良事业的主要动向

时间	具体内容
1877	向大藏省提交咨询书"请求根据土地改良工程费多寡今后5—7年搁置地价",指出种、肥、马耕法的导入因耕地区划狭窄极为困难,必须马上开展耕地整理,为此请求对地价实施搁置。
1888.1	公布县令第12号"耕地区划改正沟渠建造道路改造申请手续",设立田区改正委员会,各郡设田区改正责任书记、派遣巡回教师,田区改正工作目标为:实施干田化、马耕、两季化、方便运输、增加耕地面积。
1888.9	县令第117号,制定"土地分割合并造成面积地价增减之际申请手续"。

续表

时间	具体内容
1888.12	修改县令第 12 号。
1889.4	公布县令第 70 号,对县令第 117 号进行修改。
1890.10	公布“民有地移动相关手续”,制定耕地整理中土地的移动手续。
1887—1898	耕地整理件数:82;面积:整理前 643 公顷,整理后 678 公顷,增加 35 公顷

注:根据農業発達史調査会編『日本農業発達史 1』第 203—226 页制成,(中央公論社,1953 年)。

其次,耕地整理法的实施过程。耕地整理法于 1899 年 3 月公布,于 1900 年 1 月 15 日起实施;该法规定耕地整理的内容为“土地的交换分合、区划形状的变化、道路及田埂或沟渠的变更与废置”。1909 年 4 月政府再度公布法律第 30 号,对耕地整理法进行了较大的修改。新法对耕地整理作了如下定义:“本法所指耕地整理是,以增进土地的农业利用为目的、依照本法实施的以下各号事项,(1) 土地的交换、分合、开垦、地种变更及其他区划形状及内容的变化,道路、堤塘、田埂、沟渠、蓄水池等的变更、废置,与之同时进行的灌溉排水相关设备或工事;(2) 为前号事项的实施或实施结果设置必要的工作物,及其他设备或以上设备的维持管理;(3) 因前两号事项的需要,在国家、府县、郡、市町村及其他公共团体认可下,建造的营造物的修缮”。从两法对耕地整理的定义可以看出,新法涵括了历史上所有土地区划整理、土地改良工程及明治初期的所有田区整理内容,成为近代农业基础设施综合整备工程。新旧两法的主要变化可见表 5 - 7,其具体内容表明,除耕地整理范围的扩大之外,工程实施的组织化、法人化及实施条件的放宽等变化较为突出。此后耕地整理法经历 6 次修订后,于 1949 年失效。值得注意的是,关于政府对耕地整理事业的奖励及补助,新旧两法的内容基本相同,仅限于整理地区地价的维持原价措施,土地、建筑物登记手续费的优惠,及因整理工程原国有设施废弃而产生的耕地的无偿交付规定。因此可以认为,政府对耕地整理事业的奖励及补助金的支付,更大程度上体现在政策体系中,而并非通过法律规制完成。

表 5-7 1909 年耕地整理法的主要修改

	1899 年耕地整理法	1909 年耕地整理法
工程内容	仅包含土地分合交换、区划整理、道路及田埂沟渠的变化工程	耕地整理概念扩大,包括所有农业基础设施整备内容
实施方式	土地所有者的共同实施	成立耕地整理组合并法人化
实施条件	地区内土地所有者、面积、地价各三分之二以上同意	土地所有者三分之一以上同意,土地面积、地价三分之二以上同意,即可成立耕地组合
强制性	共同实施认为有必要之时,无地权者认可亦可划入整理地区	共同实施必须有所有地权者的同意,强制性划入权仅耕地整理组合持有
官方监督	农商务大臣持有监督权	郡长、地方长官、农商务大臣递进监督权
补助奖励	(1) 耕地整理之际国有道路、堤塘、沟渠、蓄水池等因废弃而不再利用的土地无偿交整理地区所有者所有;(2) 整理地区地价不变;(3) 免除耕地整理之际土地及建筑物的登记或登录手续费用。	(1) 相同;(2) 整理地区地价按当地现在地价计算;(3) 相同。

注:根据 1899 年法律第 82 号,1909 年法律第 30 号内容制成,(『法令全書』,内阁官报局,1912 年)。

事实上,与耕地整理的法制化同步,政府对耕地整理工程的奖励及补助规则逐渐完备。以下是现存史料中的两条相关记载:

一是 1906 年 6 月 4 日第 18 号农商务省令"耕地整理及土地改良奖励费规则"①,其主要内容如下:"第一条,为奖励耕地整理及土地改良事业,农商务省大臣据本则规定于明治三十九年度支付补助金;第二条,补

① 前出内閣官報局編『法令全書』,明治 39 年 6 月 1 日の条。

助金针对明治三十九年度实施耕地整理及土地改良之际的调查、设计及工程监督所需费用向府县支付”；另一是1909年3月9日“耕地整理法修改法律委员会记录”①中的相关部分：

荒川五郎问：……我认为对耕地整理的实施非常重要，迄今为止是以何种方式对耕地整理进行奖励的。

下岗忠治答：关于耕地整理奖励问题，第一，政府每年获取51万元预算，一方面致力于培养耕地整理的技术人员，聘请大学生或专门学校生，乃至再稍微低一点程度的人进行讲习，然后分配到各府县。第二，对各府县的补助也从上述51万元中提取，一部分针对工程费用，剩余部分针对府县的工程设计费进行补助，工程设计费补助，按府县支出费用一半的标准补助，工程费补助，按府县对耕地整理实施方补助费用的三分之一标准补助。虽然从财政关系上看，为促进工程进度想要再增加一些补助力度，但是很遗憾没有做到，整理效果达到的话，即使不采用大力度奖励，也一定能够逐渐普及。

对以上史料内容可以做如下解读：(1) 前者内容表明，来自中央政府国库补助金的补助及奖励规则定于1906年6月，并于当年度实施。其具体奖励内容为耕地整理过程中的调查、设计及工程监督所需费用，支付对象为府县级地方政府。(2) 后者内容表明，每年政府用于耕地整理事业的预算51万日元中的一部分，被用于培养耕地整理相关技术人员，并将受到一定培训的技术人员分配到各府县指导耕地整理工程；剩余部分被用于对府县的补助，其内容包括工程费用(府县对工程补助费用的三分之一左右)，及工程设计费用(府县承担的设计费用的一半)。(3) 府县级地方政府，承担了耕地整理工程的设计费用及对部分工程费用的补助。

值得注意的是：(1) 府县级别上的工程奖励及补助，早于中央政府国

① 「1909年3月9日第25回帝国議会衆議院第二回耕地整理法改正法律案委員会議録」，国立国会図書館所蔵，http://hourei.ndl.go.jp/SearchSys/viewShingi.do? i=002512020。

库补助金的支付时期，这一点可以从府县等地方政府文件中得到确认。例如，静冈县1895年公布的县令第19号“田埂改良费借贷规则”，决定对田区改正进行资金上的支持。另外石川县农会1900年公布的《石川县耕地整理事迹》①中指出“需要工费之多，以因增步所得利益进行补偿之策已感”困难，表明石川县曾利用耕地整理后增加的耕地的利益对工程进行补助。(2) 上述耕地整理法修改法律委员会记录中，关于国库补助金指出“即使不采用大力度奖励，也一定能够逐渐普及”，充分表明政府对耕地整理补助金的态度，即并非积极采取奖励政策，而是将该奖励作为一种契机，希望通过该契机引导民间团体达到政府期待的自主实施的目的。(3) 从国库补助金发放方法——仅以府县为对象——可以看出，中央政府国库补助金的性质，即同时具有中央政府对地方政府的统制目的。府县累计耕地整理补助金支付决算可见表5-8。

表5-8 府县累计补助金支付决算及人员、资金借贷支持②
(府县补助为决算额，其中包括国库补助金额)

年度	府县补助	国库补助	工程费用	培养人数	资金借贷	认可面积	完成面积
1908	128,693	62,920	532,553	162	—	23,569	6,326
1909	184,385	87,201	1,051,554	125	—	38,876	7,957
1910	277,358	103,846	1,639,326	125	4,023,090	45,150	13,925
1911	411,379	93,675	2,337,386	152	3,613,860	54,148	19,309
1912	510,695	78,444	3,273,034	156	3,382,230	38,695	19,436
1913	595,786	47,001	4,331,893	135	1,952,500	37,036	22,584
1914	536,053	47,186	4,399,625	153	—	44,497	25,830
1915	611,808	64,836	4,279,686	144	3,239,470	38,194	21,954
1916	483,012	59,193	3,342,107	729	6,140,037	28,495	23,276

① 農業発達史調査会編『日本農業発達史1』，中央公論社，1953年，第227—228页。

② 对耕地整理事业借贷资金的银行主要有日本劝业银行、农工银行、北海道拓殖银行，依据银行法借贷方式有抵押及无抵押两种。1910年起大藏省存款部通过日本劝业银行及府县农业银行，对耕地整理事业进行低利融资，在融资问题上对耕地整理工程给予支持。

续表

年度	府县补助	国库补助	工程费用	培养人数	资金借贷	认可面积	完成面积
1917	526,463	66,733	3,683,360	664	6,249,516	26,676	25,787
1918	544,718	70,296	3,058,772	390	8,540,300	26,223	18,138
合计	4,810,350	781,331	31,929,296	2,935	37,141,003	401,559	204,522

注:根据農商務省農務局編『耕地整理要覧　第十七次』制成,1920年。单位:日元、人、公顷。

表中数字表明:首先,府县对耕地整理事业的资金补助占总工程费的15%,而其中国库补助金仅占16%,与其上限的三分之一相差50%左右;并且国库补助金在整个工程费用中的比例仅为2%左右,充分体现了中央政府在补助金支付问题上的消极态度。其次,1910年政府开始对耕地整理工程在资金借贷上实施优惠政策,此后资金借贷额度不断增加,表明该低利融资政策对耕地整理的实施起到了一定的作用。最后,耕地整理事业认定面积与完成面积之间存在一定的差距,虽然该数字仅为各年度累计数字,但仍能在一定程度上说明工程进度的缓慢,体现了耕地整理工程的困难程度。

第五节　日俄战争前后的农业补助金政策

首先,日本农业经济学家井上晴丸在《日本资本主义的发展与农业及农政》①中指出,近代日本的农政体系确立于1899年至1900年之间,其标志是《府县农事实验场②国库补助法》、《耕地整理法》、《农会法》及

① 原文井上晴丸著『日本資本主義の発展と農業及び農政』,中央公論社,1957年。

② "农事实验场"指农业技术的实验、研究、调查、分析、指导机关。明治初期开始,各种农业实验、研究机关出现,但主要农作物,特别是以大米、麦子为重点的实验设施,最早成立于1886(明治19)年,由农商务省农务局委托东京府下有经验的农民(被称为"笃农"),创建了"重要谷菜试作地"。1890年东京府下"农务局临时实验场农事部"成立,接管"重要谷菜试作地"工作。1893(明治26)年官制农事试验场制度成立,"农务局临时试验场"改称为"农事试验场本场"(其麾下有6各支场),成为第一个国立农事试验场。1890年各道府县(地方政府)开始设置农事试验场,与国立试验场同样,从事米麦等主要农产品的品种改良。

《产业组合法》等一系列相关法律的成立与实施。既然如此，通过上述法律的成立过程及其主要内容，无疑能够解析日本近代农政基调所在。

第一，“府县农事试验场国库补助法案”于 1899 年 1 月 18 日在帝国国会进行审议，届时提案人、众议院议员稻垣示陈述了法案主旨指出：“本案为向各府县农事试验场每年支付三千元、总计十五万元补助金之法案。我日本国以农立国已数千年之久……急需改良与发展之处甚多。又国家经营受农之负担甚重，仅顾此处农业亦必须发展。各府县迄今为止，或以地方税补助，或以其他方法设立试验场，但或因地方税支出超额，或因其他原因，且设且废，亦有未设之府县，甚为遗憾。故若对已设试验场支付适当补助金，地方将会竞相设立试验场，且会出现以地方税设立试验场之府县”①，稻垣陈述后议长片冈建吉询问是否同意该法案进入议事日程，在场议事成员全体表态“无异议”。在此（1）稻垣的陈述中“又国家经营受农之负担甚重，仅顾此处农业亦必须发展”部分，充分体现了当时日本资本主义发展与半封建农业经济之间存在的非均衡发展问题的严重性，及政府希望通过农业改良、农业技术的发展解决农业成为国家“经营负担”的愿望。（2）稻垣关于国库补助金的陈述中指出“若对已设试验场支付适当补助金，地方将会竞相设立试验场，且会出现以地方税设立试验场之府县”，将国库补助金作为诱饵，以其引导地方政府自主经营农事试验场，进而达到农事改良之目的非常明确。其后出台的耕地整理法在上述两点上与该法同出一辙。

第二，农会法的出台在近代日本农政史上同样具有极大的意义。该法案提交帝国国会审议之际，永井嘉六郎法案提交陈述中讲道：“本邦今日的农事改良的程度，实在是非常之慢，究其原因，所谓农事（农业），由多数下等农业者从事，派遣有学历人员赴实地之举极少，这种任由下等者担当农事的状态……我认为一定要改变。成立系统农会，使

① 「第十三回帝国議会衆議院議事速記録第十七号」，国立国会図書館所蔵。

其具有町村农会、郡农会这样的系统性，即对其进行有效的监督，诚然方便。"[①]从中能够非常明确地看到，政府将农事改良缓慢的责任归结于农业从事者的"下等"（缺乏知识）之上，认为必须改变这种状态，成立"系统农会"——町村农会、郡农会、府县农会、帝国农会（1910 年改正法），即各级政府层次上的农会，通过这种"官制"农会将农民涵括其中，并"诚然方便"对其进行"监督"，系统农会的成立目的非常明确。事实上，上文中出现的 1881 年成立的第一个全国性农民组织"大日本农会"，在 1895 年出现分裂。不满大日本农会的农事改良活动，从中分离的全国农事会，作为以地主为主要成员的农政活动机关，开始积极运作成立系统农会。1899 年成立的农会法（1899 年法律第 103 号）中明确指出："农会为农事改良的发展而设立"；次年 2 月出台的农会令指出"市町村农会，由其地区内耕地或牧场所有者及农业从事者组成"，对会员资格并未做任何限定，但是对农会会长及董事的资格却制定了财产上的限制（缴纳地租 2 日元以上、所有耕地 0.4 町以上）。由此可见农会成员不仅可以是地主，也可以是自耕农或佃农，但是农会责任者则一定由具有一定财产的地主或自耕农承担。值得注意的是，农会法仅由以下五条组成：

> 第一条，农会为农事改良的发展而设立；第二条，农会的相关规定另由命令具体制定；第三条，农商务大臣对具备所定条件的农会支付补助金；第四条，北海道及一府县内的农会补助金不得超过四千元；第五条，每年由国库支出的农会补助金额不得超出十五万元。

其中三条的内容与补助金相关，为此对该法有"与其说是农会法，不如说是农会补助金法"[②]的评价。该法实施后，一道每府县每年度可以得到不超过四千日元来自国库的农会补助金，主要用途无疑是"农事改良"，至此通过国家财政直接介入农业生产的农业补助金政策成立。

以上两点表明，1900 年左右（明治 30 年代）确立的日本近代农政体系

① 『第十三回帝国議会衆議院議事速記録第十八号』，国会国立図書館所蔵。

② 前出農業発達史調査会編『日本農業発達史 3』，第 376 页。

的基调在于:(1) 资本主义发展与半封建性农业经济之间的非均衡性发展,已经成为日本农政亟待解决的问题,为此农政的首要任务在于"农事改良",即农业基础设施整备及农业技术改良。(2) 解决以上问题的手段在于通过系统农会的成立将各阶层农民区分等级、纳入农政体系之中,同时通过各种奖励及中央国库补助金的投入,达到管理农民、振兴农业的目的。

其次,日俄战争后的日本农业补助金政策。1900 年后,在上述法律体系下的各项农业政策开始起步。应该注意的是,日俄战争前后是日本近代史上具有划时代意义——日本资本主义与寄生地主制开始步入确立期——的时期,此时农政体系的确立必然具有一定的意义。日本学者今村奈良臣指出:此时"我国的资本主义终于步入正轨,另一方面地主的寄生化也已经确立,农会作为资本与地主妥协的产物成立,补助金开始支付"①;显然今村认为以系统农会及农会补助金为基础的农政体系的确立,是资本与地主之间妥协的产物。对此今村的分析是,"在松方财政这一资本原始积累过程中,作为豪农的自耕地主阶层,不断扩大土地所有,开始向寄生地主转化。曾经作为自由民权运动的主体要求削减地租,自主从事本地区农业改良的他们出现变化;开始认为与少许的地租削减相比,要求国家实施农事改良政策,借以提高生产力、扩大佃租收入,将会带来更大的利益"②。由此可见,该农政体系的最大受益者必然是地主阶层。

日俄战争后,政府对 1899 年至 1900 年之间成立的各相关法律进行了修订,其中上文中提到的 1909 年的耕地整理法的修订,以及 1910 年农会法的修订最具代表性。前者扩大了耕地整理事业的内容,强化了其实施主体的组织性,并通过制定奖励规则加强了奖励程度;后者新设帝国农会(中央农会)作为府县农会的上级农会,规定"农会由市町村农会、郡农会、道府县农会及帝国农会组成",加强了从中央到地方各级农会的整备。日俄战争后的农业补助金政策,在这种以具有中央机关性质的帝

① 今村奈良臣著『補助金と農業・農村』,家の光協会,1978 年,第 83 页。
② 同上。

国农会为顶点的系统农会的参与下全面展开；这种"农事奖励"不仅具有极强的"官治性"，并且由于地主阶层在系统农会中所处的地位，使"农事奖励"与地主阶层的利益息息相关。日俄战争前后农业补助金的变化可见表5-9。表中数字可知：(1) 日俄战争后(1906年起)，不仅农业补助金的数额有了大幅度的增长，补助或奖励所涵盖的范围也不断扩大，从以对农会及府县农事试验场补助为中心，转向更加细化的补助金体系。(2) 日俄战争后，农业补助金在农商务省决算总额中所占的比例同样开始有所提高，数字表明农业补助金在农商务省决算总额中占比最高的是1911年，但也不过是8.4%；然而值得注意的是，当时农商务省管辖包括现在的农林水产省与经济产业省的范围，当年度的农业相关决算额在283万日元左右，而农业补助金在农业相关决算中占比则达到38%，由此可见，日俄战争后农业补助金政策在整个农政体系中占有非常重要的地位。

表5-9　日俄战争前后农业补助金变化

年度	平常预算（千元）			临时预算（千元）						合计(A)（千元）	农商务省决算(B)（千元）	A/B（%）
	①	②	③	④	⑤	⑥	⑦	⑧	⑨			
1900	75	45	—	—	—	—	—	—	—	264	11,582	2.3
1901	140	86	—	—	—	—	—	—	—	395	11,075	3.6
1902	144	129	—	30	—	—	—	—	—	471	7,195	6.6
1903	148	133	—	30	—	—	—	—	—	483	9,768	4.9
1904	148	132	—	30	—	—	—	—	—	449	8,635	5.2
1905	94	117	—	30	—	—	—	—	—	246	8,943	2.8
1906	148	141	—	30	344	—	—	—	—	673	11,856	5.7
1907	148	85	99	10	431	80	—	—	—	871	16,698	5.2
1908	148	87	100	13	497	80	19	—	—	944	21,224	4.5
1909	148	87	100	17	503	80	19	—	—	954	14,809	6.4
1910	138	80	100	25	501	80	19	—	—	943	14,684	6.4

续表

年度	平常预算（千元）			临时预算（千元）						合计(A)（千元）	农商务省决算(B)（千元）	A/B（%）
	①	②	③	④	⑤	⑥	⑦	⑧	⑨			
1911	138	83	100	33	508	70	19	68	55	1,074	12,753	8.4
1912	138	83	100	73	507	74	19	74	47	1,115	13,482	8.3
1913	90	60	63	50	440	30	17	86	37	873	10,552	8.3
1914	90	60	63	38	438	42	16	74	39	800	19,811	4.0
1915	85	57	60	24	425	42	14	74	45	826	16,999	4.9

注：引自長妻廣著『補助金の社会史』第 308 页，（人文書院，2001 年）。①＝农会补助金；②＝1900至 1906 年度、府县农事试验场讲习所及水产试验场讲习所补助金，1907 年度以后，农业试验场场讲习所补助金；③＝蚕病预防补助金；④＝1902 至 1906 年度、鹿儿岛大岛郡糖业改良补助金，1907 年度以后、糖业改良奖励费；⑤＝耕地整理补助金；⑥＝桑园增殖奖励费，1911 年度后、桑园改良增殖奖励费；⑦＝产牛改良奖励费；⑧＝原蚕种制造发放补助金；⑨＝虫害驱除奖励费。

第六节　农业资金的提供与产业组合法的成立

伊戈尔特在 1891 年出版的《日本振农策》中指出："必须减少被过重的地租及负债而困扰的农民的负担，使其能够维持生计；建立农业保险，使其能够对应突如其来的灾害。如此增进其自重自信之精神，得以从事大规模的事业、联合及扩张耕地，设立大型田园。着手该改良事业首先需要资金，然而资金是农民最为缺乏并窘迫之处……故今必须组织农事组合，为农民开辟获得正当余财之路，增加其信用，方便其得到资本。"① 伊戈尔特准确指出日本农民被高额地租及负债所困扰的现状，认为振兴日本农业的方法在于减轻农民负担，使其能够专心从事农业改良，并建立农事组合为农民提供农业改良资金。与此同时，曾任驻德公使并目睹德国产业组合盛况的品川弥次郎，于 1891 年出任松方内阁的内务大臣，

① 前出服部之総・小西四郎監修『史料近代日本史　農民問題史料　明治農業論集』，第 330 页。

指令当时任法制局部长的平田东助起草“信用组合法案”并提交予第二届帝国议会审议，但因议会的解散使该法案流产。此后，品川与平田开始到各地宣传、推广产业组合相关知识及内容，于1892年8月全国第一个产业组合、静冈县“挂川信用组合成立”，9月同县“见付报德信用组合”成立，此后各地信用组合如雨后春笋一般出现。1896年农商务省农务局对各地信用组合进行调查后指出，当时全国已有信用组合101个、购买组合21个、生产组合8个、使用组合9个、贩卖组合80，共计219个不同组合。1897年农商务省在信用组合之外，加入贩卖组合、购买组合、生产组合、使用组合，制定了以产业组合为名的法案提交予第十一届帝国议会，但仍未能通过审议。翌年政府对法案进行修改后再次提交予第十四届帝国议会，终于获得上下两院的赞同，于1900年3月6日公布，并于同年9月开始实施。

《产业组合法》规定：“本法中产业组合指，以促进组合成员的产业或经济发达为目的设立的社团法人”，具体包括四种组合：其一，向组合成员提供产业必须资金借贷或存款业务的信用组合；其二，贩卖组合成员所生产物品的贩卖组合；其三，购买产业及生活必需品并向组合成员贩卖的购买组合；其四，加工或使用组合成员所生产物品的生产组合（后改为利用组合）。产业组合法出台后经历了多次修改，其中1909年的第二次修改，不仅允许各种组合的横向联合，并且设立“产业组合中央会”，使产业组合开始走向系统化；产业组合中央会的成立与1910年农会法修订后，帝国农会的成立相呼应，至此农业相关的两个系统性组织——负责信用与经济的产业组合，负责农业改良与技术的农会——确立。

产业组合中具有重要地位的信用组合，承担着向组合成员提供生产及经济发展的必要资金的任务，同时具有向组合成员提供存款业务的机能，可以认为是金融机关，即银行。事实上，产业组合法成立之前，不仅民间存在一定数量的诸如被称为“赖母子讲”“无尽讲”“报德社”等金融机构，政府系农业资金提供机构——劝业银行、农工银行等——也同时存在。1896年1月16日参议院议事速记录第九号中，关于劝业银行及农工银行法案审议有如下记载:“为了促进战后(指甲午战争——笔者注)经济发展及民产增殖,政府着重金融机关的扩张,上次会议曾名言将于日后提交劝业银行法案及农工银行法案,今再次声明……第二,设立劝业银行,作为向增加国家财富的农、工业创业者提供资本的媒介……在此提交的法案中规定,作为中央机关设立劝业银行,资本金一千万元,授予出售十倍资本迄的债券的特权,并以十年为限支付每年百分之五的补偿利息,另作为地方机关在各府县设立农工银行,授予发行其资本五倍迄的地方债券的特权,共支付一千万元国费分配到各府县作为府县财产”,两银行的设立目的、资金分配、特权及政府优惠政策的具体内容非常清晰。由此可知,除民间存在的金融机构之外,1896 年起政府设立的劝业银行及农工银行也先后成立,加上 1900 年产业组合法成立前后出现的信用组合,向需要者提供农业改良与发展及其生活资金借贷的金融机构大量存在。但是必须注意的是,诸如劝业银行及农工银行等政府金融机构,前者致力于向创业者提供资金借贷,后者则更多致力于提供农业改良发展资金;同时两者所面对的群体也更多局限于中产阶层以上,对于小生产者的小额贷款则持消极态度,其原因主要在于小额贷款的烦琐及小生产者或小农的信用程度不明朗。而与其相比,信用组合对小生产者,特别是对小农来讲是非常方便及有效的贷款机关。

表 5-10　明治末期农户负债状况(单位:千元、百人、%)

借入 贷方	合计		无抵押部分			
	金额(A)	人员(B)	金额(C)	人员(D)	C/A	D/B
劝业银行	64,305(8.1)	500(0.6)	10,392	23	16.2	4.6
农工银行	53,270(6.7)	2,014(2.5)	6,324	705	11.9	35.0
其他银行	131,496(16.7)	5,011(6.3)	34,331	2,016	26.1	40.2
保险公司	644(0.1)	37(0.0)	378	22	58.7	59.5
产业组合等	21,830(2.8)	3,583(4.5)	15,667	2,830	71.8	79.0
民间金融	151,386(19.2)	13,016(16.3)	36,322	5,388	24.0	41.4

续表

贷方＼借入	合计		无抵押部分			
	金额(A)	人员(B)	金额(C)	人员(D)	C/A	D/B
当铺	9,381(1.2)	10,456(13.1)	—	—	—	—
商业公司	12,326(1.6)	2,846(3.6)	12,326	2,846	100.0	100.0
赖母子讲等	62,910(8.0)	10,502(13.2)	62,910	10,502	100.0	100.0
私人	269,898(34.2)	29,374(36.9)	108,452	16,073	40.2	54.7
其他	11,913(1.5)	2,374(3.0)	5,687	1,447	47.7	61.0
共计	189,358(100)	79,712(100)	292,789	41,851	37.4	52.5

贷方＼年利率(%)	年利率明细							
	总金额中占比(%)				总人数中占比(%)			
	～10	10～15	15～20	20～	～10	10～15	15～20	20～
劝业银行	91.7	8.3	—	—	71.0	29.0	—	—
农工银行	97.7	2.3	—	—	92.8	7.2	—	—
其他银行	51.7	45.0	3.2	0.2	37.7	55.3	6.4	0.5
保险公司	83.9	15.0	0.7	0.5	82.2	16.4	1.0	0.4
产业组合等	46.3	47.4	4.4	1.9	37.0	55.2	5.4	2.5
民间金融	13.4	54.0	26.7	5.9	9.0	46.8	31.5	12.7
当铺	4.0	11.3	23.2	61.5	2.7	8.4	19.8	69.1
商业公司	27.3	52.2	15.1	5.4	21.1	56.9	16.3	5.8
赖母子讲等	56.0	32.4	8.4	3.2	52.7	34.4	9.1	3.8
私人	19.7	53.1	22.2	5.0	14.2	50.1	26.8	8.9
其他	42.0	41.5	11.7	4.8	34.9	43.6	14.7	6.8
共计	38.9	42.3	14.7	4.1	22.6	41.4	20.5	15.5

注:引自千葉修「農業金融史への覚書」,『農業総合研究』第37卷第1号第219页,(農林水産省水産技術会議事務局筑波産学連携支援センター,1983年1月)。详细可见神谷慶治監修『地方改良運動史史料集成』第2卷,(柏書房,1986年)。

大藏省理财银行课于1912(大正元)年编辑的《全国农民负债调查》中,就明治末年日本农民的负债情况做了详细的记录,具体可整理为表

5－10。从表中数字可以看到明治末年日本农民负债状况以及其对各种金融机构的依赖程度，乃至利率状况，同时可以了解上述金融机构在农民生产、生活中所起到的作用及其存在意义。对该表所示数字可解读如下：(1) 明治末年负债农民总数达到将近 8 百万人次，负债总额将近 7 亿 9 千万日元。明治末期(1912 年)日本人口大约为 5130 万①，农业人口大约为总人口 65％的 3334 万左右，单纯计算的话负债农民占农民总数的 24％左右；并且从负债总额上看，当年日本政府的地租收入总额大约为 7500 万日元②，农民的负债总额是政府地租收入的 10 倍。(2) 农民对金融机关的利用程度可以从借贷额度及人数占比上进行分析。首先从借贷金额占比上看，私人、民间金融机构及普通银行的利用程度最高；从借贷人数上看私人及民间借贷同样最具竞争力，但负债者对传统信用组织(赖母子讲)及当铺的依赖程度同样不容忽视。(3) 从无抵押贷款的数量及人数上看，商人借贷及传统信用组合在金额及人数上均占比 100％，同时产业组合借贷中的 70％以上均为无抵押贷款，可见农民的无抵押贷款基本依赖于商业借贷、传统信用组合及产业组合等金融机构。(4) 从贷款利息上看，10％以下利息的贷款仅占借贷总额的 38.9％，占比最高的利息在 10％至 15％之间，占贷款总额的 42.3％，甚至有 4.1％的贷款利率在 20％以上；另外 41％负债农民的贷款利息在 10％至 15％之间，可以了解到将近一半农民的负债利息在 10％至 15％之间。同时数字表明，高利息借贷的金融机构是当铺、民间金融及私人借贷，相对低利息借贷的是劝业、农工、保险公司等金融机构。

值得注意的是，产业组合的贷款利息不仅高于政府系银行，甚至略高于普通银行，虽然其多数贷款为无抵押贷款，但是从其成立性质上看，在帮助“小农”得到资本的意义上仍具有一定的局限性。另外劝业银行及农工银行在耕地整理事业中，对耕地整理组合供给低利资金之时的利

① 数字引自総務省統計局编『第六十七回日本統計年鑑』，総務省統計局，2018 年，第 37 页。
② 参照前出斎藤萬吉著『実地経済農業指針　日本農業の経済的変遷』，第 353 页。

息为5.4%，因此10%左右利息的负债对农民来讲显然相对较高。1914年11月召开的日本社会政策学会第八次大会上，经济学家津村秀松呼吁："从我国农业现状上看，首先最为重要的是，充实农业资金，即丰富低利资金的供给。众所周知，这种要求在全国各地的农业会议上提出"①，可见向农民提供低利资金的问题，当时已经成为社会问题被提起。

综上，明治政府的农业保护政策具有以下特点：其一，明治前期农业保护政策具有明显的前近代性，其延续了江户时期封建领主"御普请""国役普请"的性质，目的在于维护农业生产的正常进行，保证政府的财政收入。其二，明治中期以后，日本资本主义逐渐步入正轨，但农业部门仍停留在半封建农业经济关系之中，资本主义与农业部门之间的矛盾日趋严重，为此农业政策的重点开始转向农业基础、技术改良之上；日俄战争前后，以农事改良为主要目标，对所有农民以身份等级为序进行系统统治的农政体系确立，国家财政开始直接介入农业生产，虽然该政策如马耶特所指出的那样仍然具有一定的"消极性"及局限性，但是必须注意的是，具有近代意义的农业保护政策在日俄战争前后开始起步。

① 社会政策学会編『小農保護問題』，農産漁村文化協会，1976年，第164页。

第六章　近代农民斗争背后的政府因素及农政方针的再调整

19 世纪末，西方资本主义列强在对世界进行掠夺、瓜分的过程中，不断扩大其殖民地政策。地处亚洲的日本，也通过甲午战争、日俄战争及两战后的“战后经营”，通过殖产兴业政策的实施提高本国工业化程度，进而达到军扩目的。19 世纪末 20 世纪初日本已经成为亚洲唯一拥有殖民地的国家，日本资本主义进入垄断资本主义阶段。值得注意的是，日俄战争后的日本政府，不得不依靠来自英、美的外债支付日俄战争、战后军扩以及殖民地经营的费用，庞大的外债（当时政府财政收入的 2.7 倍）使日本政府只能依靠新债支付旧债的利息，国民经济总体面临巨大的危机；而第一次世界大战的爆发，成为日本逃脱以上困境的契机。日本经济史学家杨栋梁指出：“进入 20 世纪，世界资本主义的发展进入帝国主义阶段……帝国主义国家间发展的不平衡及其重新划分势力范围的争夺，终于导致人类史上第一次世界大战的爆发。日本也加入了这场帝国主义战争，并因为远离欧洲战场而坐收渔人之利。”① 日本在“坐收渔人之利”的过程中，虽然产业结构发生变化、国民经济走出萧条，资本主义得以长足发展，但一战后日本经济却将再度面临困境，并且农业问题也更

① 杨栋梁著《近现代日本经济史》，世界知识出版社，2010 年，第 111 页。

加凸显，日本政府将被“大米暴动”及愈演愈烈的“佃农斗争”所困扰。

第一节　第一次世界大战前后日本经济发展

明治后期的两次对外战争——甲午战争及日俄战争——使日本资本主义充分体会到战争中政府财政支出的高腾，能够为其带来良好的发展机遇，因此两次“战后经营”都将重点放在军事扩张之上，日本资本主义迅速向国家垄断资本主义发展。甲午战争结束的1895（明治28）年，作为媾和条件台湾成为日本殖民地，之后日俄战争爆发的1904（明治37）年，日本便将吞并朝鲜半岛列入议事日程，至1910年《日韩合并条约》签订，继台湾之后朝鲜半岛亦成为日本殖民地。明治时期的将近45年的“经营”，日本终于真正成为帝国主义国家中的一员，同时日本资本主义迅速向国家垄断资本主义发展。然而日俄战争后新兴日本帝国主义所面临的，是快速工业发展及大资本的快速积累背景下的整体国民经济危机。

第一，日俄战争乃至第一次世界大战前后日本产业结构的变化。首先，一战前后产业结构中工、农业所占比例出现了根本性变化（见表6-1）。在一战开始的1914（大正3）年的数字中可以看到，产业部门的生产总值为30亿8540万日元，其中工业部门为13亿7160万日元，占比44.4%；而农业部门生产总值为14亿100万日元，比前者超出3000万日元，占比45.4%，比前者高出1%。说明直至一战开始日本的产业结构仍未能完成工、农业的逆转。而一战后1919年的数字中可以看到，工业总产值与1914年相比增加了53亿6600万日元，占当年产业部门总产值的56.8%，与农业占比35.1%相比高出21.7%。充分说明一战中日本资本主义得到迅速发展，产业结构中工业所占比例终于超过农业，完成了从农业国家向工业国家的转化。

表 6－1　第一次世界大战后各产业部门生产总值对比(单位:百万日元)

年度	总产值	农业部门(占比)	水产业(占比)	矿工业(占比)	工业部门(占比)
1914	3,086.4	1,401.0(45.4)	157.2(5.1)	156.6(5.1)	1,371.6(44.4)
1919	11,868.6	4,162.2(35.1)	454.7(3.8)	514.1(4.3)	6,737.6(56.8)
1929	11,921.5	3,261.0(27.4)	559.2(4.7)	384.6(3.2)	7,716.7(64.7)

注:引自岡崎次郎・倉持博・椙西光速編『日本資本主義発達史年表』第 440 页,(河出書房,1949 年)。

其次,日俄战争前后工业部门生产总值的构成变化。表 6－2 是日俄战争前后乃至一战开始后工业部门生产总值的构成比例,可以看到自 1890 年到 1900 年的十年间,纺织工业与其他工业相比生产总值增长速度较快,1890 年代日本纺织工业,在大机械化发展过程中成长为日本资本主义的基础产业。然而 1900 年后特别是日俄战争前后,日本工业产值结构开始发生变化,食品及纺织工业所占比例开始下降,而重化学工业所占比例不断增长;与 1900 年相比,一战开始后的 1915 年纺织工业在工业总产值中所占比例下降了 5.4 个百分比,而重化学工业所占比例则增长了 12.9 个百分比,整个工业部门生产总值的构成发生较为明显的变化。然而应该注意的是,尽管一战开始后日本重化学工业得到了一定的发展,但其在整个工业生产总值中所占的份额仍相对较低,因此该生产总值构成的变化,并不代表工业结构的转化,而预示着大机械化生产已不仅局限于纺织工业,而是开始向纺织业以外的生产部门渗透。

表 6－2　日俄战争前后工业生产总值构成比例(%)

年度	食品工业	纺织工业	重化学工业	其他工业	总计
1890	42.3	38.2	9.2	10.3	100
1900	32.7	44.6	13.3	9.4	100
1905	28.6	37.9	22.7	10.8	100
1910	24.8	39.7	21.9	13.6	100
1915	19.3	39.2	26.2	15.3	100

注:根据日本統計研究所編『日本経済統計集明治・大正・昭和』第 27—31 页制成,(日本評論新社,1958 年)。

第二，第一次世界大战前后的国民经济状况。19 世纪末 20 世纪初，日本经济进入慢性萧条时期。日俄战争结束(1905 年 8 月)后，庞大的战费与零战争赔款，不仅给政府财政带来极大压力，甲午战争后的起业热潮也未再度出现。1906 年政府的铁道国有化、外资导入等经济政策虽然使经济状况一度出现复苏，但 1907 年美国金融危机的发生使出口贸易受到很大影响，自此日本经济进入慢性萧条。不仅如此，日俄战争后，日本经济对外债的依赖程度不断提高，外债的积累额度显著上升(见表 6－3)。表中数字表明：(1) 日俄战争后外债积累陡然提高，1904 年到 1910 年的 6 年间，外债积累增加了约 321%，使政府的正币准备出现问题，财政压力不断增加，成为影响国民经济发展的重要原因；(2) 海外募集债务中包括国债、地方债及公司债，可见外资从各个层面进入日本，同时大量的内国债得以在海外金融市场消化，加大了外资引入的力度，为军工生产原料的进口，乃至军事扩张提供了必要的条件。

表 6－3　20 世纪初日本外债年度积累额度(单位：千日元)

年度	A	B	C	D	E	F	总计
1903	97,630	93,000	—	4,235	—	—	194,865
1904	313,416	93,000	12,000	4,210	—	—	421,626
1905	1,142,271	93,000	160,000	4,196	9,763	5,096	1,414,375
1906	1,146,176	93,000	18,060	21,865	15,621	12,688	1,337,410
1907	1,165,701	93,000	57,260	21,841	44,910	17,934	1,400,646
1908	1,165,701	93,000	55,240	21,815	103,488	19,220	1,458,464
1909	1,165,676	93,000	89,260	85,015	103,738	24,324	1,561,012
1910	1,447,218	93,000	108,356	84,705	108,738	28,168	1,777,184

注：引自楫西光速著『日本資本主義の発展 2』第 317 页，(東京大学出版会，1964 年)。A＝海外募集国债，B＝海外贩卖内国债，C＝海外流出内国债，D＝海外募集地方债，E＝海外募集公司债，F＝外国人放债。

1914(大正 3)年 7 月，第一次世界大战在日本经济面临慢性萧条的状况下爆发，超过四年的战争消耗，给世界经济乃至日本经济造成巨大的影响。帝国主义列强在国家统制下，动员所有自然资源、生产设备资源及交通资源投入军需生产，并将大量劳动者投入战争。参加这场战争的18个国家投入6500万人以上的兵力，其中死于战争的人数为999万8771人，重伤者629万5512人，轻伤者1400万2039人，被俘及失踪人数达到598万3600人，人员伤亡触目惊心；人员伤亡外，一战对资源的破坏及消耗也同样令人触目惊心。然而美国、日本等资本主义国家则成为军需物资的供给地，得以从战前的经济萧条中解脱。事实上日本一战期间黄金准备增加了1亿8300万英镑，仅次于美国的2亿7800万英镑，在此次战争中获取了巨大的利益。① 表6-4所示日本一战前后国际收支变化的数字表明，日本资本主义确立期中，唯一一次国际收支出现顺差的时期便是一战中的1915年至1918年间，再次印证了日本在一战期间"坐收渔人之利"的事实。

表6-4 日本一战前后国际收支变化(单位:千日元)

年度	A	B	A+B	总收支差	在外正币	外债余额
1894—1903	−360,354	—	−360,354	—	19,000	194,865
1904—1914	−699,671	−416,857	−1,116,528	+680,774	213,000	1,978,918
1915—1918	+1,393,598	+1,388,500	+2,782,098	+2,149,283	1,135,000	1,704,168
1919—1929	−4,391,703	+2,280,328	−2,111,375	−2,626,870	29,000	1,850,786

注:引自斎藤一夫著『日本貿易の発展:統計的観察』第84—85,(柏葉書院,1948年)。A=货物贸易收支差,B=贸易外财政收支差,A+B=货物贸易差及贸易外财政收支差总和,总收支差=金银贸易差、结算资本差+(A+B),在外正币及外债余额均为各期末数字。

第三，日本垄断资本主义的确立。一战带来的"战争景气"，为日本垄断资本主义发展提供了必要的条件，其主要归纳为以下几点：(1) 一战为日本所有工业部门提供了扩大国内、国外市场的机会。一战期间日本不仅成为欧洲战场的军需物资及非战争地区生活物资的供给商，同时扩大了国内市场占领份额；并且国内外市场的扩大必然带来工业的快速发

① 数字均来源于後藤靖・佐々木龍爾・藤井松一著『日本資本主義発達史』，有斐閣，1979年，第136页。

展，即使是不包括陆海军工厂在内的工业生产总值与一战开始的1914年数据相比，一战结束后的1919年数据也增长了196.8%①，增长速度之快可见一斑。(2) 扭转了战前成为常态的国际贸易逆差，为日本军事扩张提供了经济基础。如表6－4所示，1915年至1918年，日本国际贸易顺差将近14亿日元；其间1915年陆军增设两个师团，1919年海军增建两大舰队，为其成为帝国主义强国奠定了军事基础。(3) 金融资本的确立。表6－4中数字表明，一战前的1914年末，日本对外债务决算额超过11亿日元，而1918年不仅外债偿还成为可能，而且一跃成为西方列强的债权国，为金融资本的确立创造了条件。(4) 国家及财阀(私人)垄断资本的形成。大战中的1917年3月，以大产业资本家为中心的日本工业俱乐部成立，翌年军需工业动员法出台，之后的1922(大正11)年日本经济联盟成立，以上三个过程被认为是日本垄断资本主义确立的三项指标。日本工业俱乐部成立之初便提出与政府共同努力，以民间工业促进"军国目的的遂行"，足见其目标在于创建以军需为基础的重化工业体制。一战中上述目标下的大财阀垄断资本不断扩大，其中三菱造船公司成立，并将长崎造船所、神户造船所、彦岛造船所、长崎兵器制造所并入伞下，形成造船及军工产业的财阀系列企业。财阀资本下的钢铁企业的系列化(三井系、三菱系、住友系等)及其与官营八幡制铁所的合作，财阀系银行通过投资对四大工业地区(关东地区、中京地区、京阪神地区、北九州地区)的电力企业的垄断等，均预示着日本财阀及国家垄断资本的形成及扩大。必须注意的是，一战不仅成为日本资本主义向垄断资本主义发展的契机，同时在该过程中，日本终于完成了从农业国家向工业国家的转化，这预示着农业税收已经不再是政府财政收入的主要部分，工、农业在政府财政收入中的角色、在整个产业结构及国民经济中的角色，在第一次世界大战前后发生了决定性的逆转。

① 数字来源于朝日新聞社編『日本経済統計総観』，朝日新聞社，1930年，第724页。

第二节 “米骚动”的爆发及其历史意义

一战后的1919(大正8)年开始,一度好转的贸易逆差再度出现,其规模是一战开始的1914年度的6.3倍(见表6-4);不能不说一战在为日本资本主义发展提供良好背景条件的同时,将其推向更大的困难。不仅如此,日本资本主义内部存在的最大矛盾——资本主义的高度发展(垄断资本主义的确立)与土地制度及农业经济的半封建性,也是其不得不面临的困境。大米暴动,即“米骚动”正是这一矛盾的具体体现。

众所周知,资本主义的发展伴随着粮食需求的扩大,如何平衡粮食供需问题,是资本主义发展过程中需要解决的重要问题。明治时期日本主要粮食、大米的供需指数可见表6-5。表中数字表明,近代以来日本的大米需求稳步增长,以明治10年代(1878—1887)为标准,至1897年的明治30年迄,人均消费量增长了9%,该消费需求通过耕地面积的扩大及单位产量的提高得到弥补,并且该时期的粮食自给率一直保持在100%。然而,日俄战争前后的十年间(1898—1907),大米的人均消费增加了20%,这种消费需求快速提高的同时,虽然仍可以看到耕地面积、单位产量及生产量的明显增加,但粮食自给率已经下滑了6个百分点,开始进入下滑趋势。值得注意的是,粮食自给率的下降,预示着日本资本主义发展过程中,围绕粮食问题的各种矛盾开始激化、开始失去平衡。

表6-5 明治以来大米供需平均指数变化

年度	耕地面积指数	单位面积收成指数	生产量指数	粮食自给率	人均消费量指数
1878—1887	100	100	100	101	100
1888—1897	106	113	120	100	109
1898—1907	110	126	140	94	120

续表

年度	耕地面积指数	单位面积收成指数	生产量指数	粮食自给率	人均消费量指数
1908—1917	116	144	166	96	123
1918—1927	121	152	186	88	129

注：根据東畑精一・川野重任編『日本の経済と農業』第101页制成，(岩波書店1959年)。

事实上，高粮食自给率是日本资本主义发展过程中内、外矛盾相互抗衡的产物。对内，日本资本主义的快速发展与半封建性农业经济的共存，使政府不得不维护具有纳税能力的中坚地主层的利益；对外，为了与列强对峙，政府将进口集中于大机械工业发展必需物资之上，借以加快向军国主义发展的步伐；以上两者均以保证粮食自给为条件。然而，日俄战争后，粮食自给率开始出现波动，其背后存在以下几点原因：(1) 主要依靠农民自主进行的耕地整理等农事改良事业，已经不能完全满足大幅增长的粮食需求。日本资本主义发展过程中，政府对地主利益的过度保护，使寄生地主制在日本土地所有关系中占据主导地位，租佃关系成为左右农业经济的主要经济关系。这种以租佃关系为主导的小农经济体，已经无法通过自身能力进行农事改良达到提高农业生产力，进而对应快速增长的粮食需求。日俄战争后政府加大对耕地整理等农事改良事业的资金提供及奖励力度的原因亦在于此。(2) 上述以租佃关系为主的小农经济关系的背景下，无论在粮食供需失衡问题上，还是在维护地主阶层利益问题上，均使得粮食(主要是大米)的价格长期处于较高的状态。然而尽管如此，围绕"高米价"问题农民(主要是佃农阶层)与城市雇佣劳动者之间仍然存在尖锐的矛盾。"高米价"对于农民来讲，仍未达到能够使其维持最低生活的标准，而对于雇佣劳动者来讲，相对其微薄的工资，米价已经超出了该群体能够维持温饱的限度。(3) 日本国内市场的狭窄以及资源的缺乏，乃至日俄战争后殖民地的扩大，使其开始面对国外市场开拓及殖民地大米进口问题。在以上矛盾的相互作用下，日本粮食自给率开始进入下滑趋势，围绕粮食问题各种矛盾逐渐激化。

日俄战争爆发的1904年，政府为了准备战争费用，制定了两次“非常时期特别税”①，分别于1904年度及1905年度起实施，增收地租及各种所得税、营业税等，并在第二次非常时期特别税中增设了大米及稻谷的关税(15%的从价关税)，这成为日本设置大米关税的契机。以战费准备为目的的设置的大米关税，起到了维持国内大米市场价格的作用。日俄战争结束后的1905年12月，政府向第22届帝国议会提交了《关税定律法修定案》，其中并未包括大米及稻谷的关税，为此审议过程中出现了以下的争议：

> 大藏大臣说明：……关于非常时期特别法中的关税部分——将大米及稻谷以外的所有种类的关税取消，大米及稻谷的关税与地租问题相关联，不对地租的非常特别税进行修订，便无法决定大米及稻谷的问题。因此今天提交的定律法案中，大米被定为无关税品。但是因为非常时期特别税的15%仍然存在，故并无任何改变……
>
> 荒川五郎提问：我的问题正是大米的进口关税问题，非常时期特别法两年内将由税法调查会修改、废除，届时大米的进口关税同样会被废除。政府的方针难道是放弃对农业进行保护吗，从该法案的纲要上看……今日拥有最多的困难、最需要政府或国家关心的农业的产品——大米及谷物的关税，在恒久的法律上定为无税品，等于让农业置身于自由贸易之中，这难道是政府的方针吗，请作答。②

上述在帝国议会上的辩论，充分体现出粮食进口问题实际上已经成为社会矛盾的焦点，政府一方面要维持米价，保护农民(实际上是自居为农民代表的地主阶层)的利益；一方面又要尽量满足市场对大米的需求，防止米价的剧烈变化，回应资本家以维持工人低工资为目的的低米价诉求。为此政府采取了折中的态度，一方面在1906年10月以后，开始对

① 原文「第一次非常特別税」,「第二次非常特別税」。

②「明治三十九年三月七日　衆議院議事速記録第12号　関税定率法改正法律案　第一読会」,日本国立国会図書館所蔵。

大米稻谷收取关税，一方面于 1910 年《日韩合并条约》签订后，允许其与台湾大米同样无税“移入”日本境内，在一定程度上抑制了米价的上涨。

然而一战开始后，日本资本主义的快速发展伴随着非农业人口的快速增长，日本西伯利亚出兵使军用大米需求骤增，乃至 1917 年农业生产歉收，多种要素造成 1918(大正 7)年大米价格暴腾。为此，米商及地主、富农等为了获取更大的利益对大米买卖采取消极态度，大米商人屯米现象严重。米价的暴涨给民众的生活带来极大的压力。1918(大正 7)年 7 月 23 日，富山县鱼津市妇女为了防止大米商人将本县生产的大米运出，从而带来米价的再度上涨，发起反对将大米运往县外并要求降低米价的运动。鱼津市妇女的行动在全国各地引起了连锁反应，1 道 3 府 32 县的近 70 万民众先后在各地发起暴动，要求大米商人降低米价，对大米投机商人、大米交易市场、高利贷商人及大地主发起武力攻击，蓄积已久的围绕粮食问题的矛盾终于爆发。政府、警察甚至军队也出动对暴动群众进行镇压，同年 9 月 19 日这次由于米价高涨带来的大米暴动，即“米骚动”终于得以平息。

本次大米暴动的发生，虽然与米价暴涨给民众带来的生活压力有着密切的关系，是日俄战争后围绕粮食问题积累的诸多矛盾的爆发，但其背后隐藏着更深层次的原因，即资本主义的高度发展与农业结构中半封建性残余之间的矛盾，其具体体现为以下几点。(1) 工、农业生产发展不均与一战中的通货膨胀，为米价增长创造了双重条件。一战开始后日本资本主义摆脱了战前的慢性萧条，呈现“繁荣”景象，与 1914 年度相比 1919 年度的工、农业生产总值均有显著的提高。但从表 6－1 中数字可以看出，不仅工、农业在增长幅度上存在很大的差距——主要工业的生产总值增长了近 5 倍，而农业生产总值仅增长了将近 3 倍，而且各自在整个产业生产总值中所占的比例亦出现很大的差距——主要工业部门所占的比例从 1914 年的 44.4％增长为 1919 年度的 56.8％，而农业部门所占的比例却从 1914 年度的 45.4％降低至 1918 年度的 35.1％。以上差距必然带来大米供需失衡，在大米进口受到限制及通货膨胀的大环境下，米价的高腾成为不可避免的趋势。

（2）都市及工业人口的增加使大米消费增长，但半封建性农业经济结构使农业生产扩大受到很大程度的限制，加大了大米供需失衡程度。日俄战争后日本工厂数量及工厂职工人数不断增加，1905 年职工人数为 58 万 7851 人，至一战前的 1914 年增加至 85 万 3964 人，而一战结束的 1918 年则增至 140 万 9196 人。① 工业人口的快速增长，使都市人口及大米消费量不断增加；而地主与佃农之间的租佃关系仍然是农村经济关系的主体，受制于租佃关系的小农生产体制在极大程度上限制了农业生产规模及经营的扩大，使大米生产量无法满足工业人口，乃至都市人口增长及战争带来的大米需求。

（3）日本政府大米政策及对外扩张政策使大米市场投机现象不断升级。处于经济萧条期的 1906（明治 39）年，政府为了保证国内大米市场价格稳定，对进口大米设置关税限制其进口数量。1914 年日本国内大米丰收，米价一度低落，为此政府于 1915 年发布米价调节令，收购大米以保证米价的稳定。1916 年政府再度为了维持国内市场米价，以出口为条件出卖政府米，并将大米进口权交予三井物产、铃木商店等政商财阀。以上政府维持乃至抬高米价的大米政策与一战中通货膨胀的大背景相遇，为大米投机创造了条件；加之日本政府对外扩张政策主导下的西伯利亚出兵，促进了大米商人囤积军用大米的投机行为，米价骤然暴涨。

大米暴动作为民众的大规模暴动，必然会与统治阶级的权利及暴力相对峙，虽然该暴动还不具有政治性及组织性，这种对峙亦不具备持续性及长期性，但仍然不失为日本资本主义体制内部危机的具体体现，成为日本劳动运动的先河。

第三节　日本垄断资本主义体制下的寄生地主制

在日本资本主义发展、确立过程中，农业部门实现了土地制度的近

① 详见内閣統計局監修『日本帝国統計全書』，東京統計協会，1928 年。

代化，这使得农民获得了土地的私有权，然而农业的资本主义化却在寄生地主制成立的前提下终未实现。寄生地主制作为日本资本主义的一大特征，在日本资本主义确立期得以发展、扩大，换言之日本资本主义确立过程中的经济发展状况，为寄生地主制提供了良好的发展条件，其中包括资本主义发展过程中农民阶层的两极分化、农村经济的变化、政府的地主保护政策等。但必须注意的是，第一次世界大战后，日本资本主义开始进入垄断资本主义阶段，寄生地主制本身已经无法从资本主义经济发展中得到发展、壮大的机会及可能；资本主义与寄生地主制的关系与一战前相比出现了质的变化。

首先，垄断资本主义与寄生地主制的关系。

（1）劳动力供需关系。日本资本主义发展过程中，农业部门不仅为资本主义提供了资本原始积累的基础，同时为资本主义工业发展提供了丰厚的雇佣劳动力，而这种劳动力供需关系的内涵在垄断资本主义确立前后（第一次世界大战前后）出现了明显的变化。寄生地主制下，地主通过租佃关系将佃农与高额实物佃租捆绑，并通过租佃关系使农业经营停留于“过小农”状态之中，加之商品经济向农村的扩散，农村自给自足经济解体，为此农闲期农民的“副业”，即兼业成为农民获取货币维持生活的重要手段之一。而一战前资本主义确立过程中，以家庭内手工业及小型工业——主要包括制丝业、纺织业、和纸等——为主的工业生产乃至矿工业生产，对雇佣劳动者的需求仍停留在流动性、补充性劳动力需求之上，其绝大多数来源于农民的兼业劳动。[①] 上述家庭内手工业及小型工业中的流动性劳动力需求，与寄生地主制下农民的兼业劳动需求，在一战前资本主义确立期恰好处于相互一致阶段，两者在为对方的发展提供一定条件的同时，自身也得到了发展。

然而，一战后日本资本主义发展进入垄断资本主义阶段，以重、化学工业为主的大型机械化工业的发展，需要大量长期、固定的雇佣劳动力，

① 详细请参照前出高橋亀吉著『明治大正農村経済の変遷』，第 122—128 页。

涌入大企业并成为长期雇佣劳动者的农民数量不断增加，垄断资本主义与寄生地主制之间的劳动力供需关系发生了质的变化。表 6－6 是垄断资本主义确立后，就业年数在 8 年以上的男子雇佣劳动力人数变化。从中可以看到，在中、大规模工厂中男性劳动者数量的增加并不明显的前提下，8 年以上从业的男性劳动者数量显著增加，并且从后者的增长速度上可以看到，前 3 年的增长率明显低于后 3 年的增长率。以上充分说明，垄断资本主义阶段农业部门为工业部门提供的雇佣劳动力的性质，已经从流动性、补充性转化为长期性、固定性。同时值得注意的是，大、中型企业中固定雇佣劳动者的大量出现，使农村人口大量流入城市，构成新的工厂劳动阶级。至此以大、中型工业为中心的工业部门，开始脱离一战前与农业经济相结合的、源于农民兼业性劳动需求的劳动力汇集方式。

表 6－6　就业年数 8 年以上男性雇佣劳动者数变化（单位：人）

内容　　　年度	1924 年（指数）	1927 年（指数）	1930 年（指数）
工厂（大、中型）性劳动者人数（A）	600,699(100)	629,106(105)	626,593(104)
其中就业年数 8 年以上男性劳动者人数（B）	213,116(100)	265,586(125)	297,613(140)
B/A	35.4%	42.2%	47.8%

注：引自井上晴丸「独占資本主義の確立」，岩波講座『日本歴史 19　現代 2』第 137 页，（岩波書店，1968 年）。

（2）资本供需关系。与一战前日本资本主义与寄生地主制在雇佣劳动力供给关系中存在的相互依赖同样，资本供求关系中两者的相互依赖亦明显存在。其一，地租在政府税收中所占比例的变化。明治前期（1887 即明治 20 年迄）地租在政府税收中所占的比例虽从初期的 90% 以上（在整个财政收入中所占的比例为 80%以上）降至 60%左右，但仍不失为政府税收，乃至财政收入的主要组成部分。虽然明治后期随着其他税种的增加，地租在税收中所占的比例不断下降，但明治末年的 1911（明治 44）年其所占比例仍保持在 23%左右。一战后的 1918 年，地租在税收中所占的比例降至15%，与一战前相比其下降速度加快（见表6－7）。其二，私营企业资本汇集途径的变化。一战前私人企业资本的汇集途径——股票的发行及银行借贷——的基础在很大程度上依赖于个人资产，即以大地主的土地所有为信用背景。换言之，一战前的日本资本主义确立期，家庭内手工业及小型工业的发展及资本汇集过程中的担保体系和资本提供，均离不开寄生地主制下大地主的土地所有。然而一战开始后日本经济的急速发展，使家庭内手工业及小型工业快速向工场制工业及大型工业转化，加之金融资本的确立使寄生地主制的土地所有与私人企业资本的供求关系开始弱化。

表6－7　明治末至大正前期政府税收体系中地租所占份额的变化（单位：日元）

年度　税收	1885(明治18)年	1908(明治41)年	1911(明治44)年	1918(大正7)年
税收总计	52,307,098	322,636,051	24,098,428	519,292,860
税收中地租	42,775,732	85,418,391	5,072,765	78,527,500
财政收入总计	54,527,526	509,862,986	494,916,497	911,579,413

注：根据内閣統計局編纂『日本帝国統計』第31回、45回制成，（東京統計協会，1941年）。财政收入包括税收（地租＋其他税收）、行政手续费、官营企业收入、其他收入、政府存款利息收入、殖民地收入。表中所示“财政收入总计”为上述所有收入总和，“税收总计”为包括地租在内的所有税收总和。

其次，垄断资本主义下的寄生地主制。垄断资本主义确立后，寄生地主制与资本主义的关系与一战前相比出现了很大的变化，这种变化使始终存在于日本资本主义构造中的高速发展的工业与半封建农业经济体制之间的矛盾日趋严重，一战末期的大米暴动（米骚动）则是该矛盾最为直接的表现。应该注意的是，在日本资本主义原始积累及其确立过程中，上述工、农业之间的矛盾在一定程度上得以缓解，其主要原因可归纳为以下几点：（1）日本资本主义原始积累过程中，地租是政府推行殖产兴业政策的财政基础，因此确保地租收入成为政府对农业部门的最大期望，为了保证地租收入不低于旧贡租水平，政府通过地租改正对地主的土地所有权给予保护，甚至在土地的租佃关系中对地主的收租权给予了过度的保护，为封建性租佃关系的存在提供了有利条件。(2)资本主义确立过程中,寄生地主制为家庭内手工业及小型工业提供了符合其发展需求的流动性、补充性廉价劳动力及资本汇集保证,在为资本主义工业发展提供支持的前提下得到了自身的发展。(3)一战前的议会选举制度,使寄生地主因缴纳地租的数额获得一定的政治地位及发言权,为此对农业部门中存在的半封建租佃关系的质疑很难出现在政治决策之中。

一战前米价的高腾虽然给一般民众的生活带来极大压力,乃至“米骚动”爆发,但是地主阶层却从中获取了极大的利益。然而一战后的1920年代,战后经济危机造成大米价格暴跌,加之以大米暴动为起点的民众运动不断发展壮大,特别是被称为“小作争议”的佃农斗争进入白热化,地主经营面临佃租减少、租税增加、土地投资条件恶化等困难。以上背景下,开始贩卖土地投资市区土地及股票生意,乃至将土地投资转向殖民地地区的地主不断增多。1920年代以后大土地所有者数量的变化可见表6-8。如表中所示,土地所有数量在50公顷以上的大地主的数量,自1920年后不断减少,至1940年的20年间包括北海道在内下降了31%左右。其中从地区上看,该数字减少最为明显的是近畿6府县[①],减少了将近一半;以大土地所有者数量著称的新潟县的减少同样明显,20年间减少了将近30%;相反东北6县的数字略有增加。从整体上讲,一战后土地所有在50公顷以上的大土地所有者的数量逐渐减少。不仅如此,1924(大正13)年4月政府召开租佃制度调查会,出台《自耕农创建计划大纲》[②],农业政策的热点开始转向创建、保护自耕农,寄生地主制的黄金时代渐行渐远,日本的大地主土地所有现象开始弱化。

---

① 近畿6府县指京都府、大阪府、滋贺县、兵库县、奈良县、和歌山县的2府4县。
② 原文「自作農創設方策ニ関スル施設ノ大要」。

表 6－8　所有土地在 50 公顷以上地主数量的变化(单位:户)

年度　　地区	全国	内地	东北 6 县	新潟县	近畿 6 府县
1920	4,249	2,435	582	285	86
1925	4,289	2,249	631	265	86
1930	3,880	2,117	634	265	61
1935	3,412	1,818	552	216	51
1940	2,914	1,742	587	200	45

注:根据農業発達史調査会編『日本農業発達史 6』第 90 页制成,(中央公論社,1955 年)。全国＝内地＋北海道,不包括冲绳。内地包括本州、四国、九州。

第四节　佃农斗争的爆发及其意义

第一次世界大战后的 1920 年代,在世界资本主义危机的背景下,日本经济也从一战中的快速发展再度跌入危机与萧条之中,这种以一战为契机经济上的大起大落,使日本资本主义的“构造性”危机完全暴露。一战中不健全的市场扩大与战后市场条件的萎缩,使日本经济面临生产过剩危机,这次经济危机同样席卷了农业部门。

1920(大正 9)年 3 月东京股票市场暴跌,4 月增田银行①破产引起股票市场崩盘,各地银行总店遭受挤兑,5 月下旬不仅 169 家银行破产,企业的破产也相继出现,日本经济全面进入生产过剩阶段。商品市场同样受到严重的冲击,商品物价普遍下跌 30%—50%,其中最为严重的是生丝、蚕茧、大米价格的暴跌。生丝价格同年 1 月份市价为每百斤 4260 日元,8 月降至每百斤 1130 日元,降低 73%。与其同步降价的是蚕茧价格,春蚕的预测价格为每贯(1 贯＝3.75 公斤)20 日元,而同年春蚕实际价格却降至每贯 7.59 日元,夏秋蚕实际价格降至每贯 5.12 日元,养蚕农户面临破产危机。接踵而至的是同年 6 月份起米价开始暴跌,全国平

① 原文增田ビルブローカー銀行。

均每石 50.01 日元的米价降为每石 25.29 日元,降价接近 50%。[①] 上述农产品价格,特别是米价的暴跌使农村经济及农民生活面临巨大危机。以上背景下,佃农斗争(小作争议)如雨后春笋般在各地展开(见表 6-9)。

表 6-9 佃农斗争及佃农组织的成立状况

年度	1920	1921	1922	1923	1924	1925	1926	1927
件数	408	1,680	1,578	1,917	1,532	2,206	2,751	2,052
参加人数	34,605	145,898	125,750	134,503	110,920	134,646	151,061	91,336
佃农组织数	352	681	1,114	1,534	2,337	3,496	3,926	4,582

注:根据農林省農務局編『本邦農業要覧』第 136—137 页、144—145 页制成,(大日本農会,1931 年)。

首先,佃农的生活状况及其与地主之间矛盾的激化。佃农与地主围绕佃租、耕种权等租佃关系产生的争议被称为"小作争议",租佃关系下的"小作争议"早在幕末时期已经存在。但是,以改善租佃条件、要求农民解放为目标的、具有近代性的"小作争议",即佃农斗争出现于明治末年,并在一战后劳动运动不断发展的背景下全面展开。关于一战后佃农的生活状况史料记载如下:

> 我村某夫妇两人生活,耕种三反步[②]左右的土地。其妻农忙期在家帮助丈夫作农活后到制丝厂工作,然后养蚕期再回家帮忙。听两人说,他们好像在为地主创造资产而整年辛苦劳作。诸如去年秋后交完佃租仅剩余糯米一俵[③]和粳米六斗,这如何能维持生计。在这雪深之国,靠吃草也难以维持生活。如此佃农还能生存下去吗……
>
> 五反步百姓的惨状。妻子的兼业收入及唯一的副业养蚕收入均用来添补佃租。不得不让爱女也出去当女工,她劳动得到的工资

① 数字均来自日本銀行調査局編『日本金融史資料—明治・大正』下卷,大蔵省印刷局,1955 年。
② "反步"为土地的面积,三反步大约 3000 平方米。
③ 俵大米的计算单位,一俵为四斗。

也被牺牲。尽管如此还是不够。

一反步只能收五俵粮食，但有些地主将却佃租定为三俵以上；一反步收获七俵的话，劳动、肥料、种子费用等共需要投入七十元，这样就消失了四俵（一个劳动力按三十五元），如果剩余三俵在地主和佃农之间分配还可以，但是地主要从七俵中收四俵佃租，佃农一年的收获是负一俵，大约十七元五十钱的亏损。这样的话越劳作越贫穷。①

从以上第一、二条史料的记载中可以看到，租佃地主三、五反步土地的佃农，仅靠农业收入无法维持生活，他们的妻、女在农闲期要出外兼业，用兼业收入作为不足佃租部分的补贴，生活之艰辛可见一斑。第三条史料表明，至少该史料成立的 1922、1923 年前后，佃租水平已经高达收成的 60%左右，这甚至高于江户时期的年贡水平。并且值得注意的是，上述佃农生活的窘迫使他们感到“好像是在为地主创造资产而整年辛苦劳作”，可以看到佃农对生活状况的不满已经完全转化为对地主索取高额佃租的愤怒，他们开始认识到，自身生活的窘迫源于佃租的经济外强制性及其非合理性。至此具有近代意义的佃农斗争全面展开。

其次，关于佃农斗争不断激化的原因。(1) 大米暴动的影响。明治初期的土地制度改革过程中，政府对江户时期已经存在的租佃关系采取了宽容态度，这使得佃农与地主之间的矛盾残存于地租改正后的租佃关系之中。应该说佃农斗争的激化，与 1918 年 7 月发生的大米暴动有着直接的关系。大米暴动后，随着劳动运动的发展壮大，农民的政治觉悟提高，除了不满自身在半封建性租佃关系中受到的压迫，并且开始认识到其中隐藏的非经济强制性以及政治上的非合理性，乃至人格的不平等、耕作权的否认等问题，佃农斗争升华到劳动运动的高度。(2) 资本主

---

① 1922 年、1923 年中发行的刊物工藤栄助著『地主と小作人争議及其解決』，松本寛著『行脚調査小作問題の真相』中的片段。引自前出農業発達史調査会編『日本農業発達史 6』，第 79—80 页。

义内部矛盾的激化。资本主义发展到垄断资本主义阶段,其内部构造中的农业问题愈加凸显,被束缚于半封建性农业经济关系中的农民与都市劳动者之间的关系愈加密切,为农民斗争提供了思想基础。(3) 农民组织的成立。1922(大正 11)年 4 月,全国性农民组织"日本农民组合",简称"日农"成立,与 1881 年 3 月成立的大日本农会所具有的"官办"性质相比,日农堪称日本首个全国性农民"自办"并具有"斗争"性质的农民组织。

最后,佃农斗争的主要内容。(1) 佃农诉求的主要内容。佃农斗争中佃农的诉求内容较为复杂多样,但最具代表性的是减少佃租的诉求。高额实物佃租的存在是日本资本主义发展过程中未能解决的半封建性农业经济的重要组成部分,也是寄生地主制得以产生的条件,因此降低佃租的要求并非首次出现。但是应该注意的是,佃农斗争中的减租要求与以往相比具有性质上的变化。《本邦农业要览》中对此有如下的记载:"……经济上的利益分配问题,即降低佃租的要求最多,但与过去起于歉收之年的减租要求不同……与收成无关,要求永久性减租之例骤增"①,足以证明佃农斗争已经从之前在自然灾害等歉收之时的无奈之举,发展到维护佃农正当权利的范畴,已经具有劳动运动之要素。

(2) 日本农民组合的动向。日本农民组合,即日农在贺川丰彦、杉山元治郎等基督教改良运动者指导下于 1922(大正 11)年 4 月成立。其创立宣言中明确指出:"我们农民大众要以互助友爱的精神走向解放的道路",可见其成立宗旨在于组织"农民大众"一起走向解放自己的道路。1923 年 2 月日农召开的第二次大会迄的不到一年的时间内,地方支部发展到 300 个,参加会员超过 1 万人;1924 年的第三次会议后,以佃农为主体的组合成立并修改了佃农组合规章;1924 年 7 月日农召开中央委员会,成立了"无产阶级政党准备委员会",其政治色彩愈加浓厚。在日农的参与下佃农斗争在全国范围内扩大,表 6 - 9 中数字表明,日农成立的

① 農林省農務局編『本邦農業要覧』,大日本農会,1931 年,第 138—139 页。

1922年以后，不仅佃农斗争的数量增加，并且1924年起日农对佃农组合的指导使佃农组织快速增长，为佃农斗争培养了大量中坚力量。

（3）佃农斗争的结果及其意义。佃农斗争通过团体示威的形式展开，诸如组成“拒绝交租同盟”、对佃租进行共同保管、拒绝归还租佃土地、在地主提起诉讼时以各种对抗拖延判决等。而地主方面同样开始联合对抗，各地区结成地主协会，佃农斗争升级为佃农与地主间的阶级对立。1920年代的佃农斗争虽然遭到了地主阶级与国家权力的弹压，仍然取得了一定的成果。其一，佃农的减租要求得到一定程度的认可。在废除了“进米”[①]等不合理佃租制度的同时，佃租也得到一定程度的削减。根据农林省农政局的统计，1916年至1920年全国一季稻佃租的平均值（每反平均收成为1.908石，平均佃租为0.972石，佃租比率为51%）与1933年至1935年间的同平均值（每反平均收成为2.008石，平均佃租为0.920石，佃租比率为46%）相比，佃租及其在收成中所占的比率均有一定程度的下降。其二，佃农组织的出现使佃农在村政中的话语权得以提高，改变了江户时期遗留的村落共同体中豪农主导的村政格局，在地方政治史上具有很大的意义。其三，佃农斗争是对近代以来日本资本主义发展过程中残存的半封建农业经济体制的冲击。一战后农业危机的出现、佃农斗争的激化，使地主经营出现问题，不仅改变经营内容的地主出现，政府的农业政策重点也从“保护地主权利”向“创建自耕农”调整，明治维新后持续扩大的寄生地主制开始出现破绽。

第五节　《租佃调解法》及《自耕农创建计划大纲》的制定

在一战后佃农斗争不断扩大的背景下，政府认为有必要对租佃制度进行调查，慎重探讨该制度的改善方法。1920（大正9）年11月27日，农商务大臣山本达雄关于成立“租佃制度调查委员会”发表了如下的意见：

① 为防止实物佃租在征收及运送过程中出现损失，在原有佃租的基础上追加部分佃租米。

> 在我国通过民法中的相关规定，对租佃制度中地主与佃农的权利及义务关系进行规制，但是由于常年的惯行及各地不同情况的影响，租佃关系多种多样。我国佃农的规模极小，经济状况极差，租佃农户的数量根据大正七年末的调查，纯佃农农户为一百五十五万八千户，佃农兼自耕农农户为二百二十四万六千户，前者占总农户数的28%，后者占总农户数的40.4%，两者共占总农户数的68.4%，占全国总户数的37%。并且从发展趋势上看，佃农及佃农兼自耕农的数量呈逐渐增加的趋势……制度的不完备会引起地主与佃农之间的纷争，扰乱农村秩序，诸如现在不仅地方的农村问题不断，并且已经成为社会重大问题……现在最为紧急的是树立完善租佃制度的方策。然而，关于租佃制度的完善，或有单纯通过立法进行快速解决的主张，但是询问所谓租佃法的内容之时却发现并无任何确定的内容。如今即使制定法律，也无法做到马上将上述长久以来各地各种惯行统一，这与工业相关法律的立法不可同日而语，若不给予加倍的注意，反而会带来更大的问题。为此本省设置专职职员对此进行调查，并设置委员会，委托精通农政、有学识经验者及各相关官厅的诸君，对此重大问题进行根本调查、慎重审议，得出珍贵意见以之树立对策。①

上述史料中明确记载了一战后日本农业经营体的结构性问题，指出以佃农为主体的零星农业经营体不仅占农业经营体总数的68.4%，并且占日本总户数的37%，足以看出该群体在一战后日本社会安定问题中所处的重要地位。同时，该史料非常清楚地体现了政府对佃农斗争的认识，即地主与佃农之间的纷争会“扰乱农村秩序”，并且已经“成为重大的社会问题”。政府认为佃农斗争出现的原因在于租佃制度的不完备，指出虽然民法中已经对租佃关系进行了规制，但是由于长久以来的农村惯行，

① 農林省農務局編『小作制度ニ関スル各調査会ノ経過概要』，農林省農務局，1926年，第1—2页。

造成租佃关系混乱，引起纠纷，因此必须制定租佃法。该法的成立必须首先对全国的租佃关系进行调查，并决定在农商务省中成立“租佃制度调查委员会”，召集各路精英对租佃制度进行调查、研究，并制定完善租佃制度的方策。

“租佃制度调查委员会”（以下简称“委员会”）的委员长由当时的农商务省次官田中隆三担任，主要干事由石黑忠笃[①]担任，委员会开始对租佃制度进行调查并着手完善日本的租佃制度，乃至制定租佃法草案。该委员会于 1920 年 11 月至 1923 年 5 月，共召开 14 次会议，其讨论结果集中于以下五个问题：(1) 土地分配及佃农增减趋势。指出调查结果表明日本农业经营结构处于自耕农逐渐减少，而佃农逐渐增加的趋势之中，表示其具体原因仍在调查之中。(2) 自耕农创建制度。表示对海外各国的自耕农制度、立法及实施成绩进行了重点研究，对国内各府县及各团体的制度及农户经济状况做了调查，认为从农户本位及国家本位的两方面考虑，有必要对自耕农进行奖励。指出为了维持自耕农经营首先有必要改善税制及制定其他方策，之后再着手创建自耕农事宜。(3) 租佃制度的完善。对来自农商务省关于是否制定佃农组合法的咨询，委员会认为佃农组合法中关于租佃关系的规定与租佃法中的相关规定关系密切，因此首先对租佃法的法案进行研究、制定，至于佃农组合法制定的必要性先不作出回答。(4) 永久性租佃制度。永久性租佃制度牵扯到历年的习惯性操作，具有一定的特殊性，并且与民法的相关规定有关，因此委员会认为应该与租佃法分开另行制定。(5) 租佃纷争的仲裁制度。佃农斗争急速扩大、性质亦不断严重，如此下去问题会更加恶化。因此委员会认为在策划租佃法立法的同时，必须尽快建立调解租佃争议的方法，并参考其他国家的调解制度及立法，起草了“租佃调解法草案”，并经过多次审议决定将该草案呈交农商务大臣。

委员会于 1923 年 5 月解散，重新在农商务省内成立了“租佃制度调

---

① 石黑忠笃被称为日本农政的泰斗（大御所），是日本近代著名农政官员。

查会”(以下简称“调查会”)。两者的不同在于,前者作为农商务省的咨询机关,委托各方有学识的人士与农政官员一同进行研究调查及制法;而后者作为农商务省内的“官制上的咨询会,对本问题进行慎重审议”①。该调查会自成立起至次年4月不到一年中,共召开11次会议,会议内容集中于三个问题之上:(1)关于“租佃调解法草案”,(2)关于自耕农维持及创建,(3)关于租佃制度的改善。可以看出,与调查委员会相比,调查会的审议内容已经聚焦于租佃纷争的调解、自耕农的维持与创建,及租佃制度的改善之上。然而1924年4月,租佃制度调查会再次解散,同时作为所有相关大臣咨询机关的“帝国经济会议”成立。“帝国经济会议受内阁总理大臣监督,接受各相关大臣咨询,调查审议与振兴帝国经济相关的重要事宜”②,自此租佃制度完善事宜由帝国经济会议中的农业部接管。帝国经济会议与前两个咨询机关相比更加短命,仅召开了一次会议,于同年6月解散。

政府完善租佃制度的工作进行得并不顺利,其过程如下。第一,租佃制度完善的最终目标“租佃法”的成立未能实现。第二,由于“租佃法”的制定搁浅,委员会及调查会分别于1922年9月及1923年11月向农商务省提交了“租佃调解法草案”,并分别提交第46届及第49届帝国议会审议。最终,“租佃调解法草案”通过了第49届议会的审议,1924年7月,《租佃调解法》公布,并于同年12月开始实施。第三,由调查会起草的“自耕土地创建制度大纲”,于1924年4月提交农商务省,该大纲的主要内容是针对农民购入自耕土地的资金,政府给予低利借贷支持等优惠政策。该大纲提交第51届帝国议会审议并通过,名为“自耕农创建维持补助规则”的农林省令于1926年5月公布,该省令表明政府将对“自耕水旱田的创建及维持提供补助”③。

从以上三个咨询机关的成立及审议过程中,可以看出几点问题。首

---

① 前出農林省農務局編『小作制度ニ関スル各調査会ノ経過概要』,第14页。

② 同上,第27页。

③ 同上,第64页。

先，委员会的审议过程中，在有关完善租佃关系的问题上，出现了两个焦点：一是来自农商务省的咨询，即是否制定“佃农组合法”，可见农商务省曾经考虑制定“佃农组合法”。而上文已经指出，佃农斗争是在佃农组合的主导下发展、壮大的，这表明农商务省曾经希望通过“佃农组合法”这一法律手段对佃农斗争进行制约。另一是委员会认为应该首先制定“租佃法”及“租佃调解法”，一方面规制租佃关系，一方面调解地主与佃农之间的纠纷，可见与农商务省的农政官员相比，委员会在对佃农斗争的处理方式上更加侧重于在规制租佃关系的基础上进行调解。

其次，从委员会到调查会，审议内容出现了一定的变化。从上文的考察中可以看到，两者的审议内容从前者的五个焦点问题变化为后者的三个焦点问题之上，并且从结果上看后者集中起草了“租佃调解法”及“自耕土地创建制度大纲”。表明“租佃法案”的立案受挫后，政府开始将焦点集中于解决租佃关系恶化问题之上，并且放弃“租佃组合法”的制定，希望通过相对平和的“租佃调解法”的制定，尽快解决地主与佃农间的矛盾，平息佃农斗争。

第三，关于“自耕农创建维持补助规则”的出台。1926 年“自耕农创建维持补助规则”出台，政府的自耕农创建政策开始步入正轨。事实上，政府政策出台前，早在 1912 年石川县就对希望成为自耕农的佃农给予过购地补助金，支持佃农的自耕农化。1915 年三重县的大地主诸户，也利用自家资金奖励勤劳佃农购入土地促其成为自耕农。政府的补助规则延续了以上石川、三重两县先例的内容，作为奖励自耕农的措施出台。值得注意的是：(1) 从政府自耕农创建政策出台时间及审议过程上看，该政策的目的是将有可能成为自耕农的佃农拉入土地所有者行列，借以平息佃农斗争；(2) 在佃农斗争背景下，地主阶层中开始出现试图将租佃地强行卖予佃农，以卖地款充当未来佃租的动向，而政府奖励政策的目的则在于使地主贩卖土地的行为得以实现，乃至化解租佃关系矛盾。

第六节　垄断资本主义下日本农业结构的变化

大正时期(1912—1926)的日本资本主义经历了明治时期44年的发展,开始步入垄断资本主义期,与此同时日本的近代工业化及城市化程度不断提高。大正时期的15年间,日本经历了第一次世界大战中作为物资供给国的经济飞速发展、一战后经济危机的挫折、因其自身构造性矛盾而产生的佃农斗争的冲击,乃至自然灾害(东京大震灾)的发生,其结果使“农业问题”成为最大社会问题而凸显。进入昭和时期后,美国等西方国家于1928(昭和3)年出现农业危机,接踵而来的是1929年10月发生的世界经济危机。本次经济危机席卷工业、农业、金融等各个领域,虽然于1933年告一段落,但农业部门并未出现明显复苏,直至第二次世界大战开始,日本农业一直处于慢性萧条之中。

战间期①农业问题凸显,农村经济出现极大困难。仅以肥料,即“金肥”与米价指数为例:1925年两者平均指数均为100的话,三年后的1928年前者为81、后者为75,即前者降低19%,而后者则降低25%;到了1932年,前者为60、降低40%,后者为50、降低50%。可见一战后的通货紧缩背景下,虽金肥与米价都在下降,但与金肥相比,米价的降低程度更大;这必然使农业经营受到很大压力。② 在以上农业经济面临困境的条件下,日本农业结构出现一定程度的变化,具体可归纳如下。

首先,农业经营体及耕地数量减少。明治初期至一战前为止,日本农户及耕地数量一直处于增长状态中,但是一战后两者数量均有一定程度的下降,见表6-10。表中数字表明,1920年度两者达到最高数值之后开始呈现下降趋势;与最高点的1920年相比,1923年迄的3年间,农户数减少3万1306户,下降0.6个百分点;耕地数量减少3万2633公顷,同样下降0.6个百分点。不仅如此,大米、裸麦及小麦的单位产量同

① 指一战结束与二战开始之间的时期,即1918—1939年。

② 数字均来源于農業発達史調查委員会編『日本農業発達史6』,中央公論社,1957年,第66页。

样开始出现减少趋势，其中裸麦及小麦的减少趋势更为明显。可见1920年代后，日本农业整体规模开始进入萎缩状态。

表6－10　农户及耕地数量等变化(单位:农户＝户、耕地面积＝公顷、平均耕地＝公顷/户、平均产量＝石/每反)

年度	1910年	1915年	1920年	1921年	1922年	1923年
农户数	5,265,560	5,277,938	5,297,797	5,275509	5,262,050	5,266,491
耕地面积	5,074,628	5,175,891	5,245,206	5,243,339	5,237,260	5,212,573
户平均耕地	0.977	0.981	0.990	0.994	0.995	0.990
米平均产量	1.72	1.83	1.89	1.89	1.86	—
麦平均产量	1.12	1.18	1.17	1.14	1.11	—

注:根据高橋亀吉著『明治大正農村経済の変遷』第171页、177页制成,(農山漁村文化協会,1976年)。统计内容不包括北海道。

其次，农业经营内容单一化。一战后日本农业生产结构出现变化，农业生产内容除向因运输、腐败等原因受进口农产品压力相对较少的品种转移之外，向国家保护的重要农产品集中。表6－11表明，一战后茶叶以及小米等多种粮食种植面积急剧减少，而大米及桑田的种植数量显著增加。毫无疑问，大米在日本人膳食结构中占有主要地位，是政府保护的重点农产品，并且当时日本国内养蚕业仍属垄断性产业，为保证桑叶的市场价格，同样桑田种植被政府列为重点保护项目。足以证明，政府的农业政策方向使一战后农业经营内容出现单一化。

表6－11　主要农作物种植面积变化(单位:公顷)

年	茶叶	小米	荞麦	大麦	小麦	小豆	大米	桑叶
1909	49,222	189,837	140,526	621,354	437,320	90,678	2,914,355	438,945
1913	48,985	175,558	131,842	617,489	463,381	87,880	2,979,825	448,263
1923	44,263	116,802	96,959	471.594	460,570	78,560	3,027,668	528,141

注:根据高橋亀吉著『明治大正農村経済の変遷』第97页、185页制成,(農山漁村文化協会,1976年)。统计内容不包括北海道。

再次，农副业的集中及专业化。一战后农业规模整体萎缩及农业生产、经营内容的单一化，造成农闲期集中及农闲期剩余劳动力的集中，使农民在农闲期剩余劳动力使用方式上出现新的认识，即从仅作为收入补贴式副业发展到更加重视副业收入，甚至开始出现副业专业化农户。其中养蚕、养鸡、养鹅等畜产业副业集中现象明显(见表 6 - 12)。一战后从事畜牧业副业农户的数字与日俄战争后的 1910 年相比有了明显的增加，并且与一战前的 1913 年相比其增长速度更为迅速。说明一战后农业规模缩水及结构单一化的背景下，农户通过畜牧业等副业增加收入、借以维持生活的倾向明显上升。

表 6 - 12 主要副业规模变化(单位:户、头)

年度	养蚕户数	养鸡户数	养鹅户数	养牛头数	养猪头数	养羊头数
1910 年	1,462,976	2,971,489	36,980	1,350,000	287,000	90,000
1913 年	1,500,280	2,888,621	34,660	1,388,000	309,000	91,000
1923 年	1,862,063	3,436,790	48,793	1,469,000	667,000	172,000

注:根据高橋亀吉著『明治大正農村経済の変遷』第 229—230 页制成，(農山漁村文化協会，1976 年)。统计内容不包括北海道。

最后，农民层的再分化。第三章中曾经通过表 3 - 6 的数字指出，明治末期经营规模在 0.5 未满至 1 公顷之间的农户，以及经营规模在 3 至 5 公顷以上的农户数量均处于增加趋势，然而经营规模居中，即 1 至 3 公顷的农户数量则处于减少的趋势，说明明治末期日本农民阶层出现了两极分化现象。但是，一战以后的农民层分化出现逆转现象。0.5公顷未满及 3 至 5 公顷以上的农户数量开始减少，虽然中间层的 0.5 至 2 公顷经营规模的农户数量增加，但 2 至 3 公顷经营规模的农户数量却出现减少现象。仅以 1917 年至 1922 年 5 年间的数字为例，0.5 公顷以下农户减少 5 万 6727 户，3 至 5 公顷以上农户减少 7837 户，中间层中 0.5 至 2 公顷经营规模的农户增加 5 万 376 户，2 至 3 公顷经营规模的农户减少 4726 户，5 年间农户总共减少 2 万 554 户。以上数字结构说明，一战后农民阶层出现再分化现象，该变化可归纳如下:(1) 在 5 公顷以上的大土地所有阶层减少的同时，2 至 5 公顷中坚阶层的减少较为显著;(2) 0.5

至2公顷经营规模的过小农阶层增加；(3) 0.5公顷以下贫农经营阶层减少；(4) 农户总数的减少表明农村内部农民贫困现象不仅未得到实质上的缓解，过小农阶层增加、中坚阶层的减少，均说明农村内部农民贫困现象持续扩大，贫农成为雇佣劳动者流入城市的现象显著增加。

综上，日本资本主义发展到垄断资本主义阶段，其内部结构中存在的高速工业发展与半封建性农业经济制度之间的矛盾日渐激化，农业问题凸显。其间虽然一战前后日本经济经历了空前的好转及极度的危机，但农村却一直面临各种问题的困扰。首先，一战中粮食需求急剧增加，但半封建土地租佃关系使农业生产无法满足供给，加之政府的米价政策及地主阶层与大米商人的投机行为，米价暴涨使包括农民在内的一般民众生活压力增大，大米暴动突发。其次，一战后经济危机及农业危机，使农村内部农民贫困程度不断增加，农业结构也发生整体规模萎缩、经营内容单一化、农户经济中对副业依赖程度提高等变化。以上均说明农业问题已经成为资本主义内部的最大问题，并作为日本资本主义自身无法解决的问题而存在。

第七章 国家垄断资本主义战时体制下的农业统制

“1929年世界经济危机开始后，接踵而来的日中战争、太平洋战争，直至1945年日本战败的大约15年间，在经济危机中成长的法西斯主义及战争的风暴席卷了整个世界。与此同时，要求和平与自由、民主主义及民族解放的运动不断高涨，两者的对抗存在于各个国家及地区内部。然而遗憾的是，在日本，法西斯主义及侵略战争的潮流压制了要求和平与自由的声音，其结果是国民自身加入了侵略战争的行列。因此上述大约15年，从日本角度上看，恰好和以日本侵略中国为起点的‘15年战争’时期相一致。”[①]以上是日本农业经济学家暉峻众三对1929年世界经济危机后，日本所经历的15年的描述。暉峻将该时期划分为两个阶段：其一，1930年至1936年迄，日本在世界经济危机的背景下开始侵略中国东北地区，以此为契机，日本资本主义开始向国家垄断资本主义转化；其二，1937年至1945年8月迄，日本在全面侵略中国的背景下构筑以“战时统制经济”为中心的“国家总动员”，即战时国家垄断资本主义体制。[②]

① 暉峻衆三著『日本農業の百年のあゆみ』，有斐閣ブックス，1996年，第144页。

② 经济学家岛恭彦将该时期分为三个阶段：1. 1931—1936，向国家垄断资本主义转化阶段；2. 1936—1941，国家垄断资本主义发展阶段；3. 1941—1945，国家垄断资本主义的确立阶段。详细请参照島恭彦「戦争と国家独占資本主義」，岩波講座『日本歴史　21　現代4』，岩波書店，1968年，第3—47页。

必须指出的是，第一阶段中，虽然日本工业部门一度从经济危机中摆脱，但是农业危机却持续存在，带来的是社会的不安定，乃至国家体制出现危机；而第二阶段中的日本则走上了战争的不归路，在给亚洲人民造成极大伤害的同时，也迎来了国家体制的瓦解。

第一节　日本国家垄断资本主义的形成

1929 年 10 月 24 日，纽约股票市场价格暴落，以此为契机的、资本主义经济史上最为严重的世界性经济危机爆发。这场危机不仅使一战开始后美国的经济繁荣毁于一旦，而且波及了全世界的资本主义国家，世界各国的生产及贸易额急剧下降，随之而来的是世界性金融危机及农业危机。本次危机历时大约 5 年之久，其间除纽约股票市场价格暴跌 80% 以上之外，工业生产大幅度降低、企业倒闭、工人失业数据惊人。据尤·瓦尔加①统计，与经济危机前最高点相比，危机中各主要资本主义国家最低点的工业生产降低至美国 56%、英国 32%、德国 52%、法国 36%；企业数从 1929 年的 20.9 万降至 1932 年的 13.9 万个；失业者数 1930 年为 400 万余人、1932 年为 1250 万人、1933 年为 1600 万人，失业率最高达到 30%。此外，在金融危机的冲击下，银行的破产现象严重，其中 1931 年 5 月澳大利亚的信用银行、1932 年美国的美国银行的破产影响极大，此外 1931 年 9 月英国、1933 年 3 月美国相继脱离金本位制，使资本主义的国际金融陷入严重混乱。1929 年开始的经济危机至 1933 年后期跌入谷底之后，在未见好转的状况下转入慢性萧条期。值得注意的是，本次经济危机一方面在经济上造成主要资本主义国家间的市场争夺日趋尖锐，封

① 尤·瓦尔加，匈牙利经济学家(1879—1964)，1918 年任布达佩斯大学教授，1920 年后移居苏联加入苏联共产党，成为共产国际活动家，1927 年以后从事学术活动，任苏联科学院世界经济与世界政治研究所主宰。瓦尔加于 1920 年代后期，在美国经济繁荣的背景下，指出世界经济危机发生的可能性，以及其将于 1934 年结束并进入长期经济萧条期，瓦尔加亦因此成名。瓦尔加监修的《世界经济危机史　1848—1935》是经济危机研究必读的史料，在我国该书由戴有振等翻译，于 1958 年由世界知识出版社出版。

闭经济体制形成;在政治上导致法西斯军国主义国家出现,最终第二次世界大战爆发。

世界经济危机波及日本之时,事实上日本的经济状况已经处于问题之中。不可否认,一战的爆发使日本经济获取了摆脱萧条的机会,然而大战结束的1918年末,日本经济再次陷入困难;虽然1919年上半期开始再度出现好转,但受1919年末美国经济波动的影响,1920年初日本股票市场价格暴跌,日本经济再度遭遇危机。1920年后,日本经济在一进一退之中,迎来了1929年的世界经济危机。其间各种经济指标的变化可见表7-1。以1919年度为标准,从各年度、各种指数的变化中可以看出,1920年代日本经济状况并不稳定。可以看到,1920年股票市场的暴跌以及支票兑现率的增长非常明显,充分体现出“战争景气”已经不复存在,同时资本的增减,即资本整理也在同步进行之中。1921年末,股票价格稍见回升,支票的未兑率也开始减少,经济回升迹象出现,但是资本整理仍在大量实施之中,并可以看到物价下降的现象,工业生产指数同样持续下降。1922年之后,经济各项指标且进且退,经济复苏终究未能出现,直至1929年世界经济危机爆发之时,日本经济除工业生产指数恢复到1919年水平之外,其他指标均接近最低点。已经面临各种危机的日本资本主义迎来了更大的危机,并且在本次危机中日本资本主义将完成向国家垄断资本主义的转化。

表7-1　1919—1929年日本经济指数(%)

年度	东京批发物价指数	股票价格指数	工业生产指数	银行、公司资本指数		支票无法兑现指数	全国银行总店店数指数
				新设增资	解散减资		
1919	100.0	100.0	100.0	100.0	100.0	100.0	100.0
1920	109.6	51.3	85.4	210.3	128.0	270.0	99.4
1921	84.9	53.8	76.0	78.4	496.4	182.1	98.2
1922	83.0	44.4	78.3	66.1	511.3	250.0	96.5
1923	84.4	42.3	83.5	51.6	463.6	199.1	91.3

续表

年度	东京批发物价指数	股票价格指数	工业生产指数	银行、公司资本指数		支票无法兑现指数	全国银行总店店数指数
				新设增资	解散减资		
1924	87.5	43.2	92.9	42.9	498.6	139.3	87.6
1925	85.5	49.1	98.7	49.6	417.3	190.3	83.0
1926	75.8	50.4	99.6	61.0	477.3	181.3	76.9
1927	72.0	45.3	95.9	55.0	465.6	149.7	69.6
1928	72.4	46.2	103.3	54.3	549.8	117.6	56.7
1929	70.4	38.5	111.3	48.6	368.4	150.8	49.1

注：根据日本銀行調查局編『本邦経済統計　昭和 4 年』，同『本邦経済統計　昭和 5 年』（日本銀行調査局，1942 年），大川一司等編『長期経済統計：推計と分析　10』，（東洋経済新報社，1972 年）制成。股票价格指数取当年 12 月份数字，其他数据为当年度平均值。

一战后世界各主要资本主义国家先后恢复了金本位制，日本虽几经努力却迟迟未能实现。为此，日本始终未能克服外汇市场不稳定及国际贸易入超的现象。1929 年 7 月，浜口内阁成立，面对一战后长期处于一进一退的经济状况，政府决定采取财政紧缩政策，储备正币（本位货币），并决定于 1930 年 1 月恢复金本位货币政策。然而，在 1929 年 10 月爆发的世界经济危机的背景下，恢复金本位体制的政策性选择，反而起到了将经济危机直接引入日本的糟糕效果。其结果是政府于 1931 年 12 月再度放弃金本位体制，通过由日本银行发行的赤字国债，采取财政宽松政策。1931 年 4 月，日本政府公布《重要产业统制法》①，通过国家权利对重要产业实行卡特尔强化（重要企业联合），最终达到国家权利介入经济过程的目的，日本资本主义开始向国家垄断资本主义体制转化。值得注意的是，1931 年 9 月，日本制造了著名的九一八事变，并开始对中国东北地区的全面侵略。可见日本国家垄断资本主义的形成，与其对中国东北地区的侵略行为并行，这充分说明日本国家垄断资本主义的形成从一

① 原文「重要産業ノ統制二関スル法律」，1931 年 4 月公布，1931 年 8 月开始实施。

开始便与军事扩张相结合。其具体过程及特点可归纳如下。

首先,日本重要产业卡特尔化过程可见表7-2。可以看到以重化学垄断企业为中心的企业联合在1930年至1932年间迅速结成,重要企业的垄断组织化得到飞速的发展。政府在《重要产业统制法》公布后,先后公布并实施了《出口组合法》(1931年4月修订法)、《工业组合法》(1931年6月修订法)等法律,促使政府指定产业在生产及销售等各个方面缔结卡特尔协定,加强国家对指定产业的统制。

表7-2 日本重要产业卡特尔化过程

产业 年度	一战前	1914—1926	1927—1929	1930—1932	不详	合计
重工业	—	5	6	19	3	33
化学工业	5	6	1	18	1	31
纺织工业	1	1	3	6	—	11
食品工业	1	—	2	5	—	8
合计	7	12	12	48	4	83

注:引自安藤良雄編『近代日本経済史要覧』,(東京大学出版会,1975年)。

其次,以上统制体制加大了产业部门之间,乃至地区之间的非均衡发展。表7-3是上述期间民营工厂职工人均劳动收入及农民户均收入指数的变化,对该数据的分析如下:(1) 可以看到1929年至1936年之间,重化学及军工产业与其他产业职工间、六大都市与其他地区职工间、工农业间收入落差呈现明显的不均衡现象。其间重化学及军工产业部门职工工资最低点为1934年的化学药品产业,降至1926(昭和1)年的78.1%,而绝大多数即使是在经济危机之中其降幅也仅为5%左右;但轻工业部门则不同,多数降至60%左右;并且农户收入的降幅最大,最低降至1931年的38.5%。以上数据表明,不仅工业部门之间产生发展非均衡现象,工农业之间的差距则更加显著,这使得工农业间本来已经存在的差距在自身收入降低幅度的不同中再次拉开距离,可以说农村经济已经进入非常困难时期。(2) 整体国民收入水平自1929年开始进入持续降低的趋势。这种通过国家对重要产业垄断统制将危机转嫁给国民的做法，引起国民的强烈不满，工人及农民斗争相继爆发，国内局势动乱。

表 7－3　日本国家垄断资本主义形成期私营企业职工及农户劳动收入指数变化（以 1926 年为标准＝100）

年度	六大都市	其他地区	机械制造	造船业	金属业	化学药品	肥料	纺织业	制丝业	农业
1929	100.4	102.2	102.3	101.6	103.7	101.6	101.7	96.4	94.2	81.5
1930	99.5	95.8	94.9	94.1	97.6	97.7	101.3	86.8	82.7	48.6
1931	92.7	86.3	89.4	86.6	93.7	94.9	94.4	74.5	67.8	38.5
1932	90.2	82.2	96.3	90.6	94.2	91.3	94.9	65.9	61.5	38.8
1933	91.1	82.8	100.6	97.1	96.3	82.7	95.4	62.5	61.7	55.2
1934	98.0	84.1	96.6	98.4	98.0	78.1	94.6	61.2	61.3	55.2
1935	98.5	83.9	93.2	98.7	98.1	78.6	96.1	60.5	63.3	64.2
1936	98.6	84.7	91.0	98.4	95.3	78.7	95.2	60.8	64.2	71.0

注：根据日本銀行調査局編『本邦経済統計　昭和 12 年』（日本銀行調査局，1942 年）及農林省経済更生部編『農家経済調査報告　昭和 1—11 年』（農林省経済更生部，1939 年）制成。六大都市指东京、横滨、大阪、神户、名古屋、北九州。

最后，国家垄断资本主义形成期的危机。上述体现在收入体系中的产业发展失衡——重化学及军工产业的快速发展——不仅使重化学及军工产业相关原料、零件的进口数量骤增，国际收支恶化；同时造成国内市场的“军需通货膨胀”①，在国民收入整体下跌的基础上，通货膨胀对国民生活带来的打击，特别是对农村地区的打击极其沉重；加之 1931 年、1934 年两度自然灾害带来的农产品歉收，使东北及北海道等寒冷地区农民出现饿死、冻死、自杀等现象，农村经济处于崩溃的边缘。所谓以“昭和维新”为口号的“国家改造运动”，正是在以上背景下与“农本主义”相

① 起于军事支出的通货膨胀。九一八事变后日本出现因军需景气带来的军需通货膨胀，从物价方面看，给国民生活带来非常显著的影响。据日本銀行調査局特別調査室編『満州事変以後の財政金融史』（日本銀行調査局特別調査室，1948 年）记载：“1931 年至 1935 年间，货币发行量增加 40%，市场物价指数增长 13%”，指出“国民生活水平并未能在军需景气中得到提高”。

结合，并以民间右翼团体及军队中下级官员为主的法西斯运动形式先后出现。三井财阀的团琢磨被血盟团暗杀事件，乃至二・二六事件中，均能够看到针对财阀的不满情绪的爆发。右翼对财阀的恐怖事件发生后，以三井为首的各大财阀为了渡过危机开始实施改革，即所谓“财阀转向”——在开始参与农村及社会公益事业的同时，实施公开股份制，建立能够承受向巨大的重化学及军工企业投资的金融体制。其结果是，1937年，三井的常务理事池田成彬、三菱的会长串田万藏、住友会长八代则彦先后任职日本银行的参与。至此，除重要产业垄断组织化之外，各大财阀的主要人物开始介入国家最高政策决定过程。

第二节 《国家总动员法》与战时统制经济体制

1937(昭和 12)年 7 月，卢沟桥事变爆发，以此为起点日本与中国之间长达 8 年的侵略与反侵略战争开始。而在日本国内，为“战时体制”的确立，一场由政府主导的国民教化运动，即“国民精神总动员运动”随即展开。1937 年 8 月，第一届近卫内阁通过了《国民精神总动员实施纲要》，同年 10 月成立“国民精神总动员中央联盟”，联合道府县地方实行委员会共同宣传“举国一致，尽忠报国，坚忍持久”①精神；以此为开始，战时统制经济政策开始逐步登场。

1937 年 9 月，“临时资金调整法案”“关于进出口物资等临时措施法案”“军需工业动员法案”“临时船舶管理法案”等多个法案②提交第 72 届帝国议会审议，大藏大臣贺屋兴宜在“临时资金调整法案”提交审议的陈

① 「国民精神総動員実施要綱」，国立国会図書館所蔵，https://rnavi.ndl.go.jp/politics/entry/bib00143.php。

② 「臨時資金調整法案」，「輸出入品等ニ関スル臨時措置ニ関スル法律案」，「軍需工業動員法ノ適用ニ関スル法律案」，「臨時船舶管理法案」，此外还有「支那事変ニ関スル臨時軍事費支弁ノ為公債発行ニ関スル法律案」，「臨時軍事費特別会計法案」，「支那事変ノ為従軍シタル軍人及軍属ニ対スル租税ノ減免、徴収猶予等ニ関スル法律案」，「外国為替管理法中改正法律案」，「米穀ノ応急措置ニ関スル法律案」，「臨時肥料配給統制法案」等法案。

述中提道:“本法案与本次卢沟桥事变相关,其主旨一是为了迎合物资及资金的需求,建立调整事业资金的使用、疏通供给渠道、奖励国民储蓄的方法;再是为了资金调整之时资料的精确程度,允许政府获得对金融进行调查及检查的权限。一再强调的是,如今资材及资金的使用,从贯彻国家整体方针上看,必须节省浪费、发挥最大效率。其方法是对新的固定投资进行适当调整,资材及资金用于国防及其他与时局密切相关事宜……关于资金调整,依照各种事业的种类,制定区分必须供给资金事业及无须供给资金事业的标准,并以此为基础实施。”①其内容足以说明该法的成立与日本对中国的侵略战争直接相关,其主要目的在于资金及资材的调整均必须遵循是否与“国防及其他与时局密切相关”的原则,即必须利用于日本对中国的侵略战争相关事业之上,同时足以证明政府的权限正在通过法律手段不断扩大。同年 10 月,《临时资金调整法》《关于进出口物资等临时措施法》《军需工业动员法》《临时船舶管理法》等相关法律公布实施,政府通过法律形式对资金、贸易、生产及运输等方面进行统制,优先军需物资的生产、进口、资金需要及运输。

1938 年 2 月第 73 届帝国议会上,政府提交了“国家总动员法案”,届时国务大臣广田弘毅在审议陈述中说道:“近代战争的特色是所谓国力战,完成战争的秘诀在于,陆海军的奋斗与国家总动员态势的完备……准备充足的军需物资,向陆海军提供不断的战斗力的同时,补给民需品保证国民经济的运行,以国民的爱国心为基础,举国一致方可奏效”,可见战时经济运营仅为战争所行。1938 年 4 月 1 日,《国家总动员法》公布,该法第一条指出,“本法之国家总动员,是指为达到战时(包括相当战争的事变)国防之目的,以最有效发挥国家所有能力为目标,统制运用人、物资源”,明确指出国家总动员就是为了战争,为此国家可以统制所有人力及物力资源。不仅如此,该法在第四条至第二十七条中依次规定“政府面临战时国家总动员,在

① 「第七十二回帝国議会衆議院支那事変ニ関スル臨時軍事費支弁ノ為公債発行ニ関スル法律案外四件委員会儀録(速記)第一回」,国立国会図書館所蔵。

必要之时根据敕令规定，有权征用帝国臣民从事总动员业务，有权要求帝国臣民及帝国法人及其他团体协助总动员业务，有权发布有关职工的雇佣、解雇及工资或其他劳动条件的命令，有权发布关于预防或解决劳动争议的命令，或封锁工厂等等”。即政府可以根据该法，利用不必通过国会审议的敕令方式，对国民经济及所有国民的财产、权利进行统制，政府的权力已经凌驾于国会之上，被放大到极限。《国家总动员法》下派生的各种主要敕令可见表7-4，其内容涵括国民经济活动及国民生活的所有方面，战时统制经济体制下政府的权力范围可见一斑。

表7-4　以国家总动员法为依据成立的各种主要敕令

年度	敕令名称
1938	工厂事业管理令
1939	国民职业能力申告令，职工雇用限制令，工资统制令，工厂就业时间限制令，公司利益分配及融资令，国民征用令，价格等统制令，地价房租统制令，工资临时措施令，公司职员工资临时措施令，电力调整令，谷物精捣等限制令，佃租统制令，总动员物资使用收用令，土地耕作物管理使用收用令，工厂工作物品使用收用令
1940	陆运统制令，海运统制令，制铁用进口原料配给等统制令，农业水利临时调整令，公司会计统制令，银行等资金运用令，船员征用令，工人移动防止令，宅基地建筑物等价格统制令
1941	临时农地价格统制令，报纸等刊登限制令，临时农地等管理令，生活必需物资统制令，贸易统制令，重要产业团体令，金属回收令，股票价格统制令，配电统制令，国民勤劳报国协力令，劳务调整令，企业许可令，物资统制令，农业生产统制令
1942	金融统制团体令，水产统制令，企业整备令，金融事业整备令
1943	临时制盐团体令，出版事业令，战时行政职权特例，行政官厅职权委任令，统制公司令
1944	学生勤劳令，女子挺身勤劳令，公司会计特别措施令，木材薪炭生产令
1945	军需充足公司令，船员动员令，重要水产品生产令，国民勤劳动员令，战时农业团体令

注：根据長野文庫「勅令・政令」昭和時代(http://www.geocities.jp/nakanolib/rei/rei.htm#昭和時代)制成。

必须指出的是，日本国家总动员体制下各种敕令的发布过程，正是其面临各种危机并不断走向崩溃的过程。首先，在战争体制下，所有资金、贸易、生产及运输均服务于军需，因此军需物资的生产，即重化学军工产业成为重点产业得到长足的发展。与此同时，曾经作为日本基础产业的纺织工业则不断萎缩。据商工大臣官房调查课编《工厂统计表》①中数据可知，1930 年日本工业生产总额中，重化学（金属、机械、化学）工业占比为 35.5%，1935 年为 52.7%，到 1940 年增长为 63.2%，1930 年代重化学工业增长了 27.7 个百分点。相反同期轻工业生产额则几乎以相同的速度削减，其占比分别为 64.5%，47.3%，36.8%，10 年间减少了 27.7 个百分点。另外轻工业生产总值中纤维（包括纺织业）工业占比分别为 36.6%，32.9%，18%，其他占比分别为 27.9%，14.4%，18.8%；1940 年日本的纺织工业在工业生产总额中仅占 18%的份额。以上数据表明，日本战时统制经济体制下，产业结构发生了极大的变化，这虽然为二战后的日本留下了强大的重化学工业基础，但是依靠进口原材料维持的重化学工业的发展，以及换取外汇收入的纺织业的萎缩，使日本国际贸易收支失衡。1938 年的“公司利益及融资令”，1940 年的“制铁用进口原料等统制令”，1941 年的“贸易统制令”“物资统制令”等敕令的发布，均说明该时期日本扩充重要产业生产力资金不足及生产物资不足的现象严重。

其次，1939 年第二次世界大战开始后，日美通商条约失效，不仅来自美国的重化学工业原料进口途径中断，二战引发的通货膨胀，以及来自殖民地的粮食进口减少，造成国内大米市场混乱，同时投资及金融市场的投机现象增加。1941 年太平洋战争爆发，战争的消耗使日本内地经济出现更大的危机，其中粮食及生存物资，乃至军需物资的缺乏，人力的消耗均使日本战时统制经济体制走向崩溃的边缘。1939 年“谷物精捣等限

① 原文商工大臣官房調查課編『工場統計表　昭和 1—15 年』，内閣印刷局，1940 年，国立国会图书馆所藏。

制令”“总动员物资使用收用令”，1940年“银行等资金运用令”，1941年“生活必需物资统制令”“农业生产统制令”，1942年“金融统制团体令”、1943年“临时制盐团体令”，1944年“学生勤劳令”“女子挺身勤劳令”，1945年“军需充足公司令”“国民勤劳动员令”先后公布实施，上述敕令的公布轨迹充分体现了日本粮食、生存物资、军需物资乃至劳动力危机的出现，日本在国内战时统制经济体制走向崩溃之中，迎来了其在战场上的全面溃败。

值得注意的是，在日本战时统制经济体制中，农业部门的处境自始至终都非常尴尬。一方面战时“全民总动员”要求所有资金、贸易、生产及运输均服务于军需，为此大规模的人员动员必须集中于军人及军需物资生产之上；另一方面保证粮食供给，确保农业生产力同样非常重要。两者之间的矛盾在长达8年的战争中不断加大，最终战争使日本的农业生产力与战时统制经济体制一同走向崩溃。

第三节　“时局匡正”与“农山渔村经济更生运动”

第一次世界大战中，日本借助于其位于“主战场外”的身份，为了满足国内外市场需求，在不断地生产扩大中摆脱了一战前的慢性经济萧条，工业生产力得到急速发展，国民经济呈现“战争景气”现象。然而一战结束后，生产过剩与需求萎缩之间的矛盾，使日本经济受到很大的影响，农业同样受到沉重的打击。虽然1920年代日本经济曾经几次出现转机，但农业危机却始终存在。1929年世界经济危机爆发，已在危机中的日本农村遭遇更大的危机，农村经济濒临崩溃。日本帝国农会在1924年至1934年的十年间，对42户农民的经济收支状况进行了持续跟踪调查，其中部分数据可整理为表7-5。数据表明，无论是包括兼业收入在内的农户收入，还是仅靠农业生产获得的农业收入，在1926年以后均持续减少；农民劳作一年的农业收入，根本不够支付农业生产成本费用，更不用说支付租税；依靠兼业收入的生活不仅已经成为常态，甚至也已经到了难以维持的状况。

表 7－5　1926—1933 年间农民收入及支出变化(户平均值)

年度	收入(A)(日元)		支出(B)(日元)			A—B
	农户总收入	其中农业收入	农业支出	租税	合计	生活费
1926	3,657.33	1,686.85	1,970.48	166.68	2,137.16	1,520.17
1927	3,317.71	1,516.33	1,801.38	163.24	1,964.62	1,353.09
1928	3,368.74	1,546.59	1,812.15	162.52	1,974.67	1,394.07
1929	3,343.41	1,508.54	1,834.88	166.77	2,001.65	1,341.76
1930	2,421.13	886.11	1,535.02	167.11	1,702.13	719.00
1931	2,178.41	900.90	1,277.51	139.40	1,416.91	761.50
1932	2,383.10	1,080.07	1,203.03	133.83	1,336.86	1,046.24
1933	2,713.34	1,283.71	1,429.63	131.50	1,561.13	1,152.21

注:根据帝国農会編『経済更生資料』第 3 輯制成,(帝国農会,1937 年)。

1930(昭和 5)年受世界经济危机影响日本米价暴跌,1931 年北海道、东北地区大面积歉收,在农村,贩卖亲生女儿现象频发并成为社会问题,农村的贫困成为社会不安定主要因素之一。以上背景下,要求勾销、削减或延期偿还负债,要求提高农产品价格,要求国家补助肥料资金,要求降低租税的“农村救济请愿运动”,以全国各地的农民团体①为中心展开,并将汇集了五万人署名的“农村救济请愿书”提交第 62 届帝国议会。上述农村的贫困现象及“农村救济请愿运动”引起政府的重视。五・一五事件后成立的斋藤内阁(1932 年 5 月),在第 62 届帝国议会临时会议上,通过了匡救时局的“时局匡救决议”,为此召开“农村及中小商工业救济具体方策审议七次官及五相会议”②,商议农村救济方策,并在同年 8

① 特别是以农本主义者长野朗、权藤成卿等为首,在长野县、山梨县、群马县等养蚕县成立的“自治农民协议会”,以及农本主义者和合恒男主导结成的农本主义政治团体日本农民协会等农民组织的活动最为突出。

② 当时参加农工商救济会议的七次官为大藏省、内务省、农林省、商工省、拓务省、铁道省、通信省七省的次官,五相会议的参加者为大藏省、内务省、农林省、商工省、铁道省五省的大臣。

月召开的第63届帝国议会[①]（会期为1932年8月23日至同9月4日）上，继续就农村救济政策进行审议，其主要内容如下：

斋藤内阁总理发言：……事变勃发后已经将近一年……面临的是萧条困惫的困难局面，面对农山渔村及中小商工业的穷状，制定匡救之策是本届议会的使命……关于农村及其负债整理，首先一方面就各种低利资金，对本年度后三年间到期本利金及已经到期未还的本利金，给予适当的缓期；另外对诚实的债务者的债务进行整理给其更生的机会，为此在农村设立基于邻保精神的负债整理组合，对负债进行有计划有组织的整理，政府及道府县对此供给整理资金，对于既存的金钱债务，设立基于债权者与债务者互让的调解制度……昭和七年度列入了时局匡救经费，并且计划今后每三年为期，其间准备巨额经费作为时局匡救政策……经济界的萧条致使人心萎缩，人心萎缩诱发萧条，两者恶性循环使经济更加萧条，因此对此必须警惕。幸运的是，现在虽在疲惫穷迫之中，国民中兴起依靠自身的力量克服萧条的自力更生运动[②]，实在可喜可悦。政府也利用这种坚忍不拔的精神，以这种精神为基础树立实施更生计划，并对此给予一定的补助，政府的政策与国民的自力更生相结合，万众一心渡过难关……[③]

大藏大臣高桥是清发言：……本次政府计划昭和七年度的时局匡救经费，国家负担部分，一般会计支出1亿6300万元，特别会计支出1300万元，合计1亿7600万元，此外地方的负担为8700万余元，结果昭和七年度时局匡救的中央及地方的经费总额为2亿6300

① 第63届帝国议会因以农村救济政策审议为主要内容，被称为“救农议会”。

② 1932年6月兵库县农会在县管辖下6地区召开“农民自力更生庆典活动”，宣传“农村自救”思想。昭和期的农本主义思潮中，更多农本自治主义成分，诸如权藤成卿的《自治民范》《农村自救论》，桥孝三郎的《日本爱国革新本义》《皇道国家农本建国论》等著作中，均包含农村自治、自救思想。因此，1932年前后展开的“农村救济请愿运动”中存在两个支流，一是要求政府救济运动，一是自力更生运动。

③「第63回帝国議会貴族院議事速記第二号」，国会国立図書館所藏。

> 万余元，但是国家负担部分基本为公债，地方负担部分主要由政府的低利资金供给，并且根据事业种类，计划由国库补助利息……关于时局匡救事业中主要项目的说明……农林省所管开垦、用排水干线改良、林道开设、暗渠排水事业补助等，农业土木相关经费的总额共6800余万元，其中国家负担3700余万元，地方负担3100余万元，另外列入农村经济更生政策经费340余万元……关于农村及中小商工业者的负债整理，最近无力偿还银行贷款本利的事件增加，债务者中确实无力更生之人，政府计划自昭和七年起未来三年向其提供本利金额的贷款，昭和七年度已经决定提供总额6750万元借贷金……此外政府为对农村债务者的负债整理提供方便，令设置负债整理组合，有必要提供整理资金之际，政府与府县协力提供。①

对以上史料可解读如下：(1) “九一八”事变后日本国内经济，特别是农村经济陷入“萧条困惫”之中，制定农村匡救策略成为本届政府的重要使命；(2) 政府农村救济的具体方策：其一，制定农村负债整理政策，其中就1932年度后三年间到期及已经到期的各种低利资金的本金和利息，制定适当的缓期还款措施；在农村设置“负债整理组合”，对负债进行有组织、有计划的整理，整理资金由中央及地方政府供给；制定调解负债者与债权者之间矛盾的调解制度。其二，1932年度政府预算中已经列入1.76亿日元，地方政府资金0.87亿日元，共计2.63亿日元作为“时局匡救经费”，并计划今后每三年为期，继续准备巨额经费作为“时局匡救政策”实施。(3) 关于上述2.63亿“时局匡救经费”的资金来源及使用，根据大藏大臣高桥的说明可知，政府预算中的1.76亿基本为国债，地方政府的0.87亿为低利资金，其中利息部分根据使用途径可以由国库补助；2.63亿经费中用于农林省费用为0.714亿日元，其中土木工程费用0.68亿日元——中央0.37亿、地方0.31，农村经济更生政策相关费用0.034亿日元。(4) 政府认为克服经济萧条需要国民“自力更生”的精神，政府的

① 「第63回帝国議会衆議院議事速記録第三号」，国会国立図書館所藏。

主要责任是对这种以“自立更生”的精神为基础树立的经济“更生计划”给予补助。(5) 对于农民的负债整理问题，政府决定针对未来三年中无法偿还的本利金给予全额借贷，以缓解还贷的压力，1932 年度的该项金额不到 7 千万日元。

值得注意的是，以上 3、4、5 三条。第三条表明，2.63 亿“时局匡救经费”中，用于农林方面的经费仅为 0.714 亿，占比不到 30%；其中用于土木工程费用为 0.68 亿，农村经济更生费用仅为 0.034 亿，后者在农林费用中占比 4.8%；可见此时政府的救农政策力度，在于农业基础设施整备及农田开垦等农业生产手段之上，而农村经济更生救助力度仍然相对弱化。这种“救农土木工程”虽然通过支付土木工程的劳动工资，使贫困农民得到一时的“应急救助”，但却毫无“恒久”效果。① 第四条表明，政府希望通过农民自身的努力达到拯救农村经济危机的目的，换言之，政府希望自己的农村经济救助政策，建立在农民“自力更生”的基础之上，在此政府已经为即将全面展开的农村经济更生运动定下了基调。第五条对农民债务的缓解方案中，1932 年度提供资金数量低于 7000 万日元，而据农林省的调查，1932 年农民负债额为 47 亿 1700 万日元，力度之低不言而喻。

1932 年 8 月 27 日，内务省向全国各地方长官发布《国民更生运动计划纲要》，并由内务省次官及内务省社会局长官向各地方长官发布了以《关于国民更生运动事宜》为题的通达，同年 9 月 5 日，内务省大臣山本达雄通过广播电台发表题为《希望国民鉴于时局而自觉奋起》的讲话。与此同时农林省也在积极行动，9 月 27 日农林省设置“经济更生部”，主管“农林渔村经济更生运动”，农林大臣后藤文夫于 10 月 6 日，对地方长官发布《关于农山渔村经济更生计划》及《农山渔村经济更生计划补助规则》两个训令，自此农林、内务两省联手实施的农林渔村经济更生运动全

① 详细请参照岡田知弘「経済更生運動と農村経済の再編」，『経済論叢』第 129 卷第 6 号，京都大学経済学会，1982 年，第 43 页。

面展开。[1] 上述两省大臣讲话的主要内容如下：首先内务大臣讲话中指出："目前我国面临的经济困难已经到了非常时期，特别是农山渔村的疲惫、中小商工业者的困苦日益严重……在此困难之际，不仅依赖国家的救济，而试图依靠自力更生克服困难的精神已经开始出现，政府在促进这种仅在部分地区出现的自力更生运动，使其成为全国自力更生运动的同时，援助树立具体的更生计划，为此就国民更生运动奖励经费及农村经济更生政策经费问题，得到了临时议会的赞同，终于从今天起，向全国倡导此次国民更生运动。本次运动的目标为，第一，举国一致打破国难局面；第二，发扬自力更生风气；第三，树立合理的经济计划；第四，国民各尽其力为国奉献。"[2]其次，农林大臣的训令中提到，"政府本次在农林省中新设经济更生部，意在实施关于经济更生计划的所有方策，主要内容不仅停留在指导普及农林渔业各经营技术的改善之上，而且涵括改善农山渔村经济整体的计划性、组织性，其中包括整备活用农业经营的基本要素，统制生产买卖、改善金融、刷新普及产业组合、联络统制诸产业团体、充实备荒共济制度等，关于具体方针今后随时指示"[3]。前者充分说明本次国民经济更生运动的重点在于"自力更生"之上，鼓励国民"树立经济更生计划"，而政府则将对国民树立的经济更生计划给予"补助"。后者是对地方官员的训令，其中更加强调农林省在本次经济更生运动中对地方的权利，不再仅仅是"指导普及"，而是"指示"并"实施所有方策"。重要的是，在此可以看到农林省在农山渔村经济更生运动实施过程中，开始具有指挥内务省管辖下的地方行政机构的权力。

1932 年 11 月 8 日，由经济更生部主持召开了第 1 届农村经济更生中央委员会，同年 12 月 2 日，《农山渔村经济更生计划树立方针》出台并

① 在本次经济更生运动中农林省与内务省的协同工作，成为中央行政机构之间横向协作的先例，具有划时代意义。至此农林省通过农会系统对农村地区的行政指导方式出现了根本性的改变，即本次运动中农林省有权利用内务省管辖下的道府县及市町村行政机构，对农村地区进行直接行政干预。这成为日本行政、政治史上值得重视的变化。

② 内務省社会局社会部編『国民更生運動調査資料』，社会局社会部，1934 年，第 1—8 页。

③ 農林省編『農産漁村経済更生計画樹立方針』，農林省，1932 年，第 2—3 页。

向全国发布。方针由六方面组成:(1) 改善农业经营组织;(2) 削减生产及其他经营费用;(3) 生产方法的改良及生产统制;(4) 农产品贩卖统制;(5) 农业经营用品的分配统制;(6) 改善农户经济。以上包括农业生产、经营到贩卖整个过程的计划方针中,既可以看到政府统治意识的存在,又可以看到合理化、组织化意图的出现,体现出当时农政体系中存在的各种不同观念。上述方针的实施方法主要包括两个方面:一是通过府县招募"经济更生指定村落"(以下简称"指定村")。希望成为"指定村"的村落必须成立经济更生委员会,树立本村的"经济更生计划"(以下简称"计划"),政府对"计划"支付 100 日元的补助金。"指定村"被认定后,全村成员则必须共同遵照"计划"完成所定内容,1936 年起政府开始对"指定村"支付特别补助金以促进"计划"的实施。另一是自 1934 年起,政府通过国库补助设置"农民道场",专门培养经济更生运动的中心人物。

在以上背景下,农山渔村经济更生运动于 1932 年至 1941 年间在全国各地展开,其具体可分为三个阶段:第一阶段(1932—1935),组织整备阶段。其间中央及地方层次的指导经济更生运动的组织机构不断完善。自农林省经济更生部成立后,共委任 1 千余名了解地方情况的人员作为农村经济调查人员,收集地方相关情报;并在内务省的协助下,于 1935 年 1 月在各府县成立"经济部";至此中央与地方的政策推行通道形成。第二阶段(1936—1938),全面展开阶段。1936 年度起"经济更生特别补助制度"开始实施,政府希望通过对"指定村"支付"补助金"提高村民的积极性,从而促进经济更生运动的发展。为此,政府对"补助金"支付设置条件,要求必须是"计划"树立一年之后的村落,在"计划"实施过程中必须团结一致,村中必须存在道场培育的中心人物,对具备以上条件的因缺乏足够的资金使"计划"实施出现困难的村落给予补助金的支持。第三阶段(1939 年—1941),战时体制下经济更生运动的重组阶段。1938 年国家总动员体制形成,战时体制下的经济更生运动,在物资、人员的收用及生产、配给、消费等方面受到更大的限制,经济更生运动开始向粮食增产运动转化,特别补助制度的实施出现困难。1941 年 1 月经济更生部解散,经济更生运动停止。1930 年代的农山渔村更生运动中的“指定村”数量变化及农业道场设置状况可见表 7－6。

表 7－6　指定村数量变化及农业道场设置状况

年度	农村		山村		渔村		合计	
	指定村数	累计	指定村数	累计	指定村数	累计	指定村数	累计
1932	1,057	1,057	236	236	176	176	1,469	1,469
1933	1,183	2,240	393	629	220	396	1,796	3,265
1934	935	3,175	291	920	175	571	1,401	4,666
1935	637	3,812	237	1,157	120	691	994	5,660
1936	586	4,398	233	1,390	110	801	929	6,589
1937	436	4,834	199	1,589	70	871	705	7,294
1938	379	5,213	220	1,809	76	947	675	7,969
1939	446	5,659	170	1,879	74	1,021	690	8,659
1940	331	5,990	84	2,063	79	1,100	494	9,153
1941	—	5,990	—	2,063	—	1,100	—	9,153
农业道场培育总人数		1,518 人		农业道场总面积		1,876 公顷		

注:根据農林省農務局編『本邦農業要覧　昭和 17 年版』制成,(大日本農会,1942 年)。

第四节　战时经济体制下的农业劳动力及粮食统制

1931 年九一八事变后,日本侵占了中国东北地区,国内则进入“军需膨胀”基调下的“准战时体制”;1937 年 7 月卢沟桥事变后,其国内体制从“准战时体制”转入“战时体制”;1938 年 8 月《国家总动员法》的成立,表明日本开始倾注国力投入对中国的军事侵略。在上述战时体制下,农业政策必然会染上为战争服务的色彩。卢沟桥事变爆发后的同年 8 月 6 日,农林省次官向各地方官厅及农业团体发布了以“关于事变后应召农山渔家生活安定之事宜”①为题的通牒，指出：“本次事变之际，举国一致稳定后方最为重要，虽知贵官亦在商讨各种方策，但当今之际下记各项措施最为紧要，请按照各项要求以谋求应召农山渔家的后方生活安定为目标，结合管下实情制定实施。”②通牒中所列各项紧要措施的主要内容可归纳如下：(1) 针对因人马异动所引起的劳动力不足的措施。促进村落的团体活动及基于义务劳动精神的共同劳作；促进各种产业团体的活动，彻底贯彻农具、家畜等的共同利用，迅速补给畜力、动力农具及农用车等；简单劳作可要求学生参加，特别是要求农学校学生的协助。(2) 对各种产业团体及信用组合的要求。促进信用组合积极活动以保证产业资金的顺利供给，促使各种产业团体积极指导农林水产品的贩卖，促进各种产业团体保证肥料、饲料、燃料等产业用品合理配给的活动。(3) 针对应召人员家庭的保护措施。妥善管理应召农山渔家的家畜、渔船、渔具等，保证应召农家的租佃关系的稳定，维持应召农家的自耕地，为此希望各相关町村、产业团体采取妥切措施，诸如对应召农山渔家发放政府米、伤病之时医疗组合应妥善应对、婚葬祭之时灵活运用村落团体、产业团体的共济政策等。上述通牒的具体内容充分体现出政府希望利用农山渔村中存在的传统的自治精神，要求村民及各产业团体同心协力保证后方农村的经济安定。毋庸置疑，政府认为，只有保证后方农村经济安定，才能够保证前方战场上需要的人力(军人)及物力(诸如马匹、车辆、粮食等)的供给。值得注意的是，通牒第一条指出，可以通过村落共同劳动及义务劳动解决因应召入伍人员增加引起的劳动力不足，并且强调可以要求学生，特别是农业学校的学生参加农业劳动。可见因战争从农村招募军人现象的增加，使保证农村劳动力，进而保证农业生产的正常进行成为农村政策中的重点。

事实上“九一八”事变后，随着战争经济的发展，农业劳动力不断向

① 原文「事変に伴う応召農山漁家の生活安定に関する件」。

② 産業組合中央会福岡県支会編「時局と産業組合」，産業組合中央会福岡県支会，1937 年，第 2—3 页。

军需工业转移，加之卢沟桥事变后，政府的征兵动员使大量劳动力脱离农业生产，据农林省1946年实施的“农业劳动从事者调查”①所示，侵华战争过程中的1937年至1941年间，仅农业向军需产业转移的劳动力就高达112万人，如包括太平洋战争期间的人员移动，该数字高达250万以上；另外，1937年至1945年日本战败为止，至少有320万农民，被征集入伍加入侵华战争及太平洋战争的行列；仅以上两项脱离农业生产的劳动力已经高达400万人以上②，并且上述脱农劳力多数为青壮年劳力，这对于以小农经营为主的日本农业的打击可想而知。值得注意的是，卢沟桥事变后政府不仅强行征用农业劳动力参加军人的行列，而且农业劳动力向军需工业转化现象，也从之前的自主转移改变为政府的强制性征用，政府的战时农村劳动力政策中出现极强的统制倾向。事实上即使在农业劳动力过剩的卢沟桥事变之前，农忙期劳动力不足的问题已经非常明显，卢沟桥事变后，大量农村劳动力充军或被强制转移至军需产业，农村劳动力不足问题日趋严重；该时期农村劳动力不足、补给方法，及政府对策的主要内容可见表7－7。

表7－7　关于战时日本农村劳动力不足、补给方法的调查结果及政府对策的主要内容

1938年2月的状态	1. 近郊农村：通勤外出打工急速增加→农忙期劳动力不足、打短工的劳动力缺乏及佣金升高→需要男子劳力的农作物生产减少，依靠妇女劳力的副业生产增加。 2. 纯农村地区：农繁期劳动力不足→劳动力分配出现变化＝共同播种、灌溉用水的共同管理、病虫害的共同防治、收割及脱谷等共同劳动的普及；但诸如果树、茶叶等季节性生产因劳动力减少出现经营困难。 3. 山村地区：整体人口数量较少的基础上出现劳动力转移→整体农业经营出现困难。 4. 渔村：渔业的技术含量较高，受技能者的减少、物资配给统制等影响较大→与一般农村相比遇到更大的困难。

① 原文「農作業従事者に関スル調査」。

② 关于数字的说明请参照大内力著『農業史』，東洋経済新報社，1960年，第252页。

续表

1938 年春季农忙期劳动力补给状态	1. 老人妇女劳动力动员，特别是女子劳动力比例增加。 2. 劳动时间延长。与上年度每日劳动时间相比，水稻播种期延长 47 分钟、麦子收割期延长 32 分钟、春蚕期延长 23 分钟。 3. 雇短工困难导致畜力及机械的利用率提高。耕地用牛马借用数量增加，但借出数量减少→牛马的需求量增加。脱谷机等农业机械借入及所有增加。 4. 共同劳动不断普及。水稻播种的共同劳动最多占播种总面积的 62%，大麦收割占收割总面积的 10%，春蚕的共同饲养占村落总抽丝量的 36%，共同劳动普及扩大到水田播种前的耕地及整地的劳动中，前者占耕地面积的 8.6%、后者占整地面积的 24.3%。 5. 义务劳动及共同劳动加大。对应召入伍人员家属的义务劳动通过共同劳动组合实施，水田的 74.6%、旱田的 33.3%为村民的义务劳动，加上村外人员的义务劳动，共计水田 90%、旱田 44%为义务劳动。
政府对策	1. 1938 年度追加预算列入约 160 万日元作为农村劳动力调整对策。其中 125.3 万日元用于共同劳动政策经费，诸如改良农具、小型水利设施、移动式扬水机、畜力补充、畜力共同利用器具等。 2. 1939 年度与 1938 年度同样追加预算列入约 160 万日元，作为针对重要农林水产品增产计划的劳动力调整政策经费，内容包括综合性劳动力调整、通过集团移动进行劳动力补给及其农业机械配给调整、农耕牲畜中介、农地交换分合等政策经费。

注：根据农林省 1938 年对具有代表性的各类型地区村落劳动力的调查结果制成。详细请参照桜井武雄著『日本農業の再編成』，農文協，1980 年。

表中所示调查结果表明，其一，该时期的劳动力不足的具体内容上出现了地区性差别，具有一定的多样性。其二，农村地区针对卢沟桥事变后劳动力不足现象，出现了两种不同性质的补给现象，一是强化劳动，包括延长劳动时间、动员老人及妇女劳力等劳动的退化现象；二是增加畜力及机械的使用，乃至共同劳动的普及等劳动的进化现象。为此，后者并不能被无条件地认定为具有提高劳动生产率的进步性。事实上后者中畜力及机械的使用主要基于传统借贷使用方式，这种利用方式在一定程度上限制了该行为的进步性。其三，政府对策的特点。一方面政府在调整及补给战时农村劳动力不足问题上，宣传促进开展基于邻保精神的互相帮助及义务劳动，特别是在补给应召入伍人员家属的劳动力不足上起到了一定的作用。另一方面为了使农村劳动力不足的调整、补给向合理进步的方向转化，政府通过支付补助金等各种行政手段，加强对农业人员及资源的统制性配给。

1937 年 9 月 10 日，政府公布了在第 72 届帝国议会上通过的《谷物应急措施法》及《临时肥料配给统制法》[①]等重要法律。前者是对粮食管理制度的调整，后者则是战时农用资材统制体制的整备，以此为起点，政府对战时经济体制下农业政策的再整备逐步开始。

关于粮食管理制度的成立及其再整备。粮食管理问题表面化的契机，可以追溯至 1918 年的大米暴动。大米暴动使日本统治体制受到极大的冲击，政府开始认识到粮食问题的重要性，为了解决国内大米供需及价格稳定，政府在朝鲜及中国台湾推行农地开发及大米增产政策，计划将殖民地大米“移入”内地。1921 年《谷物法》成立，时任农商务省大臣的山本达雄指出，该法的主要目的在于尽最大的努力对具有特殊意义的谷物（大米）的“过剩或不足进行调解，即在丰收之年供给过剩之际买入，在他日歉收之年供给不足之际补充市场，如此则不会出现严重的过剩或不足，保证大米市场价格的稳定”[②]。以上内容表明，日本政府粮食政策的主要目的在于保证国内粮食市场需求及价格的稳定，其主要方法一是通过移入殖民地生产的大米解决国内粮食不足问题的殖民地主义粮食政策，另一是通过政府买卖大米来保证国内大米市场价格的稳定。《谷物法》于 1933 年被《谷物统制法》代替，新法除保留了政府通过买卖大米保证其市场价格的规定之外，增加了将通过敕令制定每年大米最高及最低价格条款，从大米的市场流通量及价格限制的两方面对大米价格进行调节。《谷物统制法》的成立与大量殖民地米的移入，以及受世界经济危机的影响大米消费停滞有着密切的关系，如何防止国内大米市场价格暴落成为该时期政府粮食政策

---

① 原文「米穀ノ応急措置ニ関スル法律」,「臨時肥料配給統制法」。

②「第四十四回帝国議会貴族院　米国法案外二件特別委員会議事速記録第一号」，国立国会図書館所蔵。

的主要目标。

然而,1937 年卢沟桥事变后粮食供求状况出现巨大反转,当然政府的粮食政策亦随之出现转变,从如何防止国内粮食市场价格降低的“过剩对策”,转化为尽可能更多地确保粮食数量的“不足对策”。上文中提到的 1937 年 9 月出台的《谷物应急措施法》,正是日本政府在战时经济背景下重新调整粮食管理制度的起点。当时农林大臣有马赖宁明确表示,该法的提案理由是,“现在政府利用以谷物统制法为基础的大米政策,调节大米数量及市价,借以保证国民生活的安定。值得庆幸的是本次事变之际,大米价格并未出现异常变动。但是今后随着事变的进展,军用大米的需求会大量增加,如果政府仍然通过民间市场采购军用大米的话,不仅会过度刺激市场,并且在秘密乃至迅速采购军用大米的问题上存在漏洞。为此,有必要整备相关法律,设置可以利用隶属于谷物需求调节特别会计的谷物①充当军用谷物的通道……政府希望在认为有必要存储与本次事变相关的谷物之时,可以自由采购谷物”②。

史料表明,卢沟桥事变是政府粮食管理政策变化的节点,事变后政府为了保证向战场提供军用粮食,通过《谷物应急措施法》为自己铺垫了能够随时从市场采购大米存储,并在需要之时秘密、迅速用于战争的通道;日本政府战时经济体制下粮食统制政策的主要目的亦在于此。此后,政府于 1940 年先后公布了“临时谷物配给统制规则”“谷物统制规则”“麦类配给规则”“杂谷类配给统制规则”,1941 年公布了“薯类配给统制规则”。上述各种规则公布轨迹表明,政府的粮食管理内容在不断扩大,从主要对大米的统制开始,逐渐扩大至麦类、杂谷类,乃至薯类,说明战时日本国内粮食市场不断进入供需失衡的状态。

1942 年 2 月政府公布《粮食管理法》,至此政府全面介入粮食生产、流通、消费的所有环节,通过一元化管理对粮食需求、价格进行调

① 指政府通过“谷物需求调节特别会计”——政府为了调节谷物市场价格列入的特别预算——的款项从国内谷物市场购入的谷物。

②「第七十二回帝国議会衆議院議事速記第二号　議長ノ報告」,国立国会図書館所蔵。

节的粮食管理制度成立。该粮食管理制度具有两个特点：(1) 统制对象扩大化。与之前的粮食管理制度相比，管理对象从大米转化为包括大米在内的所有谷物，乃至薯类等主要食物。(2) 统制方式直接化。无论是《谷物法》、《谷物统制法》还是《谷物应急措施法》，均立足于在承认市场机能的基础上，通过调节市场流通大米的数量及适当的价格规制，间接达到稳定米价的效果。而根据《粮食管理法》，政府不仅可以间接调节粮食的市场价格，还可以直接介入粮食生产及流通等重要环节，具有直接统制生产、贩卖及消费的权力。为此政府制定了向农民征购粮食的"交售制度"。第一，政府为了提高农民向政府交售粮食的积极性，利用高于市场的价格向农民征购粮食；第二，为了避免"政府价格"造成粮食市场价格上升，影响一般劳动者的生活，设置两种价格体系，即生产者价格及消费者价格；第三，为了提高农民的生产积极性，区别地主及生产农民，对后者支付生产奖励金；第四，为了征购更多的粮食，通过市町村农会系统，制定村落的年度"交售定量"，强行征购农民手中的粮食。表 7－8 是《粮食管理法》成立后日本国内主要粮食生产及农民"交售"状况，对表中内容可做如下说明：(1) 该时期政府对粮食的统制范围已经扩大至包括薯类在内的主要农作物。(2) 政府对主要谷物大米的统制力度最大，交售定量均超过当年生产量的60%，除 1945 年之外相对政府交售定量的交售完成率几乎均达到100%。尽管 1942 年起大米产量逐年降低，1945 年度产量降至 1942 年度的近 50%左右，但除 1945 年度之外的实际交售量却基本持平，因此农民手中剩余的大米数量逐年下降，与 1942 年度相比，1945 年度减少了 30%左右。以上两点在其他粮食交售状况中同样存在。《粮食管理法》成立后，粮食征购的过程，正是政府通过"交售制度"强行征购农民的口粮，进而提供战争用粮的过程。

表 7-8 战时日本国内粮食生产及交售状况(单位:千石)

粮食种类	年度	生产量	交售定量	交售量	交售完成率%	农户剩余量	交售率%
大米	1942	66,663	41,017	39,970	97.4	26,693	61.5
	1943	62,816	39,059	39,682	101.7	23,134	62.5
	1944	58,559	37,250	37,294	100.1	21,265	63.5
	1945	39,149	25,240	19,561	77.5	19,588	64.5
大麦	1942	6,745	2,513	2,047	82	4,798	30
	1943	5,226	1,386	1,725	124	3,501	33
	1944	7,181	2,643	3,044	115	4,137	42
	1945	4,922	2,453	2,527	103	2,475	51
小麦	1942	10,119	7,234	5,986	81	4,133	59
	1943	7,990	5,031	5,171	103	2,959	65
	1944	10,111	7,541	6,689	89	3,422	66
	1945	6,891	5,580	4,365	78	2,526	63
红薯	1942	1,006	574	345	60	661	34
	1943	1,211	528	393	74	822	33
	1944	1,053	654	466	71	588	44
	1945	1,039	556	389	70	650	37

注:根据食料庁编『食料管理史』第 151 页,(食糧庁 1956 年);大内力著『農業史』第 258 页,(東洋経済新報社,1960 年)制成。

第五节 战时经济体制下的农业资材统制

随着日本侵华战争的全面展开,日本国内战时统制经济体制不断强化,不仅劳动力、粮食不足问题严重,其他物资的供应上也同样出现破绽。1937 年《谷物应急措施法》实施的同时,政府在农村推行促进农业增产的政策。无疑,粮食增产是解决粮食不足的重要手段之一,但必须有足够的农业资材的支持;然而在国内物资供应不断减少的背景下,农业资材短缺问题逐渐凸显,其中当属肥料的缺乏最为严重。而明治以后日本农业开始向“多肥农业”①转化，肥料不足将直接影响土地生产力的提高。为此政府向第72届议会提交“临时肥料配给统制法案”，届时有马赖宁指出：“卢沟桥事变后，因为人马的征用，自给肥料②的生产减少，加之国际贸易及船只不足等问题，肥料的进口也出现困难，解决肥料问题是保证后方农村经济安定、确保农业生产的重要的环节。为此政府制定应急措施，为了确保贩卖肥料③中最为重要的硫铵的进口数量，在追加预算中列入进口补偿经费。考虑今后肥料需求的变化，本次在配给方面亦加以调整，以保证价格稳定。”④可见面对农业资材不足问题，政府的对策包括两个方面：其一，对农业资材在生产、流通、分配等环节进行严格统制；其二，设置各种奖励或补助制度鼓励农业资材的进口、生产及共同利用。表7-9是1937年后农业资材统制政策一览，体现了该时期政府逐步加强农业资材统制的过程及配给统制与补助并用的特点。

表7-9　战时日本农业资材统制及奖励政策一览

年度	内容	年度	内容
1937.9.3	《临时肥料配给统制法》成立。	1938.4.18	饲料配给股份公司成立。
1937.12.22	硫铵贩卖公司自家用硫铵统制规定。	1938.5.10	饲料自给奖励规则。
1938.3.3	《饲料配给统制法》公布实施。	1938.6.1	肥料资金通融增加150万决定。
1938.4.2	《硫铵增产统制法》公布。	1938.9.19	肥料配给量分配制。

① “多肥农业”在广义上是指通过大量施肥提高土地单位面积收成的农法，狭义上是指依靠单纯劳动及投入金肥，特别是具有速效性的化学肥料提高农业生产力的“多劳、多肥零星农业经营法”。明治中期左右成立的“明治农法”具有“多肥农业”的特点。与机械化及土地改良相比，肥料的投资负担较轻、回收较快，对零星农业经营来讲是较为方便的提高农业收成的方法。

② 自给肥料指农民可以自行入手的肥料，诸如堆肥、厩肥、粪尿、绿肥等。

③ 贩卖肥料指以化学肥料为主的市场上贩卖的肥料，与自给肥料相对应的肥料。

④「第七十二回帝国議会衆議院議事速記録第二号」，国立国会図書館所蔵。

续表

年度	内容	年度	内容
1938.10.1	《饲料配给统制法》实施。	1940.3.13	硫铵50万吨增产计划。
1938.10.12	《肥料监管法》实施。	1940.3.31	农林省关于重要肥料生产统制令。
1938.11.4	肥料配给量分配制度实施。	1940.5.31	肥料消费调整规则修改。
1938.12.13	肥料配给量分配制纲要。	1940.6.8	肥料配给统制补助规则。
1938.12.16	饲料进口限制规则公布。	1940.6.10	农机具配给统制纲要。
1938.12.21	农器具用铜铁配给纲要。	1940.7.2	昭和15年度肥料分配方案。
1939.1.13	调整农机移动配给及修理设施补助金、共同利用改良农具购买补助金。	1940.8.12	金肥商联肥料配给分配决定。
1939.2.13	对磷肥公司发布配给统制令。	1940.8.14	全购连资材配给计划。
1939.3.2	肥料配给统制规则公布。	1940.8.21	关于鱼肥配给统制农林省令。
1939.8.8	肥料行政正式移交农林省管辖。	1940.11.20	植物油脂原料种子配给统制规则。
1939.10.19	饲料贩卖监管规则公布。	1940.12.20	关于鱼肥强制购买范围扩大农林省令。
1939.11.2	农山渔村用资材配给调整政策。	1942.1.13	水产动物质肥料的贩卖事宜修改决定。
		1942.7.4	临时肥料配给统制法中骨粉等的贩卖。
1939.12.23	对肥料制造公司进行国家补偿。	1942.7.7	肥料配给设备补助规则公布实施。
1939.12.24	硫铵、石灰、氮肥、过磷酸公价决定。	1942.7.26	间接肥料贩卖限制规则。
1939.12.28	肥料消费调整规则公布。	1944.1.14	肥料配给机构整备强化。
1940.1.15	重要肥料统制法实施规则修改。	1944.1.15	肥料一揽子购买、配给一元化。
1940.2.29	临时配给肥料大豆油粕的贩卖价格规定。	1944.1.24	农机具制造工厂整备方针。

续表

年度	内容	年度	内容
1944.5.30	农业药剂等紧急确保对策决定。	1944.9.19	堆肥及薪炭增产奖励制度纲要。
1944.7.7	自给饲料 150 万吨增产运动。	1945.3.31	化学肥料生产增强事宜。

注：根据国立国会図書館調査立法考査局編『農業補助金政策の推移』第 55—60 页制成，（油印，1950 年）。

在此仅以表 7-9 中 1939 年度实施的“调整农业机械移动配给及修理设施补助金、共同利用改良农具购买补助金”制度，及 1940 年 6 月 8 日公布实施的“肥料配给统制助成制度”为例分析政府战时农业资材统制制度中补助金的支付问题。前者的补助规则于同年 4 月 6 日以“农林省令第十九号”的形式公布实施，两者的主要内容如下：

农林省令第十九号：……第十七条第四款，关于调整农业机械的移动配给及修理制度：1. 关于介绍指导农业机械共同利用的补助，对每道府县支付四百元以内补助金，道府县可在以上范围内向管辖内每团体支付二十元以内补助金。2. 关于农业机械共同利用之际改装整备的补助，在该费用的二分之一以内，每组农业机械限制在一百元以内。3. 关于购买现有农业机械的补助，在购买费用的五分之一以内，每组农业机械限制在一百四十元以内；关于借用农业机械的补助，在借用费用之内，每组农机十元以内。4. 关于设置农机具巡回修理班的补助，在道府县该项费用的二分之一以内，每班八百元以内，道府县补助金可在修理班设置费的二分之一以内，每班限制在六百元以内。第五款，关于购买共同利用改良农具的补助，购买费的三分之二以内，每村落五十元以内。第六款，关于购买共同畜力利用农具的补助，购买费的三分之二以内，每村落一百五十元以内。①

肥料配给统制补助规则：第一条，农林大臣为促进肥料的配给统制，依照本规则每年度在预算范围内支付补助金。第二条，补助金由道府县，向道府县管辖区域内的购买组合联合会（以下简称道府县购买组合联合会）、产业组合、市农会、町村农会及其他农林大臣认为符合要求的团体，针对以下费用支付：1. 道府县内肥料配给统制事务专职职员设置费及其事务费，肥料配给统制事务专职及兼职职员的旅费；2. 在道府县购买组合联合会职员中设置专门负责肥料配给统制业务职员的费用；3. 在产业组合、市农会、町村农会及其他农林大臣认为合格的团体中设置肥料加工需要的器具、机械的费用。②

前者的农林省省令第十九号的内容可归纳如下：(1) 该省令第四款、第五款、第六款是针对共同利用中的农业机械的配给移动及修理费用，乃至购买共同利用农机具的补助制度；(2) 补助金的支付对象是：指导或介绍农机共同利用所需的费用，共同利用的农机的改装及修理费用，已拥有农机的购买费用，组建农机巡回修理班的费用，购买用于共同利用的改良农具的费用。

后者“肥料配给统制补助规则”的内容可归纳如下：(1) 该规则是促进对肥料配给统制的补助规则；(2) 补助金的支付方法是：向道府县或通过道府县向其管辖下的各种农林省大臣认为合格的相关团体支付；(3) 补助金的支付对象是：道府县内组建“肥料配给统制事务专职职员”及其办公费用，乃至专职及兼职职员的出差费用；在道府县管辖下的“购买组合”中组建负责肥料配给统制业务的专职职员的费用；农林省大臣认为合格的各种相关团体购买肥料加工器具及机械的费用。

---

①「官報　第三六七三号　昭和十四年四月六日　木曜日」，国立国会図書館所蔵。

②「官報　第四零二五号　昭和十五年六月八日　土曜日」，国立国会図書館所蔵。

从以上两项农业资材配给统制补助金支付对象上可以看出，政府的该项补助金的去向主要有两个方面：一是组建各种农业资材配给的监管机构，促进农机共同利用的中介及指导机构，乃至修理共同利用的农机具机构的费用；二是购买能够共同利用的农业机械及农具，乃至上述农机具的修理费用。

事实上自 1939 年起该项补助金的支付力度不断提高（见表 7-10）。表中数据表明，首先在 1936 年至 1945 年之间，政府在农业资材统制制度补助金中投入数额最多的当属肥料配给统制项目，其中购买肥料统制补助金占 61%，自给肥料增产补助金占 3.7%，并且 1938 年度之后，自给肥料增产补助金的投入大幅上升。以上数据一方面充分体现出肥料对日本农业的重要性；另一方面说明 1938 年之后，在侵华战争不断扩大的背景下，因日本国内生产集中于军工产业造成化学肥料减产，为此政府开始逐步增加自给肥料增产补助金，希望通过自给肥料的增产弥补化学肥料的不足。其次该期间农业资材统制补助金大量投入于农用机械及农具的共同利用供给设施，占总量的 33.3%；印证了政府面对农业资材不足问题采取的对策是，对不足资材的配给统制、促进及农机具的共同利用。

表 7-10　农业资材统制制度中国库补助金的投入轨迹（单位：日元）

年度	种子种苗改良	购买肥料	自给肥料增产	饲料购买	农机具耕牛马	农用公用设施	总计
1936	524,587	201,810	519,718	—	22,978	20,019	1,289,112
1937	103,922	203,119	555,790	—	26,142	958,210	1,847,183
1938	1,166,730	989,557	892,681	506,050	122,538	1,931,111	1,608,667
1939	1,672,832	11,425,985	1,492,420	3,209,286	273,451	1,795,990	19,869,964
1940	887,027	14,916,670	5,046,531	2,711,618	697,573	2,452,582	26,712,001
1941	1,751,821	47,166,770	5,337,068	1,405,437	—	1,297,160	56,965,456
1942	—	63,068,755	5,977,955	1,613,635	2,604,687	3,842,913	77,107,945

续表

年度	种子种苗改良	购买肥料	自给肥料增产	饲料购买	农机具耕牛马	农用公用设施	总计
1943	—	89,820,065	8,661,597	—	—	3,528,231	102,009,893
1944	—	104,888,846	—	—	—	159,384,820	264,273,684
1945	—	132,474,660	—	—	—	78,635,666	211,110,326
总计	6,106,919	465,156,237	28,483,760	9,446,026	3,711,369	253,846,702	762,794,231

根据国立国会図書館調査立法考查局编『農業補助金政策の推移』第 60—61 页制成，（油印，1950 年）。

值得注意的是，上述补助金投入期间与农山渔村经济更生运动相重合，而上文中提到这场政府主导的经济更生运动的主旨，在于利用传统的“邻保精神”及“自力更生”精神带动农山渔村经济复苏。归根结底，政府希望农民能够通过农业经济的组织化，自力更生解决农业经营过程中出现的问题。正如日本经济学家大门正克指出的那样，这是一场“巧妙诱发农民所具有的小生产者·经营者的一面，使其与产业组合相结合的“省钱的官制运动”①。而正是在这场“省钱的官制运动”中，政府却投入大量补助金，用来统制农业资材的配给及农机具的共同利用，这种政策上的矛盾足以证明日本战时农业统制政策的目的仅在于如何保证粮食生产之上。在这种战时农政体系下，日本农业生产结构出现明显的变化，表 7 - 11 是 1938 年至 1945 年间日本主要农作物种植面积比例，明显看到经济作物种植面积占比不到 20%，并且处于不断减少之中。这正是战时农政中保证粮食生产目标的政策意图的具体体现。

① 详细请参照大門正克著『近代日本と農村社会—農民世界の変容と国家』，日本経済評論社，1994 年。

表 7-11　战时日本农作物种植面积比例

年度	主食及自给肥饲料作物（万公顷）				合计A	经济作物（万公顷）				合计B	总计A+B	B/A+B(%)
	水稻	麦子	食用作物	绿肥及饲料		蔬菜	手工作物	桑叶	果树			
1938	332.1	163.5	113.9	56.3	655.8	58.2	30.6	55.0	—	157.5	813.3	19.4
1941	318.2	179.3	115.0	59.0	671.5	56.2	34.6	49.4	13.7	153.9	825.4	18.6
1945	289.3	172.5	118.3	44.9	625.0	45.1	15.3	24.2	10.3	94.9	719.9	13.2

注：引自阪本楠彦著『日本農業の経済法則』第 178 页，（東京大学出版会 1956）。

第六节　战时经济体制下的土地制度

二战前的 1920 年代，在日本农业经济关系中占据主导地位的地主与佃农的关系不断恶化，佃农斗争频发。为此如何调解地主与佃农之间的纠纷成为政府农地政策的焦点问题，1920 年“租佃制度调查委员会”成立，完善租佃制度开始进入政府的议事日程。然而，从法律上制约租佃关系的“租佃法草案”因来自多方面的反对并未能进入国会审议程序，1924（大正 13）年 7 月《租佃调解法》公布。该法的第一条规定，“在产生佃租及其他租佃关系上的争议之际，当事人可以向产生争议的土地所在地区的法院申请调解”，明确了该法的意图是通过法律程序“调解”租佃关系中产生的所有争议。而日本政府并未放弃从法律上规制租佃关系的愿望，“租佃法草案”终于在 1931（昭和 6）年 2 月，由政府提交第 59 届帝国议会审议，虽然经修改后通过众议院的审议，但贵族院审议未果，“租佃法草案”的立法失败。此后从 1934 年至 1937 年“租佃法草案”曾 5 次出现在国会（第 65、67、69、70、71 届）提案之中，但立法审议草案均为众议院议员杉山元治郎等提交，并且审议未果，而政府方面关于该法案的动议自 1931 年“租佃法草案”审议失败后一直没有出现。

1929 年美国始发的世界经济危机波及日本后，特别是农村经济陷入困难境地，农业危机愈加严重，政府主导的“农山渔村经济更生运动”随即展开。该运动中，政府将“整备土地分配及土地利用的合理化，改善农业经营组织”作为重要目标提出，其中包括“农地分配的合理化，耕地的交换分合，自耕农地的维持创建，农地开垦，耕地改良，土地及资本利用的集中化，农业经营组织的多元化，农业组合的正当化”①等内容。可以看到农地相关政策的调整、弱化租佃关系的矛盾，同样是政府希望在本次经济更生运动中达到的重要目标。然而事与愿违，1930 年代后租佃关系仍然不断恶化，佃农斗争逐渐扩大，直至 1937 年卢沟桥事变发生，日本国内进入战时统制经济体制之时，租佃关系仍未出现好转。该时期佃农斗争的发展过程可见表 7 - 12，佃农斗争的数量及参加人数，乃至涉及农地的面积均处于大幅度增长趋势。

表 7 - 12　1930—1937 年日本佃农斗争的发展(单位:人数＝千人,土地面积＝千公顷)

年度	1930	1931	1932	1933	1934	1935	1936	1937
件数	2,478	3,419	3,414	4,000	5,828	6,824	6,804	6,170
参加佃农人数	58.6	81.1	61.5	48.1	121.0	84.6	53.9	63.2
参加地主人数	14.2	23.8	16.7	14.3	34.0	28.6	23.3	20.2
涉及土地面积	39.8	60.4	39.0	30.6	85.8	70.7	46.4	39.6

注:根据農林省農務局編『小作年報』昭和 5 年—昭和 12 年制成,(農林省農務局,1930—1937 年)。

根据农林省农务局编辑的《租佃年报》中的记载，1930 年代的佃农斗争中，佃农的诉求与 1920 年代的佃农斗争有所不同，1920 年代佃农的诉求主要集中于要求削减佃租之上，而 1930 年代佃农的诉求，则主要集中于反对因佃租滞纳被收回租佃地的问题之上。无论是从佃农斗争大幅度增加或是从斗争内容的变化上，均能了解 1930 年代的农业危机带给农业、农民，特别是佃农的打击力度之大。1937 年 2 月，政府向第 70 届帝国议会提交“农地法草案”，指出：

① 農林省編『農山漁村経済更生計画樹立方針』，農林省，1932 年，第 16—19 页。

> 租佃调解法的实施，自耕农创建维持补助及其他相关政策的推行，使佃农斗争开始减少……但不幸的是近年来农村的萧条及各种灾害的影响，佃农斗争再次增加，特别是围绕收回租佃地的斗争增加，其调解出现困难……现在租佃关系的法规不完备，旧的租佃习惯已经不符合时代的要求，仅靠租佃调解法也无法圆满解决问题……整备农地使用收益关系的法制体系极为重要。农地法的主旨正是遵循互让互助精神，一方面创建维持自耕地，一方面调整农地的使用收益关系、改善农地相关事宜、安定农户的经济及生活、促进农村振兴。①

对以上史料内容可解读如下：(1)《租佃调解法》的实施虽然一度使佃农斗争得到缓解，但是由于农业危机的影响，佃农斗争再次增加，并且斗争焦点升级，仅依靠《租佃调解法》已经无法解决两者间的矛盾。(2) 旧的不在法律规定之下的租佃关系已经不符合时代的要求，因此有必要整备法律体制，制定新的“农地使用收益关系的法制体系”，即本次提交国会审议的“农地法草案”。然而，“农地法草案”因林铣十郎内阁的总辞职，审议未果而立法失败。1938 年 1 月，政府向第 73 届帝国议会提交“农地调整法草案”，农林省大臣有马赖宁的法案提交理由陈述中，可以看到与上届内阁农林大臣山田达之辅在“农地法草案”提交理由陈述中同样的内容，即因“各地佃农斗争，特别是关于收回土地的斗争显著增加，解决困难”，故希望通过“农地调整法”的成立，“调整、改善有关农地的各种关系”②。事实上，本次政府提交的“农地调整法草案”不仅基本继承了“农地法草案”的精神，同时基本继承了曾经多次审议未果的“租佃法草案”的精神，可以说政府从法律上规制农地各种关系，特别是租佃关系的愿望终于在战时统制经济体制的压力下，以《农地调整法》的形式，于 1938 年 4 月公布实施。关于该法的历史意义，农政学家小仓武一给予了较高

① 「第七十回帝国議会衆議院議事速記録第十四号」，国立国会図書館所蔵。

② 「第七十三回帝国議会衆議院議事速記録第八号」，国立国会図書館所蔵。

的评价，指出该法虽并未对土地制度给予“足够的改善”，但是该法的成立迈开了改革“对通过地券的发行及地租改正在法律上承认的、具有‘地主性’特点的土地所有权，乃至通过民法对该土地所有权进行了严格规定的日本近代土地制度的第一步”①。

《农地调整法》指出可以在道府县、市町村建立农地委员会，以便处理自耕农的创建与维持、租佃关系的调整、农地的交换分合以及其他农地相关事宜；政府通过该法的实施，及地方各级“农地委员会”的成立，加强统制农地的意图非常明显。《农地调整法》的主要内容如下：(1) 为了自耕农的创建及维持，地方官厅有权要求与地主进行关于土地转让的协商。(2) 农地的承租人具有向第三者主张租佃地物权的权利，出租人在承租人无背信行为的条件下，无权自行解约或拒绝续租，地主对租佃地进行处分之时，有义务向市町村农地委员会申报。② (3) 未开垦地被用于自耕农创建事业之际，该事业实施者有权强行向所有者征用该未开垦土地。(4) 调解租佃纠纷之际，即使无当事者申诉，“租佃调解官”③及法院有权在其职权范围内进行调解及判决。以上述法律条文为依据，第一，政府可以为了推行自耕农创建维持政策，即为了扩大自耕农的数量，要求地主转让手中的土地，乃至强行征购地主手中的未开垦土地；第二，承租人可以拒绝中断租佃关系，并当地主自行将土地另租或卖予他人之时，承租人可以对第三者主张对于土地的物权，租佃调解官有权强行调解租佃纠纷。无疑《农地调整法》出台后，租佃地土地所有者的物权被弱化，同时佃农对土地的使用权，乃至物权从法律上得到了一定的保护。

① 小倉武一著『土地立法の史的考察』，農業総合研究所，1951年，第672页。

②《农地调整法》的第八条第一款规定，“当无登记的租佃农地被转租之后，可以向新租佃者主张该农地的物权”，即原租佃者具有向第三者主张该农地物权的权利，在一定程度上削弱了该农地的所有者、即地主的所有权；第九条第一款规定，“农地在承租人，除在无须出租人宽限佃租的情况下，肆意背信延迟缴纳佃租之外，出租人无权自行解约租佃关系或拒绝续租”，加强了对农地租佃权的保护。

③“租佃调解官”，原文“小作官”，指根据《租佃调解法》设置的调解租佃纷争的辅助机关，负责调查租佃关系的具体状况、预防争议及佃农斗争的产生、调解租佃纷争。

然而值得注意的是，该法第一条中明确指出："本法的目的在于，本着互让互助的精神，为了达到稳定土地所有者及耕种者的地位及维持发展农业生产力、保证农村的经济更生及和平的目标调整农地关系。"可见调整农地关系并非单纯为了保护租佃者的权利，而是为了稳定土地所有者及耕种者两者各自的地位，即减少租佃纠纷，最终达到保证农村经济更生的目标；其中维持发展农业生产力、保证农村经济更生的主要方法之一，便是该法鼎力推广的"自耕农创建维持事业"。

《农地调整法》成立后，自耕农创建维持事业迅速展开(见表 7-13)。对表中数据可解读如下：第一，战时统制经济体制下，自耕农创建维持事业出现了两次高潮，一是初期的 1937 年至 1939 年间，一是终期的 1943 年至 1945 年间。前一个高潮，无疑因《农地调整法》的成立及实施，政府加强了自耕农创建维持事业的监管力度而出现，后者则与政府的"促进确立皇国农村政策"相关。1941 年 1 月，农山渔村经济更生运动结束后，政府出台了以"关于促进确立皇国农村事宜"①为题的内阁决议，指出"为了确保一定数量农村人口及实现主要粮食的自给，必须确立皇国农村使其成为维持培养皇国农业及农民的基地"②，其主要方法包括"建设标准农村、强化自耕农创建维持事业"等。为此政府加强了自耕农创建维持资金的投入，从初期的 2 千万日元左右，最高增加至 1944 年的将近 1 亿日元，后三年的年平均费用达 6 千万日元以上，补助力度达到初期的三倍。

第二，该时期创建及维持自耕农政策推行过程中，无论是耕地面积或是农户数量上均有大幅的增长。值得注意的是，虽然整个战时统制经济时期，通过自耕农创建事业将近 17.5 万公顷的农地成为自耕农地，在调整租佃关系上起到了一定程度的作用；但是仍然可以看到，租佃农地的面积在全国农地面积中所占的比例从 1937 年的 46.4%，降至 1945 年

---

① 原文"皇国農村確立促進ニ関スル件"。

②「皇国農村確立促進ニ関スル件」，昭和前半期閣議決定等，国立国会図書館リサーチ・ナビ，https://rnavi.ndl.go.jp/politics/entry/bib00424.php。

的43.5%,仅仅降低了2.9个百分点,租佃农户在全国农户中所占的比例同样没有显著的改善。

表7-13 战时统制经济体制下自耕农创建及维持政策实施状况

	面积(公顷)			租佃面积全国占比	农户数(户)			租佃农户全国占比	创建维持资金(千元)
年度	创建	维持	合计		创建	维持	合计		
1937	13,335	952	14,287	46.4	19,514	2,311	21,825	68.9	18,546
1938	17,169	1,022	18,191	46.6	21,185	2,437	23,622	69.3	20,167
1939	12,390	758	13,148	45.8	16,869	1,823	18,701	69.0	18,047
1940	8,800	421	9,220	43.5	14,161	977	15,138	—	15,502
1941	8,326	284	8,574	45.9	12,893	550	13,443	68.4	14,997
1942	8,967	195	9,162	—	12,937	568	13,505	68.1	16,592
1943	10,869	504	11,373	—	14,388	1,056	15,444	68.1	23,704
1944	41,187	1,914	43,101	46.4	58,229	4,275	62,504	68.5	99,217
1945	53,823	2,501	56,324	43.5	76,266	5,600	81,866	—	57,294

注:根据大内力著『農業史』第271页,(東洋経済新報社,1960年);農林省農務局編『本邦農業要覧　昭和17年』,(大日本農会,1942年);農林省大臣官房広報課編『昭和24年版農林年鑑』16页,(日本農村調査会,1949年);民主主義学者協会農業部会編『日本農業年報』第44页,(月曜書房,1949年)制成。租佃农户占比是包括自耕兼租佃农户在内的占比。

除以上农地相关法律整备之外,政府还通过敕令的方式加强对农地制度的统制,于1939年12月及1941年1月,先后公布了"佃租统制令"及"临时农地价格统制令",对佃租及农地价格等进行严格控制。前者指出,佃租适用于同年公布的"价格统制令"中将物价锁定为同年9月18日价格的规定,现有佃租不得任意提高,如现有佃租过高需要降低之际,必须经市町村或地方长官认可。但是由于该敕令以实物(大米)佃租为前提,在米价不断升高的条件下,事实上并无法起到限制佃租上涨的作用。后者同样对农地的贩卖价格进行限制,规定农地价格以租赁价格为基础,由农林省决定地价倍率系数计算,不得随意提高,该倍率系数同样锁定于1939年9月18日价格系数。政府农地价格统制政策的出台,虽然与战时体制下军需工厂用地需求扩大，以及市民为了确保粮食等食物而购入农地事例的增加，使农地价格暴涨有关，但更主要的原因在于农地价格升高会使政府自耕农创建维持政策的实施出现一定的困难。

综上，十五年战争期间日本国内经济体制，从国家垄断资本主义发展为战时国家垄断资本主义，整个过程均与日本对中国的侵略密切相关。在这种以军国主义为中心的国家垄断资本主义体制下，从工业角度来看，军工产业确实得到长足的发展，但是同时本已成为最大换汇产业的纺织业却开始衰退；从农业角度来看，农业更是受到了毁灭性的打击。在明治时期开始的整个日本资本主义发展过程中，经济作物的种植、养殖业及果树种植业的兴起，使长期以来以大米为中心的农业生产结构得到一定的改善，然而战争经济体制下的农业统制政策，特别是 1937 年以后，以主要粮食作物的生产为中心的农业政策的展开，使“农业生产脱离了大正时期以来的商业性发展方向，农业生产结构出现了数十年的退化”①。除此之外，农业生产量由于农业资材及劳动力减少而下降，战争末期国内粮食不足成为常态；加之 1945 年败战，日本不仅丧失了大量殖民地产大米的“移入”，并且有 150 万左右因败战归国的人员，导致日本在饥饿中迎来了军国体制的崩溃。

① 島恭彦「戦争と国家独占資本主義」，岩波講座『日本歴史　現代 4』，岩波書店，1968 年，第 40 页。

第八章　战后日本农地改革的推行过程

第二次世界大战后，日本资本主义以败战为契机开始进入重建期，高度经济成长期企业集团的成立是日本战后垄断资本主义形成的标志；与战前垄断资本主义不同的是，战后该体制不再具有财阀垄断的特点，其成立的大前提是加入以美国为中心的资本主义体系。① 无疑战后日本垄断资本主义再建的过程也是日本经济复兴的过程，而农业的复兴是战后日本经济复兴的重要环节。日本经济学家大内力指出：战后日本资本主义的再建过程，是在"将资本再积累的负担交给农业承担的条件下开始的过程"，该过程中"通过占领军之手推行的日本民主化政策中的一环，所谓以农村民主化为目的的各项政策强力展开。其中……在经济上具有重要意义的，毋庸置疑是农地改革及农业协同组合的成立。上述政策不是单纯的'民主化'政策，在一定程度上与日本资本主义再建相关联…… 其实施使迄今为止的日本农业经济构造以及农村社会构造产生巨大的变化，其后日本农业将在这个全新的舞台上发展"②。大内认为农地改革不仅与战后日本资本主义再建相关联，同时农地改革等农业相关

① 详细请参照金子貞吉「戦後日本資本主義の構造転換」，中央大学経済研究所研究叢書 42『現代日本資本主義』，中央大学出版部，2007 年。

② 前出大内力著『農業史』，第 339—340 页。

政策的实施，为战后日本农业发展搭建了一个全新的舞台。

第一节　农地改革的立法过程

1945年8月14日，日本内阁会议决定接受波茨坦公告，当晚23时将此决定通知盟国方面，表示将无条件投降；8月15日正午，日本天皇通过广播向全日本国民宣布败战，此后直至1952年4月《旧金山和约》生效迄，日本一直在盟军（事实上是美军）的占领之下。占领期美军对日本采取间接统治方式，即通过必须接受盟军司令部（GHQ）指令的日本政府进行间接统治。这一点在美国总统杜鲁门《关于盟军最高司令官权限问题致麦克阿瑟的通知》中表现得非常清楚："天皇和日本政府统治国家的权限，隶属于作为盟军司令官的贵官"，并明确指出"必要之时有权实行包括诉诸武力的措施"①，可见盟军司令官麦克阿瑟的权力高于天皇和日本政府。在以上背景下起步的对日占领政策的最大特点，是对战前整个社会及法律体制的改革，即所谓战后改革，而其中农地改革成为当时对日本具有绝对统制权力的盟军司令官麦克阿瑟的骄傲。麦克阿瑟归国后在美国国会上的演说中说到农地改革是："了不起的成功，罗马帝国时代的格拉古兄弟的改革以来还没有过如此成功的改革"，足见他对自己在日本的功绩中最为自赏的是农地改革。然而，英国著名经济学家罗纳德·多尔对麦克阿瑟的自赏有着不同的看法："实际上，被作为（麦克阿瑟——笔者注）骄傲的农地改革，是美国方面在怎样的判断下、在哪位的提议下、以怎样的契机实现的呢？如果没有日本政府第一次农地改革案的立法，总司令部是否会着手农地改革呢？相反如果日本政府没有意识到总司令部方面一定会要求进行农地改革的话，还会决定提交改革法

① 「連合国最高司令官の権限に関するマッカーサーへの通達　1945年9月6日」，国立国会図書館所蔵。

案吗?"[①]罗纳德对农地改革立法的过程提出了疑问,不可否认该法案的立法过程是解释当时日本政府在占领期统治体制中所扮演的角色的最具代表性的案例。那么,农地改革是否在麦克阿瑟,或者说GHQ的绝对主导下起步,答案可以在《农地改革始末概要》[②]中找到。

对上述史料中的记载可整理如下。[③]

(1) 1945年8月17日,东久迩内阁成立,8月下旬东久迩发表题为"新日本建设的经纶"的声明,指出民生安定的方向,是贯彻国民皆农的精神,因此"首先应大量开垦荒地,耕种已经不需要的军用土地,在此基础上分配大规模既垦土地"。

(2) 同年8月28日,全国农业会长会议召开,通过以"新农业政策纲领"为题的决议。明确指出应迅速确立以农业立国为基础的立国方针,为培育具有合理农地规模的专业农户合理分配耕地,为促进大规模农业实施土地的交换分合及耕地整理事业,实现集团农地化。

(3) 同年9月,朝日新闻就总理的声明发表题为"新农村建设与土地问题"的文章,指出"众所周知,粮食增产的瓶颈是土地问题,不得不说土地制度的改革必然会遇到相当的抵制及障碍,因此执政者均缄口不谈此事,故意拖延至今。现总理大胆率直披露己见,粮食增产前途光明",婉转提出了土地制度改革的必要性。

(4) 同年9月26日,《曼彻斯特卫报》社论指出:日本"军部已经受到打击,但是财阀、官僚、地主却依然存在,这些变革才能表现出美国政策的积极性,否则日本经济必然面临困难……农业改革是日本改革的第一步",海外舆论更加直接地指出了日本农地改革的重要性。

(5) 同年10月6日,东久迩内阁倒台,币原内阁成立,松村谦三任农林相。松村在就职演说中提到,"土地问题就是要广泛创建自耕农,战时

① R.P.ドーア「進住軍の農地改革構想—歴史の一断面」,暉峻衆三編『農地改革Ⅰ』,農山漁村文化協会,1985年,第7页。

② 原文農林省監修・農地改革記録委員会編纂『農地改革顛末概要』,農政調査会,1951年。

③ 前出農林省監修・農地改革記録委員会編纂『農地改革顛末概要』,第102—128页。

体制下的农业会等具有官制性，两者均应交回农民的手中”，并于同年10月13日拟定了“农地改革草案纲领”。此后农林省农政局于同年10月至11月间，悄然研讨农地改革草案。

(6) 同年10月11日，麦克阿瑟对币原提出“五大改革指令”，其中包括“解放妇女、给予妇女参政权，奖励组建劳动组合，推行教育自由主义化，废除秘密警察制度，促进经济机构的民主化”。此时华盛顿外电指出：“土地制度是日本帝国主义制度的支柱之一，日本农民的一半以上都是向大地主缴纳实物或货币佃租、隶属于大地主的佃农，日本军队的大部分由这些贫农组成。GHQ是否会着手解除这些大土地所有，仍不明了。”

(7) 同年11月12日，GHQ在总结日本形势时指出，“很快将实施的措施是，解除将农民及其家属置于接近奴隶状态中的所有条件”，首次向日本政府暗示将令其实施土地制度的改革。

(8) 11月14日，《芝加哥每日新闻》特派员突然报道了农林省农政局拟定的农地改革草案，引起很大的轰动。文章指出，“对于这个问题日本政府首次表现出令人吃惊的主导性。日本农业中的封建制度将从根本上改革，这一点的确符合盟军的建议。但美军当局指出并未对农业问题发出特定的指令”。

(9) 11月16日，第一次农地改革纲要“关于农地制度改革事宜”提交内阁会议审议。11月22日，纲要经过修订及追加之后通过内阁审议，23日公布。同年12月6日，《农地调整法修改法案》提交第89届议会审议。同年12月9日，GHQ对日本政府发布《关于农地改革的备忘录》，指令日本政府“解放农民”，并要求日本政府在次年3月15日之前向GHQ提交答案。12月28日，《农地调整法修改法律》公布，1946年1月26日“实施规则”公布。

(10) 1946年3月5日，朝日新闻刊登以《断然实施第二次农地改革》为题的文章。1946年3月12日，盟总官员拉蒂金斯基少佐在记者会见上提到，日本的《农地调整法修改法律》仅是“农地改革的第一步，绝不是彻底的改革。全国半数以上的租佃地仍然存在,政府将改革的实际操作交给了地方团体,结果依循了地主方面的意图,这使得改革失去了真正的意义”。1946 年 3 月 15 日,日本政府向 GHQ 提交对《关于农地改革的备忘录》的回答,指出将会再次对《农地调整法》进行修改。

(11) 1946 年 5 月 22 日,吉田内阁成立,原农林省农政局长和田博雄任农林大臣。与此同时,GHQ 认为日本政府无力彻底完成农地改革,暗示日本政府将指令其根据“英国案”[①]重新制定法案。然而一个月后的 6 月,GHQ 突然修改方针,认为农地改革影响重大,由日本政府自由立案更有利于日本人接受,因此放弃对日本政府提出“指令”改为对其进行“劝告”,日本政府根据该“劝告”着手制定新法案。同年 7 月《关于彻底进行农地制度改革的措施纲要》通过内阁会议决议,8 月 6 日,第二次农地改革法案《自耕农创建特别措施法》及《农地调整法修订法律》通过内阁审议,第二次农地改革开始。

可以认为,日本战后农地改革法案的立法过程经过了以上十一个程序后彻底完成,对以上过程可做如下分析。

首先,对第(1)、(2)、(3)、(4)条的内容可解读如下:第一,1945 年 8 月 17 日成立的日本战后第一届内阁总理东久迩在任职后的声明中特别表示,新日本建设的主旨在于要基于全民皆农的精神,开垦荒地并“分配大规模既垦土地”扩大农耕。其目标是为了解决粮食自给问题,扩大农业生产。无疑东久迩内阁的新日本建设政策中农业政策占据重要的位置,其内容是粮食增产,为此对“大规模既垦土地”进行分配。值得注意的是,东久迩所指“大规模既垦土地”应该是败战前耕地整理事业中新开垦的土地,其多数是集体或公司经营下的农地,因此可以推断此时政府的农业政策的主线是粮食增产,其中并未包括触动地主土地所有权部分的内容。第二,民间农业团体(以系统农会为主)制定的“新农业政策纲领”的内容中,仅仅提出要经过农地的“交换分合及耕地整理”对农地进

① 盟国共同商议的结果,对中国代表的发言进行修改后的方案。

行合理分配，扩大农业经营规模，进而达到粮食增产的目的；可见该时期民间农业团体中同样仍未对半封建性“地主性土地所有”提出质疑。第三，最先对日本半封建性土地所有制度进行质疑的当属朝日新闻，该媒体在同年9月发表的文章中，运用对总理声明的过度解释的方法，委婉指出日本农业问题出在土地制度之上，首次明确了土地制度改革的必要性。第四，同年9月英国媒体指出日本虽然军事政权倒台，但是战前体制的遗留问题仍然很多，其中包括地主问题，指出农业改革是日本战后改革的第一步。

其次，对第(5)、(6)、(7)条解读如下：1945年10月6日东久迩内阁总辞职，币原内阁成立。松村担任币原内阁的农相，其就职演说中提出了改革农会组织及土地制度的问题，并于10月13日拟定了农地改革草案纲领。而盟总方面则于10月11日对币原内阁提出了“五大改革指令”，其中“促进经济机构的民主化”无疑与土地制度相关，但是就土地制度改革问题华盛顿外电做出了“盟军是否解除这些大土地所有，仍不明了”的评价。GHQ方面第一次就土地制度问题表明态度是同年的11月12日，在日本现状分析中表示将会解除日本半封建性土地制度。值得注意的是，这里的用词不是“指令”而是“将会”，而此时日本方面已经开始着手拟定农地改革草案。

第三，对(8)、(9)、(10)条解读如下：首先同年11月14日，《芝加哥每日新闻》突然曝光了日本政府拟定的农地改革草案，文章中感叹对农地改革问题日本政府“首次表现出令人吃惊的主导性”，并且指出“美军当局指出并未对农业问题发出特定的指令”；仅就该报道内容可知，日本政府拟定的农地改革草案并非在GHQ的指令下出台。同时，在以上GHQ11月12日对日暗示“将会”对日本土地制度进行改革的4天后的11月16日，日本政府案已经被提交内阁会议审议，12月28日《农地调整法修改法律》公布，并于1946年1月26日开始实施。其次1946年1月农地改革实施后，日本国内对其内容的不满在1946年3月5日朝日新闻的报道中得到充分体现，该改革实施不到两个月已经有“断然实施第二次农地改革”的呼声。同年3月12日，GHQ担当官员也在记者面前明确了对日本政府主导的农地改革的评价，指出这仅仅是“农地改革的第一步”，表达了对该改革的不满情绪。为此日本政府不得不表示，将进行第二次农地改革。

第四，对第(11)条解读如下：吉田内阁成立后，农地改革问题进展迅速，GHQ在一度决定对日本政府进行“指令”之后调整方针，决定将“指令”缓解为“劝告”，第二次农地改革在GHQ的“劝告”下实施。关于此次方针调整，《农地改革始末概要》中的记载如下：就在“政府（指日本政府——笔者注）感到已经无法避免GHQ发布指令的情况下，6月下旬情况急转，麦克阿瑟及其助手认为农地改革的影响极为重大，该事宜由日本政府自由立案将更有利于日本人顺理成章地接受”①。

对史料的解读能够说明以下几点问题：(1) 正如罗纳德质疑的那样，农地改革的立法过程，并非单纯美、日某一方面的单独主导。在第一个阶段中能够看到日本政府在该问题上表现出的自主及迅敏对策，相反GHQ则在决策上落后于日本，乃至国外媒体对GHQ在该问题上的态度提出质疑。日本政府在1945年11月12日被GHQ暗示“将会”令其改革土地制度之后，迅速通过美国媒体突然曝光政府的农地改革草案，置GHQ于被动的地位。应该说在第一次农地改革立案的过程中，日本方面尽最大的努力赶在GHQ之前提出了自己的改革方案并公布于众。1945年11月23日，该法案的公布日对日本农政官员来讲，应该是一个值得纪念的日子。然而，日本政府在战后混乱期，急于赶在GHQ之前推出农地改革方案的原因何在。首先，战后初期在GHQ的主导下，推行废除日本治安警察法、释放政治犯等民主化政策，日本单一无产政党、社会党成立，共产思想的影响不断扩大；加之粮食危机问题严重，导致民众暴动不断发生；“粮食暴动及共产思想的扩散使政府感到恐惧”②。其次，币

① 前出農林省監修・農地改革記録委員会編纂『農地改革顛末概要』，第125页。

② 前出暉峻衆三著『日本農業100年の歩み』，第196页。

原内阁的《关于农地制度改革事宜》提交内阁审议之时，日本政府认识到“解散财阀的指令已经发布，停止军需公司补助决定亦已出台，随时都有可能对地主性土地所有采取措施”，因此主动制定改革大纲，苦心经营，希望将“改革保持在最低温度，以维持日本的传统”[①]。(2) 第二次农地改革的实施过程中，日美的角色却出现了完全的反转。GHQ 于 1945 年 12 月 9 日对日提出的《关于农地改革的备忘录》中，首次对日本政府主导的农地改革表示了不满，次年 3 月 12 日 GHQ 担当官员直接指出，本次改革仅为“农地改革的第一步”，预示将会推行第二次农地改革。虽然此后 GHQ 将对日“指令”改为“劝告”，但仍可以看出第二次农地改革实际上是在 GHQ 的监督下实施，“劝告”是为了“便于日本人接受”改革结果，因此第二次农地改革基本贯彻了 GHQ 的主张。

值得注意的是，通过以上对史料的考察分析可知，在日本战后农地改革的立法过程中，日本政府具有一定的主导性，“二战后日本的农地改革是在米国占领当局的强制或主导下进行的”[②]这一学术界的一般概念，实际上并不准确。而且指出这一点非常重要，因为农地改革事实上是剥夺了地主手中的土地所有权，这一点直接触及了资本主义体制中最基础的部分，尽管其目的是为了剥离战前日本土地制度中存在的半封建性租佃关系。也正因为如此，GHQ 虽然对农地改革的方向持有明确的认识，但却没有具体的方案；而该方案，即农地改革法案是由日本政府制定的。“自耕农创建”一直是日本农政官员的夙愿，而这个夙愿终于在 GHQ 的帮助下得以实现。吉田茂曾指出：如果没有农政官员的努力及长时期的准备，“在非共产主义国家进行的农地改革中最彻底的”日本农地改革则无法实现。的确，这一点不应该被研究者忽视。

---

① 前出農林省監修・農地改革記録委員会編纂『農地改革顛末概要』，第 107 页。

② 傅冠华《论外部因素在日本农地改革中的作用》，《山东师范大学学报（人文社会科学版）》第 229 期，2010 年，第 95 页。

第二节　两次农地改革法案内容的比较

1945 年 8 月 15 日的无条件投降，可以说是日本军国主义“用尽了所有可以用来进行战争的力量的结果，因此败战给日本留下的是成为废墟的国土及身心疲惫的国民，国家的经济活动几乎完全停摆”[①]，战后的日本处于“几乎失去所有生活手段的八千万人拥挤在四个岛上”[②]的状态之中。根据《战争对我国经济的损害》[③]记载，战争给日本经济带来的损害总额为 497 亿日元(战时价格)，工厂设备损失 30%—50%；除此之外间接损害——除人员损害外，战争中因缺乏整备而过度使用设备产生的设备陈旧化、山林及碳矿等的乱伐乱采造成的自然荒废、农业的掠夺式生产造成的农地地力损耗等——均令人瞠目。仅就农业来讲，农林大臣松村谦三在第 89 届帝国议会上的讲话中指出：“毋庸置疑，今天粮食危机已经到了极为严重的地步，如今不能只处理眼前的问题，必须通过培育坚实的农户及农村才能达到解决粮食危机及农村危机的目的。然而战时不触及这些根本问题，仅仅盯着征购及配给等迫在眉睫的问题，忽视了培育农村的根本，这正是今天粮食危机的最大原因之一。”[④]讲话道出了日本战后除了在荒废的国土上，拥挤着八千万几乎无生存手段的人之外，这些人还无法获得足够维持生存的粮食。粮食危机是当时农业问题中的首要问题，而政府已经认识到，解决粮食危机不能再像战时体制下那样仅仅利用强制性“征购及配给”等手段，必须从“培育农村的根本”入手。可以推测解决粮食危机，也是日本政府在 GHQ 未下达指令的情况下便主导开始制定农地改革法案的重要原因之一。

值得注意的是，在 1945 年 12 月 28 日第一次农地改革法案《农地调

---

① 前出大内力著『農業史』，第 304 页。

② 同上。

③ 経済安定本部総裁官房調査課編『我国経済の戦争被害』，経済安定本部調査課，1948 年。

④「第八十九回帝国議会衆議院議事速記録第七号」，国立国会図書館所蔵。

整法修改法律》[①]（以下简称“法律第 64 号”）出台之前，GHQ 已经于同年 12 月 9 日，向日本政府提出了《关于农地改革的备忘录》（以下简称“备忘录”），要求日本政府于次年的 3 月 15 日之前就农地改革问题向 GHQ 提交“答复”。从时间顺序上看日本政府是在接到 GHQ 的“备忘录”之后，并在被要求“答复”的次年 3 月 15 日之前，自主将农地改革方案提交，并通过了国会审议。第一次农地改革果然与 GHQ 的预想存在一定的距离，1946 年 6 月下旬，日本政府接到 GHQ 的“劝告”，开始着手制定第二次农地改革方案。同年 8 月 6 日，“自耕农创建特别措施法案”及“农地调整法修改法律案”通过内阁会议决议，并于 9 月 7 日提交国会审议，于 10 月 21 日通过审议。前后三个法案以及前后两个 GHQ 文件（“备忘录”及“劝告”）在内容上的差异，不仅是两次农地改革最好的注解，同时也体现了日本政府与 GHQ 在立场上的差异。

首先，对第一次农地改革法，即“第 64 号法律”及 GHQ 的“备忘录”的主要内容可归纳并解读如下。

对“法律第 64 号”主要内容的归纳及解读：第一，该法案并非以单独法律的形式，而是以修改 1938 年成立的《农地调整法》的形式出现，第一条沿用了 1938 年法律的原文，指出“本法的目的在于，本着互让互助的精神，为了谋求土地所有者及耕种者地位的安定，维持发展农业生产力，保证农村的经济更生及和平，对农地关系进行调整”。这种通过修改《农地调整法》进行农地改革的方法，使其染上仅是战前农地制度的延续之色彩，可见日本政府希望在这种色彩操作中削减地主阶层对农地改革的反感。事实上从败战至 1946 年 6 月迄，根据来自各地方官厅的报告，各地大约发生 25 万件地主要求佃农返还农地的事件，其中将近 2.3 万件

① 原文「農地調整法中改正法律」，（1945 年 12 月 29 日法律第 64 号）。关于该法律《农地改革始末概要》中的记载是 1945 年 12 月 28 日法律第 64 号，但是日本国立国会图书馆“日本法令索引”中的记载是 1945 年 12 月 29 日法律第 64 号。本文在引用不同史料之时遵循各自原史料的记载。

发展为佃农斗争[①];政府在第一次农地改革之际采用修改旧法的方法,削减其"改革色彩"的本意亦在于此。

第二,关于自耕农创建对象问题。该法规定自耕农创建对象为土地所有者所持超出"敕令规定的面积"之外的租佃农地。换言之,地主能够"保留"的租佃农地面积为政府通过"敕令规定的面积",规定面积之外的所有租佃农地必须供政府用来创建自耕农所用。在制定"敕令规定的面积"之际,出现了政府主张(平均 5 公顷)与议会主张(最低 4 公顷)的两个标准;最终以上述两个标准为前提,根据各都道府县自耕农最高标准面积、耕地面积、平均每反农作物价格及平均每反农地价格计算各自"保留农地"标准,其结果最高为北海道的 19 公顷,最低为奈良的 3.6 公顷。议会审议中就政府提议的"平均 5 公顷"标准各地议员展开了激烈的争议,其焦点实际上在于维护本地区地主利益之上。如果根据"平均 5 公顷"的配额,北海道及东北地区等自耕农地及自耕农数量居多地区的地主便能够"保留"更多的租佃农地,而自耕农地及自耕农数量较少的近畿地区则相反。事实上近畿以西的议员反复提出保障府县"保留农地面积"的要求,因此农林大臣松村表示该数字"若低于 4 公顷亦保证其接近 4 公顷规模"。

第三,关于农地价格问题。"为了自耕农户经营的安定及提高,继续对农地价格进行统制",但是放弃九・一八价格[②],重新设定"自耕收益价格",该价格"根据地租法的租赁价格,与由主管大臣制定的系数相乘得出"。关于"自耕收益价格"的设定,在法案审议议会上同样引起了很大的质疑,认为"我们的土地不得不以便宜的价格,不及黑市上两斗米的价格卖掉,这简直太过分,坚决反对"[③]。

---

① 数字来源于前出農林省監修・農地改革記録委員会編纂『農地改革顛末概要』,第 122 页。

② 上文中曾出现,1941 年政府发布"临时农地价格统制令",其中规定政府对农地价格进行统制,并规定将农地价格系数锁定为 1939 年 9 月 18 日的价格系数。而农地改革法案决定政府继续对农地价格进行统制,但放弃了九・一八价格系数,重新设定农地的"自耕收益价格"。

③ 前出農林省監修・農地改革記録委員会編纂『農地改革顛末概要』,第 114 页。

第四，关于自耕农创建资金问题。原则上佃农的土地购入资金，由自身筹备，需要提供资金之际，可以以长期借贷方式提供融资。关于佃租问题。在自耕农强化的同时，强制性规定取消实物佃租，实行货币佃租。地租的货币化问题同样在议会审议过程中受到多数议员的反对，其理由主要集中于实行佃租的货币化，有可能使地主经营受到恶性通货膨胀的影响，以及可能会影响政府大米征购数量等论点之上。

第五，关于市町村农地委员会问题。指出“促进自耕农创建、佃租的正当化、农地制度改革，需要地主及耕种者的共同协作，为此成立市町村农地委员会；为了公正的代表两者各自立场，委员采取选举方法选出，并给予其广泛的权利促使其自主解决问题”；委员会由地主、自耕农、佃农各五名组成。

以上第二、三、四、五项内容及议会审议过程中的具体动向，非常清楚地体现了参与法案审议的群体的立场，正是该立法机关的立场使第一次农地改革必然具有保守性色彩。

对“备忘录”主要内容的归纳及解读：第一，“备忘录”第一条指出，“排除促进民主化的经济障碍，为了贯彻尊重人权打破数世纪以来在封建制度下奴役日本农民的经济枷锁，命令日本政府必须保证耕种农民拥有享受其劳动成果的现状以上的公平等机会”。GHQ 的目标非常明确，即排除日本农业经济中存在的封建制度残余，解放处于被奴役地位中的佃农。

第二，明确指出日本农业构造中存在的病根是，极端的零星农形态，在极为不利的条件下的大多数佃农，极为高额的农村高利贷，农工商对比中非常不利的政府的农业财政制度，无视农民利益的政府对农民及农村团体的统制等。GHQ 认为日本农业构造中的主要问题在于，租佃关系、农村金融及政府的农业财政制度。

第三，要求日本政府于次年 3 月 15 日讫，向 GHQ 提交农地改革方案，其内容主要包括：不在村地主土地所有权向耕种者的转移，向非耕地主以合理的价格购买农地的制度，符合佃农的以年赋偿还方式购入农地的制度，保证佃农转化为自耕农后不再沦为佃农的制度等。

值得注意的是，“备忘录”对农地改革虽然并未给出具体方案，但其方向性却非常明确，即排除封建残余、解放农民，将不在村地主的土地全部交予耕种者等，与日本方案在具体方向性上有着明显的差距。令人意外的是，“备忘录”的出现加快了日本方案通过议会审议的速度；与会议员一方面指出若接受该“备忘录”的内容，则等于承认“迄今为止日本这个国家的政治荒谬绝伦”，一方面提议必须尽快“通过目前的法案”①。反映出当时作为国家法律制定机构的日本帝国议会，在第一次农地改革法案制定过程中所采取的姑息手段。

其次，对第二次农地改革法，即《农地调整法修改法律》(1946 年 10 月 21 日法律第 42 号)与《自耕农创建特别措施法》(同上法律第 43 号)及 GHQ“劝告”的主要内容可归纳并解读如下。

对“法律第 42 号”主要内容的归纳及解读：第一，该法仍然是以修改《农地调整法》的形式成立，但对第一条进行了修改，指出“本法以谋求耕种者地位的安定及农业生产力的维持与提高为目的，对农地关系进行调整”。与第一次农地改革的“法律第 46 号”相比，主要强调对耕种者地位的保护，表明本次农地关系调整中以保护耕种者权利为主要目的；言外之意，地主对农地的权利并不在本法保护范围之内。可见第二次农地改革法，即“法律第 42 号”将进一步触及地主对农地的权利。

第二，该法第四条指出，农地所有权、租佃权、地上权，乃至其他权利的设定以及转移，根据命令的规定实施，由当事者在接受地方长官的许可及市町村农地委员会的承认之后方可进行。并且该法的实施规则中规定，“以耕种为目的的农地的借贷权，使用权的设定、转移、获取，由市町村农地委员会管理，其他权利由地方长官管理”。明确规定除耕地的借贷问题之外的所有权利转移问题由地方长官管理，与第一次农地改革相比，取消了系统农会的介入，加强了地方行政对第二次农地改革的监管。

第三，关于地主收回租佃地的问题，该法规定当该租佃地“适合佃农

---

① 前出農林省監修・農地改革記録委員会編纂『農地改革顛末概要』，第 113 页。

耕种之际”，不能仅考虑地主方的经营能力及生产能力，同时应该考虑佃农方的生活状况等诸多情况。在很大程度上保护了佃农的耕种权。

第二次农地改革立法的特点是，制定了独立的《自耕农创建特别措施法》，即“法律第43号”，对该法主要内容的归纳及解读如下：第一，该法规定，超过一定面积的个人自耕地以及全部的法人自耕地，在“耕种不充分”之际，可以收购。关于自耕农地的收购问题，第一次农地改革规定，“超过5公顷的自耕地，不在自耕农创建对象之例”，即地主所持农地如果是自耕地可以超过5公顷（全国平均）。而本次却明确规定“超过一定面积”的自耕地，如耕种不充分则可以收购。充分说明第二次农地改革中农地的“解放对象”不仅局限于租佃地，已经扩大到“耕种不充分”的自耕地。

第二，关于地主的租佃地保留面积及自耕地限制面积问题。前者以“全国平均1公顷”为标准，根据各都府县地主每户平均土地所有面积及经营面积比例计算，除法律规定的北海道4公顷之外，最高为青森县的1.5公顷，最低为大阪府的0.5公顷。后者以“全国平均3公顷”为标准，用同样方法计算得出，最高为青森县的4.5公顷，最低为广岛县的1.8公顷，同样北海道则按该法规定为12公顷。与第一次农地改革相比，地主“保留农地”（租佃地）的面积从平均5公顷降至平均1公顷，降幅约为80%；并且关于自耕地的保留同样做了明确限制，因此解放农地的面积大幅度提高。

最后对GHQ“劝告”主要内容的归纳及解读：第一，地主保留农地的规则。租佃地保留限度为内地1公顷，北海道4公顷，以农户为单位计算。居住在邻接市町村的地主，以“不在村”地主对待。自耕农所有农地的面积限制在内地3公顷，北海道12公顷之内。对保留农地限度以上的农地进行强制性收购，收购后的农地，现在耕种的佃农有优先购买权。对地主保留的租佃地，应给予佃农将其作为自耕地购买的机会。收购后农地的贩卖，应注意购买人购入农地的水、旱田的比例。以上GHQ“劝告”的内容简单明了，在地主保留农地面积标准问题上，可以看到第二次农地改革的日本政府案基本达到该“劝告”所定目标。

第二，关于农地委员会问题。GHQ“劝告”中要求日本政府设立全国、都道府县、市町村"农地委员会",由"全国农地委员会"监督土地权利转移计划;建议"全国农地委员会"由农林大臣、佃农、地主,以及全国性、民主性农业团体代表及公众代表构成。由"市町村农地委员会"决定应该收购的农地,"都道府县农地委员会"负责对市町村的决定进行认定。值得注意的是,各级农地委员会成员中均包括佃农群体,打破了战前农会组织以地主为主要责任者的惯例;同时与政府案中的规定相比,增强了市町村农地委员会的权利。

第三节　农地改革的实施过程

如前所示,第一次农地改革法,即"法律第 64 号"于 1945 年 12 月 28 日公布,计划于 1946 年 2 月开始实施,其中关于佃租的货币化规定,于 1946 年 6 月开始实施,计划实施期 3 年。然而,第一次农地改革不仅受到国内外舆论的批评,同时受到地主阶层的强烈抵抗;曾于 1922 年成立,二战前分裂的日本农民组合(日农),于 1946 年 2 月 9 日再次聚集,并发表"土地纲领",主张将全部收回租予佃农的农地;除此之外,GHQ 的"劝告"是对第一次农地改革最大的冲击。上述来自各方面的压力,注定第一次农地改革的失败;1946 年 10 月"法律第 42 号"及"法律第 43 号"公布,揭开了了第二次农地改革的帷幕。

首先,关于农地改革实施机构的组建。直接主持实施农地改革事务的,是作为"民主性执行机关"的各级农地委员会,以及作为指导机关的各级行政官厅。前者以在全国大约 1.1 万的市町村中成立的"市町村农地委员会"为基础,"将农地的耕种者以及所有者全部揽入改革之中"①。农地委员会在"尽可能少的政府的干涉下"②承担着将来自行政官厅的所

① L. I. ヒューズ著『日本の農地改革』(農林省農地局農地課訳),農政調査会,1950 年,第 116 页。

② 二二・六・二五「第三十五回対日理事会におけるNRS係官の発言」,農林省農地局農地課『農地改革資料』第五号,農林省農地部,1948 年,第 8 页。

有法令、通告等付诸行动，起着协调农民、地主及指导机关三者意图的作用。重要的是，农地委员会通过选举组成。该选举前后共实施了两次，第一次选举于1946年12月在全国各地展开，同年末1.1万个“市町村农地委员会”经选举成立，1947年2月“都道府县农地委员会”选举结束；第二次选举于1948年8月开始，同年8月末“市町村农地委员会”选举结束，1949年9月“都道府县农地委员会”选举结束。后者以在各地方机关成立的“农地部”为基础，与农林省农地局中设置的农地课形成从中央到地方的行政机构，起着指导、推进农地改革的作用。据农林省的统计，1947年初，参与农地改革事务的中央及地方农政官员，以及各级农地委员会成员超过40万人，其中农林省官员61人，农林省地方农地事务局官员563人，都道府县农地部官员(46个部)3400人，都道府县农地委员会(46个)委员1200人，市町村农地委员会书记3.25万人，市町村农地委员会委员11.48万人，村落辅助员26.25万人。① 仅从以上农地改革各种组织机构的规模上也可以看出，本次农地改革在日本农政史上所处的重要地位。值得注意的是，在“市町村农地委员会”选举过程中，整体投票率并不高，其中佃农投票率为41%，地主投票率为24%，自耕农投票率为44%。② 该数字至少说明，不仅地主阶层对农地改革表现出极大的消极性，佃农阶层在选举阶段亦未对农地改革表现出应有的热情。

其次，关于农地改革的宣传推行及法令修改完善过程。在以上背景下农地改革全面开始，其整个过程中，政府行政机构在最大程度上发挥了宣传及修改立法的作用。根据《农地改革始末概要》中记载：(1) 各级行政机构通过召开各种会议，宣传渗透改革政策，促进农地改革事务的推行，其中自1946年1月至1950年末迄，由农林省主导召开，由都道府县农地主任官、农地部部长及农地课课长等参加的全国会议共计21次；主要内容集中于说明、解释各种改革法律、政令精神，传播农地改革的具体内容之上。

① 前出農林省監修・農地改革記録委員会編纂『農地改革顛末概要』，第156页。
② 数字来源前出北島正元編『土地制度史Ⅱ』，第378页。

（2）自 1945 年 12 月 28 日“法律第 64 号”成立至 1950 年 12 月底，先后对《农地调整法修改法律》及《自耕农创建特别措施法》进行了 7 次修改，成立相关新法 2 个（《自耕农特别措施特别会计法》《市町村农地委员会及都道府县农地委员会委员任期等特例法》），公布相关敕令、政令、省令、告示约 41 个，发布各种通知共 120 条。① 上述法律政令体系的完善过程中最大的特点在于，与需要通过国会审议的法律本身的修订相比，不需要通过国会审议、在政府机关权限内的敕令、政令、省令等指令发布数量更多，足以证明政府行政机构在本次农地改革中的主导地位。

最后，关于农地的收购及贩卖问题。农地改革中最为重要的环节是收购作为解放对象的农地，并将该农地贩卖给应该得到农地的佃农，该过程被称为“农地解放”。其主要包括 4 个步骤：（1）从地主手中收购符合敕令条件的农地，使该农地成为政府所有；（2）政府将得到的农地贩卖予农地的耕种者；（3）在土地登记簿中记入“基于农地解放转移所有权”，权利转移完成；（4）对被收购者支付地价及补偿款，向购买方征收贩卖价款。在以上四个环节中，各级相关机构的责任及作用不同，整个过程较为复杂，具体可见图 8－1。

对图 8－1 所示“农地解放”流程可以详细归纳如下：首先从收购到向被收购者（地主）支付农地收购金额的过程。（1）由“市町村农地委员会”制作“收购计划书”，并将该计划书向被收购者公示 10 天，其间被收购者有权向“市町村农地委员会”提出异议；（2）收购事宜决定之后该计划书由“市町村农地委员会”提交“都道府县农地委员会”进行认定，被认定后的计划书交予都道府县知事；（3）由都道府县知事将农地收购命令书通知被收购者，并将收购金额通知农林省自耕农创建特别会计；（4）由农林省自耕农创建特别会计向被收购者支付农地收购金额。至此该农地被收购为国有农地。

① 详细请参照前出農林省監修・農地改革記録委員会編纂『農地改革顛末概要』，第 166—172 页。

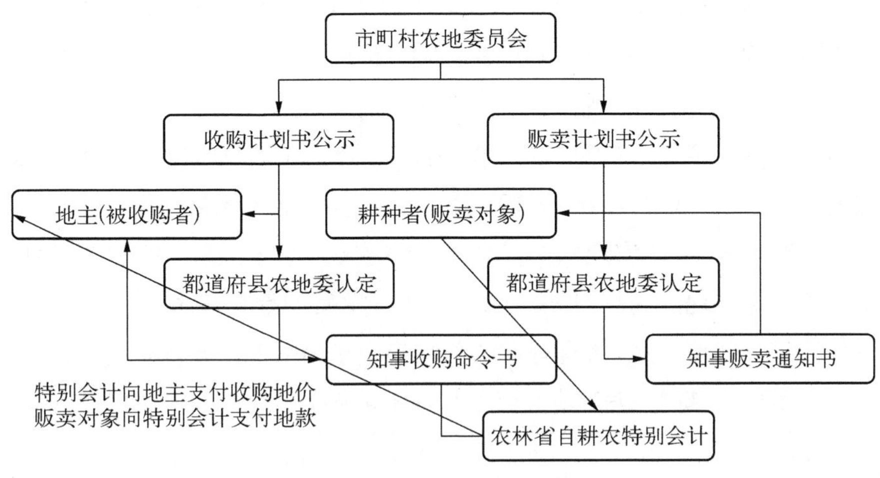

图 8－1　农地解放流程图

其次从贩卖到收取土地贩卖款项的过程。(1)“市町村农地委员会”制定针对收购农地的贩卖计划书,并向贩卖对象(佃农)公示 10 天,其间贩卖对象有权提出异议;(2) 贩卖事宜决定之后该计划书由“市町村农地委员会”提交“都道府县农地委员会”进行认定,被认定后的计划书交予都道府县知事;(3) 由都道府县知事将贩卖通知书通知贩卖对象,并将贩卖金额通知市町村长,由市町村长通知贩卖对象;(4) 由市町村长向贩卖对象收取农地贩卖款项,并交予农林省自耕农创建特别会计。至此该农地成为贩卖对象的自耕地。

整个流程表明“市町村农地委员会”在农地解放的过程中扮演着最为重要的角色,必须根据法令规定调查明确农地解放对象,制定收购计划书及该收购农地的贩卖计划书;并且“市町村农地委员会”必须协调与被收购者及贩卖对象之间发生的分歧,当无法达成一致之时,上述分歧将由被收购者或贩卖对象上诉至“都道府县农地委员会”,由“都道府县农地委员会”进行裁决。显然这是一个非常繁杂的过程,而且值得注意的是,全国 1.1 万左右的“市町村农地委员会”,在对农地改革的态度及热情上表现出极为明显的落差,甚至同一地区不同村落的农地委员会对农地改革的热情亦不尽相同。① 在以上背景下,农地解放计划进度缓慢,具体可见表 8-1。从表中数字得知:(1) 预计于 1948 年 9 月完成的农地改革,至 1948 年底仍有将近 10%的农地解放未果。(2) 1946 年度农地收购事务进展缓慢,仅完成计划收购面积的约 24%,为此农地改革进度被拖延了两年。(3) 1946 及 1947 两个年度,农地收购之后的贩卖工作进展相对缓慢,收购农地的贩卖数量仅占收购总量的 46.9%,1948 年度是贩卖收购农地的高峰时期。(4) 农地贩卖后的登记事务直至 1948 年底仍然没有任何进展,所有登记事务均集中于最后两个年度进行。

表 8-1 日本战后农地改革过程中的农地解放进度(各年度末数字)

年度	1946	1947	1948	1949	1950	合计
计划解放农地面积(公顷)	500,000	1,000,000	500,000	—	—	2,000,000
解放农地面积②(公顷)	118,000	1,178,000	544,000	78,000	50,000	1,968,000
贩卖农地面积(公顷)	11,000	477,000	1,318,000	82,000	50,000	1,938,000
贩卖面积/解放面积(%)	9.2	37.7	98.2	98.5	98.5	—
登记面积/贩卖面积(%)	—	—	—	61.1	91.2	—

注:根据農林省監修・農地改革記録委員会編纂『農地改革顛末概要』第 190 页及第 217 页制成,(農政調査会,1951 年)。各年度期间如下:1946 年度(1946.10—1947.3),1947 年度(1947.4—1948.3),1948 年度(1948.4—1948.9),1949 年度(1949.4—1950.3),1950 年度(1950.4—1951.3)。

① 详细请参照古島敏夫〔ほか〕著『農民組合と農地改革:長野県下伊那鼎村』,東京大学出版会,1956 年。

② 解放农地面积=收购农地面积+交管农地面积。"交管农地"是农地改革过程中,作为创建自耕农的农地交予农林大臣管辖的国有农地,其包括原国有农地及农地所有者作为财产税上交国家的农地。

农地改革完成期限到期的1948年9月，仍有10%左右的农地解放计划未能完成。针对这种状况，政府曾于1948年11月一度宣告改革就此结束；但在GHQ及左翼政党的主张下，1949年度起，被称为第三次农地改革的农地解放再度开始，1951年3月农地改革终于落下帷幕。

第四节　农地改革的成果

日本农业经济学家晖峻众三指出："第二次农地改革，彻底贯彻了解体地主制度及创建自耕农的精神，在残留租佃地问题上佃农的地位得到强化，起到了促进日本农业及农村的民主化、近代化，乃至提高农业生产力的作用。"①晖峻在上文中不仅明确肯定了日本战后农地改革的近代性，同时其中提及的"解体地主制度及创建自耕农"与"残留租佃地问题上佃农地位"的强化，无疑是指通过农地解放达到的"自耕农创建"与"佃租改革"，这两者正是日本战后农地改革的重要成果。

首先，关于自耕农创建成果主要关注以下两部分内容。第一，解放农地的数量。如前文所述，日本战后农地改革过程中的农地解放，在《自耕农创建特别措施法》框架下展开。事实上，用于创建自耕农的农地包括两个部分，一是解放由政府直接收购在法令规定下的私有农地，一是解放原国有农地及作为财产税由所有者上交国家的农地，被称为"交管农地"。以下表8-2是通过农地改革解放农地的总数及其具体内容分类，表8-3是农地改革前后自耕农地及租佃农地面积的变化。

① 前出暉峻衆三著『日本農業100年の歩み』，第202页。

表 8-2 解放农地面积统计(1950 年 6 月数据)

地区	解放农地面积(公顷)				占比(%)			
	总数	收购	交管		总数	收购	交管	
			抵财产税	其他			抵财产税	其他
内地	1,608,116	1,429,430	170,955	7,731	100	88.89	10.63	0.48
北海道	333,866	327,569	5,058	1,239	100	98.11	1.52	0.37
总数	1,941,982	1,756,999	176,013	8,970	100	90.48	9.06	0.46

表 8-3 农地改革前后自耕农地及租佃农地面积变化

年度	农地总面积(千公顷)			水田面积(千公顷)			旱田面积(千公顷)		
	总数	自耕地	租佃地	总数	自耕地	租佃地	总数	自耕地	租佃地
1941	5,806.9	3,125.4	2,681.6	3,166.3	1,481.2	1,685.2	2,640.6	1,644.2	996.4
1945	5,156	2,787	2,368	—	—	—	—	—	—
1947	5,011.7	3,030.9	1,980.8	2,849.6	1,593.9	1,255.7	2,162.1	1,437.0	725.1
1949	4,957.8	4,309.8	648.0	2,817.3	2,424.2	393.1	2,140.5	1,885.6	254.9

注:以上两表根据農林省監修・農地改革記録委員会編纂『農地改革顛末概要』第 613、647 页(農政調査会,1951 年);暉峻衆三編『農地価格論Ⅰ』第 211 页(農山漁村文化協会,1985 年)制成。

以上两表数据表明:(1) 1950 年 6 月末,农地改革已经接近尾声,此时共解放农地约 194.2 万公顷,已完成政府最初农地解放计划(200 万公顷)的 97.1%;其中收购农地的占比接近 90.5%,国有农地占比则不到 10%,并且用于创建自耕农的国有农地中 95%源于地主作为财产税上交国家的农地;另外解放农地的绝大多数分布于内地,占解放农地总数的 83%。(2) 农地改革前的 1945 年,日本全国的租佃农地约为 236.8 万公顷,1950 年 6 月末,解放农地的总数为 194.2 万公顷,这表明相当于 1945 年全国租佃地的 82.0%的农地的所有权被移交到耕种者的手中。(3) 农地改革前的 1941 年,全国农地的 46%是租佃地,其中水田的 53%,旱田的 38%是由佃农耕种的租佃地;农地改革进入尾声的 1949 年度当时,上述三者数字分别降至 13%、14%及 12%,降幅分别为 76%、

77%及74%；同时租佃农地总数也从1945年的236.8万公顷降至64.8万公顷，降幅接近73%。

第二，创建自耕农的数量。农地改革中创建自耕农的过程，从政府角度看，是收购符合法令规定条件的农地，并将其贩卖给耕种者的解放农地的过程；从农民角度看，则是购买①政府手中的解放农地，从佃农转向自耕农的过程。农地改革前后自耕农数量的变化可见表8-4。该表数据表明：(1) 农地改革之前纯自耕农户数占农户总数的28%，农地改革进入尾声的1949年迄，该数量已经超过一半，达到农户总数的55%。(2) 耕种农地中含有租佃地的农户数量也分别从41%降至35%，而纯佃农的户数在总农户中的占比则从28%降至8%，表明无农地农户的数量通过农地改革迅速减少，曾经主导日本农业经济的租佃关系走向崩溃。

表8-4　农地改革前后自耕农农户数量变化(单位:户,括号中数字为在总农户中的占比)

年度	农户总数	自耕农户数	自兼佃耕农户数	佃兼自耕农户数	佃农户数	非耕农户数
1941	5,411,661	1,490,357 (28%)	1,122,763 (21%)	1,092,770 (20%)	1,516,471 (28%)	23,816
1947	5,909,227	2,153,611 (36%)	1,183,408 (20%)	996,986 (17%)	1,573,836 (27%)	1,386
1949	6,246,913	3,434,690 (55%)	1,735,045 (28%)	457,810 (7%)	489,277 (8%)	663

注：根据農林省監修・農地改革記録委員会編纂『農地改革顛末概要』第646页制成，(農政調査会，1951年)。自兼佃耕农户＝自耕农地多于租佃农地的农户，佃兼自耕农户＝租佃农地多于自耕农地的农户。

① 农地的收购与贩卖过程中，政府采取"对等价格"的方式实施，即以收购价格贩卖给购买该农地的农民。农地改革之际政府对地价进行统制，以1939年9月18日地价计算。1946年《自耕农创建特别措施法》公布，据该法规：水田的"全国平均收购地价"最高为1938年租赁价格的40倍，即每段760日元；旱田的"全国平均收购地价"最高为1938年租赁价格的48倍，即每段448日元。政府收购之际的"对等价格"，主要以24年为期，年利大约3.6%的农地证券支付；贩卖之际向购买农民收取全额或部分"对等价格"，剩余部分可以以24年期，年利3.2%贷款形式偿还。

其次，佃租改革问题。如上所述，农地改革前日本农地的将近 50%是租佃农地，将近 70%的农户租有地主的农地，其中 28%为纯佃农农户。农民长期以来，在这种租佃关系中被占有土地的寄生地主通过经济外强制手段，将几乎所有剩余劳动以佃租的形式剥夺，这种经济外强制性剥夺成为战前半封建性农业经济的核心。为此，农地改革的重要内容之一，便是改革战前的高额实物佃租，减轻农民的负担。表 8－5 为农地改革前后农户主要负担变化统计。

表 8－5　农地改革前后农户主要负担变化

年度	总收入中负担占比(%)	负担构成(占比)			
		佃租(日元)	利息(日元)	公课税金(日元)	负担合计(日元)
1941	15.3	240(79.2%)	14(4.6%)	49(16.2%)	303(100%)
1947	19.5	307(1.5%)	24(0.1%)	20,231(98.4%)	20,562(100%)
1949	15.1	106(0.4%)	152(0.6%)	24,697(99.0%)	24,955(100%)

注：根据農林省監修・農地改革記録委員会編纂『農地改革顛末概要』第 863 页制成，(農政調査会，1951 年)。表中数据为耕种农地在 2 公顷以下农户的平均值。

根据上表中数字可知：(1) 农户经济中各种负担在农户收入中所占比例，于 1947 年达到最高点后开始降低，至农地改革进入尾声的 1949 年度，已经恢复到接近败战前的水平。(2) 在农户主要经济负担结构中，佃租所占的比例在农地改革前占据主导位置，即主要负担的接近 80%为佃租；战后该数据开始下降，直至 1949 年度降至负担总量的0.4%。无疑该数据与战后农地改革带来的租佃地面积迅速减少有关，但同时与战前高额实物佃租向战后低率货币佃租的转化有着不可分割的关系。

第五节　农地改革的意义及其问题

1873 年的地租改正，通过法律手段确认土地的私有权，并对土地所有者在统一标准下收取货币地租，借以达到确保国家财政收入的目的。然而，地租改正在承认土地私有权的同时，放弃解决长期以来由于土地所有权问题上存在的持有者与耕种者相左的现象，忽视了耕种者应该有的权力及利益。此后，土地不仅成为投资、贩卖的对象，也成为地主通过向佃农收取高额实物佃租获取暴利的工具；这种具有半封建性质的租佃关系，在日本资本主义发展进程中不断扩大，地主阶层在剥夺农民几乎所有剩余劳动的同时，成为日本近代国家的核心阶层，其权力得到国家法律的保护。日本的败战，是地租改正后持续了将近80年之久的土地制度的转折点，这也正是战后农地改革的历史意义所在。

日本著名经济学家山田盛太郎指出："本次农地改革的划时代意义在于，它从根本上触及了地主性土地所有，打破了所谓'持续了数世纪的，在封建制度下奴役农民的经济枷锁'。其一，从根本上对军事性、半封建性日本资本主义的基础——半封建性土地所有、半农奴性零星农耕——结构进行再建，开拓了将日本农业解放为正规农业的道路；其二，作为对已经瓦解的军事性、半封建性日本资本主义的扬弃，确立了再建日本经济新基础——土地所有及农业经营的再建——的方向。以上两点均具有革命性。"①在此，山田对农地改革的划时代意义给予充分的肯定，指出农地改革在两方面具有"革命性"，一是瓦解了作为日本军事性、半封建性资本主义基础的半封建性土地所有及半农奴性零星农业，一是制定了作为再建日本经济新基础的土地所有及农业经营的方向。但是，山田继续指出："尽管如此，农地改革本身，不过是全过程的一个开始，这个过程，进一步说，一方面是指农地改革本身的深化，一方面是指构筑向正规农业转化的技术性基础（向大农圃转化的基础），向它接近，如斯，土地所有的变革正处于向农业构造的变革深化，全过程进行的过程中。这是农地改革的意义与局限。"②山田明确指出农地改革不过是一个过程的

① 山田盛太郎「農地改革の歴史的意義—問題総括への一試論」，暉峻衆三編『農地改革Ⅱ』，農山漁村文化協会，1986年，第122页。

② 同上，第123页。

开始，这个过程，一是农地改革自身的不断深化，一是构筑使日本农业向“正规农业”转化的基础。山田所指“正规农业”显然是大规模农业，为此山田认为农地改革应该向农业构造改革深化。也就是说，农地改革的局限性在于它还仅仅停留在“土地所有的变革”之上，今后必须向“农业构造变革深化”。

正如山田所言，战后农地改革在土地制度史上具有划时代的意义，但同时不得不说，农地改革还具有广泛的政治、社会及经济意义。首先，农地改革基本解除了长期以来左右日本农业经济关系的半封建性租佃关系，使寄生地主制得以瓦解。全国租佃农地比例从农地改革前的46%降至13%，纯佃农农户的比例从28%降至8%。以上数据表明，农地改革后日本的自耕农体制得到强化，基本达到耕者有其田的状态，这种自耕农体制为战后日本农业的发展提供了一个全新的舞台。

其次，农地改革方案制定过程中，虽然摈弃了曾一度出现的“苏联案”中“没收农地”的农地解放方式，农地解放在资本主义框架下，通过“对等价格”收购及贩卖方式进行。然而，由于政府在农地价格暴涨的背景下，对“对等价格”进行了严格的控制，最终以几乎接近无偿的价格收购并以同样的价格将农地贩卖给佃农。此外，政府对残留租佃地的佃租进行的改革，使佃租得到大幅度削减。为此，农民享受劳动成果的可能性得到大幅度提高，刺激了农民的生产积极性，带动了战后粮食生产及农业经济的发展。

最后，半封建性租佃关系的存在，事实上使佃农与地主之间的关系具有一定的封建隶属性，这不仅使地主与佃农的地位处于完全不平等的状态，还在极大程度上限制了佃农的参政权利。农地改革后，大量的佃农成为耕者有其田的自耕农，农民的政治地位上升；同时农村自耕农体制的成立，创建了大批稳健的农村保守阶层，成为战后日本保守党体制的重要选民。

山田所言农地改革仅仅是一个过程的开始，他必须从“土地所有的变革”向“农业构造变革”深化一语，道出了农地改革存在的问题的关键。

如果进一步对“土地所有的变革”进行剖析的话，应该说农地改革的局限性表现为三个方面。第一，农地改革如其名称所示，仅仅是对“农地”制度的改革。农地改革并不涉及市街、宅基地等土地问题，同时也未涉及占日本国土面积70％的山林原野。而山林原野不仅与农业，特别是基础农业（水田农业）间的关系密切，同时直接关系着畜牧业的发展。因此，农地改革仍然存在一定的盲点，其残留问题在一定程度上制约着其后日本农业的整体发展。第二，农地改革仅仅是对地主性土地制度的改革。从地主视角看，农地改革通过收购不在村地主及在村地主一定限度（全国平均1公顷）以上的农地，解放农地，摧毁了寄生地主制存在的基础。但必须注意的是，全国仍有13％的租佃农地及8％的纯佃农存在，对这些被遗留的无耕地佃农来讲，农地改革失去了它应有的公平性。第三，农地改革仅仅是对半封建性租佃关系的改革。从农民方面看，通过自耕农创建大量的佃农获得自己的耕地，长期以来耕者无其田的现象得到极大程度的改善。然而，自耕农创建的过程，仅仅是曾经的佃农转变为自耕农的过程，而日本农业中存在的耕地分散及零星农耕的本质并未得到任何改变。表8－6是农地改革前后日本内地（北海道除外）农户耕种规模分布表，表中上段是1945年日本农户耕种规模分布，下段是上述农户在1949年3月1日当时的状况。对表中数字可解读如下：(1) 从农户总数上看，佃农及佃农兼自耕农户数的减少与自耕农及自耕兼佃农户数的增加基本持平，表明被解放农地的所有权基本直接转移到正在耕种的佃农手中，因此，农地解放并未能起到扩大农户农耕规模的作用。(2) 从农户耕种面积分布上看，耕种面积增加的农户集中于0.3—1公顷规模之间；虽然0.3公顷以下“超过小农”的数量有所减少，但是与此同时，1公顷以上耕种规模的农户数量也有明显的减少，其中2公顷以上耕种规模农户的减少比例较大；不能不说经过农地改革虽然“超过小农”减少，但是1公顷以下耕种规模的农户仍占总农户的将近75％，零星农耕仍然是日本农业的最大特点。

表 8-6　农地改革前日本农户耕种规模分布表(北海道除外)

		—0.3	0.3—0.5	0.5—1	1—1.5	1.5—2	2—3	3—5	5—	非耕	总计
一九四五年	A1	43.01	29.99	65.61	47.73	26.71	17.33	4.18	0.36	0.54	235.45
	自	532.50	273.06	488.48	251.72	103.70	55.45	10.0	0.62	—	1.715.52
	B	161.46	180.84	442.64	238.44	92.03	45.55	7.21	0.24	—	1,168.40
	C	139.44	166.30	410.02	215.15	82.93	40.67	6.38	0.14	—	1,061.02
	佃	547.01	265.38	397.66	157.68	56.41	25.59	3.06	0.09	—	1,452.87
	计	1,423.43	915.57	1,804.42	910.71	361.77	184.58	30.81	1.45	1.80	5,634.53
一九四九年	A2	18.51	17.89	41.25	27.79	12.66	5.53	0.63	0.01	0.07	124.34
	自	746.69	490.67	963.56	516.23	219.34	120.38	19.83	0.56	—	3,077.25
	B	226.82	289.97	690.03	319.10	104.16	37.74	3.37	0.06	—	1,671.24
	C	128.47	108.63	143.68	36.78	8.84	2.63	0.28	—	—	429.31
	佃	263.45	38.71	23.09	4.48	1.37	0.56	0.17	—	—	331.83
	计	1,383.93	945.86	1,861.60	904.38	346.37	166.85	24.27	0.64	0.63	5,634.53

注:根据農林省監修・農地改革記録委員会編纂『農地改革顛末概要』第 734—735 页制成,(農政調査会,1951 年)。A1=持有限度以上租佃地农户数,A2=持有限度内租佃地农户数,B=自耕兼租佃农户数(自耕部分多于租佃部分),C=租佃兼自耕农户数(租佃部分多于自耕部分)。耕种面积单位=公顷,农户单位=千户。

综上,农地改革解决了近代以来一直存在于日本农地制度中的"寄生地主"问题,清除了农业经济中的半封建残余,实现了农村的民主化,因此农地改革是具有划时代意义的一场改革。日本政府在农地改革法案制定过程中,表现出非常积极、主动的态度,并在很短的时间里将法案提交国会审议。虽然第一次农地改革在 GHQ 的"劝告"下夭折,但不能忽视的是,日本政府在法案制定过程中的主导性动向。事实上,自耕农创建是日本农政官员的夙愿,早在一战后佃农斗争多发之际,日本政府的农政重点便开始向自耕农创建偏移,然而其进展却不如人意。这与当时地主阶层在政治上的地位有着直接的关系,国会上立法的困难使该问题迟迟无法解决,日本政府能够在很短的时间中提交农地改革法案的主要原因亦在于此。具有讽刺性的是,通过自耕农创建使耕者有其田这一日本农政官员的夙愿，却在日本战败后，在GHQ的监管下得以实现，至此日本农业获得了一个全新的平台，战后日本农业及农政均将在这个平台上展开。

第九章　《农地法》“自耕农理念”的矛盾及其演变

1951年初，农地改革告一段落，接踵而来的问题是如何维持农地改革的成果，这也是农地法制定的中心课题。也正是因为上述因果关系，决定了1952年7月15日公布的，日本战后首个农业相关法律《农地法》的历史性格。日本著名经济学家今村奈良臣指出：“农地法继承了农地改革的理念及理论。但是农地改革具有解体寄生地主制这一积极的性格，而农地法则具有维持农地改革的结果，即维持自耕农性土地制度的消极的性格。不仅如此，农地法在关于该法目的的第一条中指出，只有所有、经营、劳动的一致，即所谓具有三位一体性格的自耕农才最为理想，该认识对以此为目的的农地法的基本性格作了鲜明的注脚。”①以上表明今村认为，虽然农地法继承了农地改革的理念，但是农地改革具有推翻寄生地主制的积极性，而农地法却因为其以维持农地改革的结果，即维持现状为目的而具有保守性。并且今村对该保守性的进一步剖析是，该法仅仅将具有所有、经营、劳动三位一体的自耕农作为最为理想的农业经营者，这等于限制了农业经营方式的发展与变化。

① 今村奈良臣著『現代農地政策論』，東京大学出版会，1983年，第5页。

第一节 《农地法》的"自耕农理念"

战后日本农业政策随着币原内阁的成立开始起步，面临的是战后国内极度的粮食危机及亟待解决的农村民主化问题，当然这一切在 GHQ 占领政策方针——非军事化、民主化——下进行。1948 年 1 月 6 日，美国陆军长官罗亚尔发表声明指出，对日非军事、民主化政策已经"迅速实现"，但是目前看来，当初的"全面非军事化"计划与"建设自立国家的新目标相左"，美国的对日占领政策出现转折。但值得注意的是，罗亚尔继续指出"在农业问题上，这两个目标基本可以并存。打倒封建所有制也就是终结好战势力。农地的彻底分割，可以刺激更多数量的农地所有者，达到全面增产的效果"。足见 GHQ 占领政策的转变并未影响农业政策的方向，农地改革及农业增产仍然是占领期农政的主旋律。

1951 年初，农地改革告一段落，通过农地制度法律体系的整备，维持稳定农地改革的成果事宜被提上议事日程。关于农地法审议背景，日本法学家加藤一郎指出："的确，农地改革途中乃至结束之后，出现过地主制复活的危险。例如，从农地的移动上看，1949 年前后迄出现全国性沦落倾向，不能否认有农民沦落、寄生地主制复活的可能性。1950 年前后出现中农层肥大化现象，即上层及下层减少，1 公顷至 3 公顷的中农层增加；这恰巧是农地改革所期望的自耕农中心阶层，如此看到了农地所有与经营能够继续安定下去的可能性；农地法正是在这种背景下于 1952 年成立。"①以上论述表明，事实上农地改革结束前后，均曾经出现过地主制复活的可能性，因此维持农地改革成果，稳定自耕农中心阶层的地位，防止新生自耕农的沦落成为当务之急。1952 年 3 月 18 日，日本内阁向第 13 届国会提交了"农地法案"及"农地法实施法案"，农地立法进入国会审议阶段。时任农林大臣的广川弘禅在国会上，就法案提交审议的原

---

① 加藤一郎「農地法の立法論理―自作農主義中心として―」，今村奈良臣編『土地制度論Ⅰ』，農山漁村文化協会，1983 年，第 7—8 页。

因陈述如下：

> 众所周知，我国的农地改革作为战后占领政策的重要环节实施，现在已经有 200 万公顷租佃地实现了自耕化，创建自耕农 420 万户。如此光辉的成果在世界上得到很高的评价，几乎所有预期目标均已实现。然而，这仅是快速、全面创建自耕农的农地改革的第一阶段，留给今后的课题是如何维持这一成果，这极其困难并且非常重要。为了解决这一课题，要坚持农地由其耕种者自身所有的原则，此外重要的是防止农户经营的零星化，培育最为理想的中坚自耕农，将农地改革的原则制度化并一如既往地维持下去。为此，限制农地所有权的移动，加速促进租佃地的自耕地化，制定防止自耕地再度沦落为租佃地的措施的同时，有必要调整租佃关系稳定耕种者的地位……为了维持农地改革的成果，制定以农地法作为基本法的新的法律体系。①

以上农林大臣的讲话中传达了非常重要的信息：(1) 农地改革仅仅完成了战后农政的第一个目标，即迅速、全面创建自耕农的目标。而如何维持农地改革的成果则成为今后农政的最大课题，这是一个困难而又重要的课题。(2) 解决课题的方针是“坚持农地由其耕种者所有的原则”，并将这一原则制度化。明确指出农地法的原则是“农地由其耕种者所有”，农地法的自耕农理念或称之为“自耕农主义”一览无遗。(3) 关于自耕农的定义，讲话中指出要“防止农户经营的零星化”“培育最为理想的中坚自耕农”，可见政府将“最为理想的自耕农”定义为“中坚自耕农户”，即中等经营规模的农户。(4) 关于“培育最为理想的中坚自耕农”的方法讲话强调了四点：限制农地所有权的移动，加速促进残留租佃地的自耕地化，制定防止自耕地沦落的措施，调整租佃关系保护佃农的权利。必须注意的是，在以上自耕农理念作为原则的农地法的规制下，日本的

---

①「第十三回国会衆議院農林委員会議録第十五号」，国立国会図書館所蔵。

土地制度将成为"自耕农性土地所有"①制度；不仅如此，即将成立的农地法被政府定位为整个农政法律体系的"基本法"，可以想象在该基本法的框架下，今后的日本农业构造已经被限制在"中坚自耕农户"的经营方式及规模之上。

1952 年 7 月 15 日，"农地法案"及"农地法实施法案"顺利通过国会审议并公布，同年 4 月 GHQ 的对日占领结束，日本政府的独立执政即时开始。此时出台的《农地法》第一条指出："本法律认为农地以其耕种者所有最为理想，以通过促进耕种者获得农地，保护其权力，乃至调整土地在农业上的利用关系，达到稳定耕种者地位及提高农业生产力为目的。"以上内容明确表示，该法认为耕者有其田是农地所有最为理想的状态，其目的就是通过促进耕种者获得农地、保护其权利以及调整土地在农业上的利用关系，提高耕种者的地位及农业生产力。毫无疑问，《农地法》全面贯彻了法案提交审议时的立法原则，"自耕农理念"成为《农地法》的基本理念，今后日本农政将围绕"促进耕种者获得农地""调整土地在农业上的利用关系"展开，其最终目的是"提高耕种者的地位及农业生产力"。

关于《农地法》中"自耕农理念"的具体内容，可以通过对该法具体条文的解读得出。首先，尽最大可能减少租佃地的数量。该法第三条规定，"农地及采草放牧地的所有权移动，以及地上权、永久租佃权、抵押权、使用租赁产生的权利、承租权或其他以使用及收益为目的的权利的设定，或转移之际，根据省令规定，当事人必须获取都道府县知事的许可"，也就是说，农地的权利的设定及转移，必须经过都道府县知事的许可。对农地权利进行统制的目的，可以从上述第三条第 2 项"不予许可条款"中得到结论：其一，当租佃地向耕种该租佃地的佃农之外者贩卖之际，不予许可，即当地主有意贩卖手中的租佃地之际，其只能贩卖于耕种该土地的佃农。其二，不以耕种或养畜为目的者获取农地所有及耕种权

① 前出今村奈良臣著『現代農地政策論』，第 6 页。

之际，不予许可，即除农地的农业利用目的之外不得获取农地的权利。这两条非常清楚地体现了《农地法》对农地权利的设定及转移进行统制的目的在于，减少租佃地数量及保证农地的农业利用之上。

其次，尽可能维持“农户经营”，或称之为“家族经营”的形式。该法第二条第4项规定，“本法中‘自耕农’是指，根据农地或采草放牧地的所有权进行耕种或养畜的个人；‘佃农’是指，根据农地或采草放牧地的所有权以外的权利进行耕种或养畜的个人”。可见该法将从事耕种及养畜的农业经营体设定为“个人”，“自耕农”则被定义为拥有土地所有权的“进行耕种或养畜的个人”。此处的“个人”事实上是以家庭为单位的个人，因为在同条第5项中明确规定，前项“的规定适用于进行耕种或养畜的家庭成员”，也就是说前项的自耕农定义适用于其家庭成员；足以证明《农地法》自耕农理念的具体内容，包含了将自耕农定义为“农户经营”或“家族经营”的内容。

最后，尽可能扩大“中坚自耕农”阶层的数量。该法第三条第2项第三款中规定，在获取农地权利之际，“计划获取权利的土地面积，超出其所在都道府县规定的面积之际，不予许可”；同第五款中规定在获取农地权利之际，“计划获取权利的土地面积，未满其所在都道府县规定的面积之际，不予许可”。可见获取农地的所有权及耕种权之际，计划获取面积在各都道府县规定的一定面积之外均不予许可；而该一定面积（内地、自耕地与租佃地之和）的上限为平均3公顷，下限为平均0.3公顷。很明显政府希望通过《农地法》对农地权利移动的限制达到扩大“最为理想的中坚自耕农”的目的，而该“最为理想的中坚自耕农”的经营规模为0.3—3公顷。换言之，战后日本政府的农业构造蓝图中，0.3公顷以下及3公顷以上的农业经营体被列入“非理想自耕农”的行列。

第二节　“农业构造论”的冲击——《农地法》的新理念

在以上自耕农理念下成立的《农地法》自其开始在国会上审议起，便遇到各种质疑。在此以1952年6月10日农林委员会的审议为例，解析"农地法案"遇到的质疑。当日站在提问台上的是农林委员会理事竹村奈良一，而负责解答的法案提交方是农林省农地局长平川守，两者的攻防如下。

竹村提问：我的问题是关于第三条第二项第五款，规定北海道2公顷、都府县0.3公顷以下者不可获取农地，这对全国来讲是一个重大问题。原因是，例如1950年的2月1日，农林省的统计表示，0.3公顷以下的农户有143万8722户，至少内地农户的24%为0.3公顷未满的农户。而北海道2公顷未满的农户有11万4482户，也就是说47%农户的耕地在2公顷以下。按此规定，这一群体今后将无法获得新的耕地，如果上述规定实施的话会引起各种问题，请问如何考虑的?

平川回答：想必大家都知道，本法案的目标之一，是实现创建及维持中坚自耕农。为此设定最低面积标准，该标准以下的农户虽然从事农业但并不是主要农业从事者，仅是"饭米农户"①，收入的大部分从其他职业所得，属于生产自己食用的粮食及其他副业性质的农户。在分配有限的农地问题上，从优先顺序方面考虑，首先排除非常大面积的农户；排除非常小面积的农户及将农业作为副业的农户…… 原则上讲，仍然要将少量的农地优先分配给中坚的农户，巩固农业的基础是最为重要的……

竹村提问：培育理想规模的农户这一观点确实存在，但问题是，如果按这种观点实施的话，至少应该考虑为什么现在内地0.3公顷以下的农户仍不得不在耕种，他们想成为0.3公顷以上的农户也无法做到……如果想要对这些人进行压缩，是否制定了可以对其进行压缩的对策，并在该对策下对其进行整理的方针……

平川回答：本法案的观点，刚刚也说过，作为对象的农地的数量

① "饭米农户"指耕种自己食用粮食的农户。

极少,只有现在的少量租佃地的自耕地化及新开发的少量农地,必须考虑将这些农地分配给怎样的群体。届时的确应该考虑刚刚话题中的零星农户的问题,但与其相比不是更应该考虑靠农业、靠少量耕地面积而无法生活的群体吗?0.3公顷以下的零星农户战后急速增加,但是这些人将来总要在农业部门之外的部门中去考虑对策。作为农地法的观点,难道不应该首先考虑不去从事农业之外的职业的农户吗?

竹村提问:……你说可开垦的土地数量少,关于这一点可能会变成论战不想问你,但是如果看一下地图,你刚刚也承认了,有六七百万公顷土地,这一点先不说,总之不去制定使那些农户成为理想农户的措施,而是禁止,这件事我无论如何都不能认可……

平川回答:大凡常识性考虑的话,现在的平均内地1公顷左右仅仅是一个目标,但是把他作为数学问题问我几公顷最为理想则非常难以回答。作为这个法案无论如何无法积极地决定到底几公顷最为理想,所以反过来考虑了不理想的面积是多少,认为不理想的面积大约是上限3公顷,下限0.3公顷。

竹村提问:你的回答非常可笑……你将非理想农户标准定位在0.3公顷以下的回答我无法认可……①

以上农地法审议过程中的舌战内容,主要集中在对农地权利移动的统制限度之上。在野党的竹村提问可总结如下:(1) 内地将近占农户总数24%的农户、北海道将近47%的农户将被农地法剥夺再度获得土地的权利,这一点非常不公平;如果该限制被农地法援用的话,是否同时制定了相应的措施以保证该群体获得公平的待遇。(2) 内地0.3及北海道2公顷标准的根据是源于怎样的观点。(3) 为什么制定限制非理想农户获得土地的规定,而不去制定帮助其成为理想农户的规定。对此农政官僚平川的回答如下:(1) 农地法的目标是维持创建理想自耕

---

①「第十三回国会衆議院農林委員会議録第四十三号」,国立国会図書館所蔵。

农，有必要将有限的农地分配给仅靠农业维持生活的农户，而不是分配给将农业作为副业或仅耕种自家食用粮食的农户；以上农户可以从事其他行业的工作。(2) 关于农地权力移动下限的设定，不是一个数学问题，因此无法回答几公顷最为理想，但是相反认为非理想自耕农的经营面积是3公顷以上及0.3公顷以下。可以看出，关于理想自耕农的经营规模，农地法案中的认识并不清晰，因此采取了反向思维将0.3公顷以下及3公顷以上定为非理想自耕农，可以推测农地法案希望通过限制过小农获取农地的方法，缓解将会产生的农业人口的压力，向他产业提供劳动力。但是值得注意的是，农地法中对农地权利移动的限制，直接关系着农业构造及农业经营的发展方向，而该标准的设定依据却不具备坚实的理论依据的支持，不具备任何积极性；这一点应该是农地法案的重要缺陷之一。

基本贯彻了原法案精神的《农地法》，果然实施不久便受到"农业构造论"的挑战。1952年对日媾和条约生效后，日本经济快速发展，1956年度的《经济白书》中出现了名句"应该说，已经不是战后"；充分说明日本经济已经恢复到战前的水平，接踵而来的是经济高度发展期。然而不得不指出的是，在日本战后经济高度发展过程中，工、农业生产力及工、农业从业者收入之间产生巨大差距，农业构造论随之出现。农业构造论指出，工、农业间的不等价交换及其从业者之间收入差距的产生，是零星农耕所致；主张扩大农业经营规模，通过促进农业的集团化、机械化等措施提高农业生产力，借以消除工、农业间差距。而上述农业构造政策的实施，必须以促进农地流转为条件；《农地法》对农业构造的桎梏开始凸显。1961年6月《农业基本法》(简称为"农基法")成立后，政府开始着手对《农地法》进行修改，1961年10月16日，"农地法部分修改法案"提交第39届国会审议，新农地法于1962年5月11日公布，农基法的"农业构造政策理念"对《农地法》的理念构成了一定的冲击，战后日本农地政策方针出现调整。1962年第一次农地法修订的主要内容可见表9-1。

表 9-1 1962 年《农地法》第一次修订时的主要修订焦点

修订焦点	1952 年《农地法》	1962 年《农地法修改法》
第一条（目的）	自耕农理念："本法认为农地由耕种者所有最为理想。"	第一条未做修改，"自耕农理念"仍然存在。
第二条（定义）	农业从事者："本法中'自耕农'指根据农地及采草放牧地所有权从事耕种或养畜的个人，'佃农'指根据农地及采草放牧地所有权之外的权利从事耕种或养畜的个人。"	增加农业生产法人，其必须符合以下条件：法人形态：农事组合、联名公司、合资公司、有限公司；事业内容条件：农业，成员资格条件：土地权利移交给法人的个人及继承人，具有土地使用及收益权的个人；借地面积限制：法人成员以外借地面积不超过 1/2；决议权条件：土地所有者过半数；雇佣劳动力限制：由省令决定；分配条件：由省令决定。
第三条（农地权利移动限制）	上限：北海道 12 公顷，内地 3 公顷。 下限：北海道 2 公顷，内地 0.3公顷。	如自耕内地可超过 3 公顷，对农业生产法人不设置上、下限。

注：根据日本法令索引制成，（http://hourei. ndl. go. jp/SearchSys/viewShingi. do? i=103901066）。

从以上修订内容中可以看到 1962 年的第一次农地法修订具有以下几个特点：(1) 新法对第一条的法律目的未做任何修改，可以认为耕者有其田的"自耕农理念"仍然存在于新农地法之中。(2) 新农地法中的重大改变之一是在农业从事者中加入了"农业生产法人"项目，也就是说农业经营者不再仅仅是"农户"，可以是具有"农事组合""联名公司""合资公司"及"有限公司"形态的法人。农业生产法人条款的增加，充分体现了"农业构造政策"的精神，旨在促进农业的大型化、集团化。(3) 新法缓和了对农地权利移动的限制，即在一定条件下取消农地权利移动上限，同时对农业生产法人获取农地权利之际不再设置限制标准。该修订在一定程度上缓解了政府对农地权利移动的统制，旨在促进农地流转、扩大农业经营规模。但是值得注意的是，"自耕农理念"虽然受到"农业构造论"的冲击，但仍然是新法的基本理念，正因为如此，虽然新法中出现农业生产法人的概念，但仍然设置了限制条件，其中包括诸如具有决议权的成员中，土地所有者必须超过半数，租赁土地面积不得超过成员土地面积的一半等限制，在一定程度上约束了集团农业的发展。不能否认，1962 年新农地法中存在的矛盾，或称之为两种理念的并存，给农业经营规模的扩大带来一定的阻力。

第三节 农地相关法律中的"自耕农理念"与"农业构造论"

1962 年农地法修订后，日本农地政策中不可避免地出现两种理念，一是耕者有其田的自耕农理念，一是以扩大农业经营规模、提高农业生产力为主旨的农业构造政策理念。毋庸置疑，前者不得不限制农地权利的移动，而后者则必须促进农地流转；两种理念上存在的矛盾，使日本农地政策处于尴尬的境地。1962 年以后的日本农地政策，不得不在两种理念中寻找平衡；1969 年成立的《农业振兴地区整备法》①（简称为"农振法"），及 1980 年成立的《农业经营基础强化促进法》②（简称为"增进法"或"农地三法"③），均是农业构造论在农地制度中的具体体现。以上两法与《农地法》一起成为战后日本农地制度、政策的主要法律依据。表 9－2 是上述农地相关法律自成立起至 21 世纪开始前的 1999 年为止的主要修订过程，是两种立法理念的平衡与演变的过程。

对表中的内容可以做以下说明：(1) 农地法的主要修订内容。表中所示农地法的 4 次主要修订中均体现了农业构造论的精神。如上文所述，1962 年的第一次修订主要以改善农业构造为目标，增加了农业生产法人制度，希望通过允许农业生产法人介入农业生产，扩大农业经营规模。而 1970 年及 1980 年的第二次及第三次修订，是农振法及增进法成立后的相应修改；主要以促进土地的农业利用及土地流转，扩大农业经营规模为目

① 原文「農業振興地域の整備に関する法律」。

② 原文「農業経営基盤強化促進法」(「農用地利用増進法」)。该法于 1980 年 5 月 28 日公布，法律名称为"农地利用增进法"（因此简称"增进法"），2002 年名称改为"农业经营基础强化促进法"。

③ 农地相关的第三个法律文件，因此被称为"农地三法"。

的。(2) 农振法成立后，开展以市町村主导的“农地利用增进事业”，促进一定区域内农用地的集团利用，希望通过扩大被农地法规制的农地的借贷达到农用地的有效利用，扩大农业经营规模。该农地利用增进事业于1980年从农振法框架下独立，以增进法为法律依据的“农地利用增进事业”全面展开。(3) 1990年代末，日本农地相关法律中出现了地方自治的动向，这无疑是受到1995年《地方分权限期法》及1999年《地方分权一揽子法》成立的影响，是农地政策从中央集权向地方分权转化的过程。(4) 值得注意的是，农地法的第二次修订，对第一条的立法目的进行了调整，除维持原有自耕农理念之外，加入了“促进土地在农业上的有效利用”条文；然而必须指出，尽管如此农地相关法律中的理念性矛盾仍然存在，农地制度、政策理念仍未能完成从“土地所有”向“土地利用”的转化。

表9-2　21世纪开始前夕《农地法》及相关法律的改订过程

《农地法》 1952年成立	《农业振兴地区整备法》 (农振法)1969年成立	《农业经营基础强化促进法》(增进法) 1980年成立
理念:坚持自耕农理念，维护耕种者权利，提高农业生产力。 主要内容:维持农地改革成果，保护耕种者地位，限制农地权利的移动及农地的转用。 历次修订:1962、1970、1980、1998。 62年修订:改善农业构造，建立农业生产法人制度，缓和耕种目的的农地权利的移动。 70年修订:第一条法律目的加入“促进土地在农业	理念:促进符合经济及社会发展条件的综合农业振兴，保证农业健全发展及国土资源的合理利用。 主要内容:把优良农地设为农用地区域，促进区域内农地借贷，原则上禁止区域内农地的非农转用。 历次修订:1975、1984、1999。 75年修订:市町村主导创建农用地利用增进事业①，允许集团性农地权利移动，使农地的借出方能够安心提供农地，通过农地借贷扩大农业经营规模→1980年	理念:改善农业经营，提高农业生产力，促进农业的健全发展。 主要内容:设定耕种者对农地的利用权力，实施农地利用增进事业，建立农地利用团体制度，促进以村落为主的农地汇集利用与耕地的集团化。 历次修订:1989、1995。 89年修订:实施对应全球化浪潮的农政，培育具有效率性、安定性的农业经营体，建立市町村认证制度，由其负责认证农业

① 原文“農地利用增進事業”。该事业于1975年开始，为此修订“农振法”调整农地利用关系；1980年《农地利用增进法》(后于1993年改名为《农业经营基础强化促进法》)成立。

续表

<table>
<tr><th>《农地法》
1952年成立</th><th>《农业振兴地区整备法》
(农振法)1969年成立</th><th>《农业经营基础强化促进法》(增进法)
1980年成立</th></tr>
<tr><td>上的有效利用",取消获取农地权利的上限,缓和耕种权保护力度,允许耕种目的的农地借贷,佃租统制取消。
80年修订:缓和农地权利移动的规制及农地借贷规制(增进法规定除外),缓和农地租金规制。
98年修订:运用农地转用许可制度,保证良好的农业经营环境,同时提供社会经济上必要的土地。关于农地转用许可制度,在考虑农地的重要性的同时,从地方分权的角度,将许可权移交都道府县知事,并在法律上明确农地转用条件。</td><td>立法,即《农地利用增进法》(增进法)。
84年改订:促进有利于农业构造改善及农业从事者地位安定的农地权力移动,促进农业振兴地区农地的交换分合及农业基础整备。
99年修订:由农林大臣制定基本方向,由都道府县知事制定具体农业振兴地区整备方针,在法律上明确农用地区域标准,在确保土地农业利用的基础上制定振兴农业的综合计划→由中央集权向地方分权转化。</td><td>经营体的效率性及安定性;加速农地利用汇集,允许非农人员成为农业生产法人的成员。
95年改订:乌拉圭回合农业谈判后,农业构造改善成为紧要课题,因此促进农地流转,使农地向重点农业经营体汇集非常重要。积极促进农地合理化持有,强化"农地持有合理化法人"制度,农地所有者贩卖农地之际,农业委员会进行协调,由农地持有合理化法人收购并保证向有能力的农业经营体汇集。</td></tr>
<tr><td colspan="3">具体内容分析:1.确保优良农地、有效利用、消除耕种放弃现象。行政手段:农地法农地转用规制+农振法农业振兴地区设立+"游休农地"①对策(指导+劝告)+特定利用制度(非耕农地共同利用权设定)。现状:农地面积减少(1964年609万ha⇒1998年491万ha);耕地利用率低下(1961年133%⇒1997年96%);耕作放弃地增多(1985年9.3万ha⇒1990年15.2万ha)。
2.促进农地流动化:行政手段:农地法农业生产法人制度等+农振法推进农地借贷制度。现状:经营规模的扩大现状(农户的平均经营规模)⇒1960年(都府县)0.77ha⇒1995年0.92ha;农地向经营者的汇集1995年169万ha⇒1998年196万ha。(其中所有131⇒145,借贷27⇒35,包揽耕种10⇒15。单位:万ha)</td></tr>
</table>

注:根据日本农林水产省官方网站,日本内阁府官方网站,日本参议院、众议院官方网站,国立国会图书馆官方网站日本法令索引制成。

① "增进法"规定,"游休农地"指目前未耕种,并且没有耕种计划的农地。

第四节 “面向21世纪农业结构”与农地政策改革

自1961年《农业基本法》[1]成立，1962年《农地法》修订，乃至1980年增进法成立，农业构造政策论成为日本农政的主要内容，其中农地流转问题成为农业构造政策的重点工程，政府不断调整政策理念及增设相关法律，试图通过缓和各种对农地的统制，促进农地流转、扩大农业经营规模。20世纪90年代中期开始，“面向21世纪农政改革”在农业构造改革的口号下起步，其中农地制度、政策改革方向，也同样立足于构筑“面向21世纪农业构造”这一基础之上，农业构造改革成为“面向21世纪农政改革”中的最大课题。

日本政府在1999年7月16日公布的《食品・农业・农村基本法》中明确指出：今后日本农业政策将以培育“具有效率性、安定性的农业经营”，确立由其承担“农业生产的相当部分”的农业构造为主要方针；可以看出，日本政府提倡的“21世纪农业构造”是指，由“具有效率性、安定性的农业经营”体，承担日本“农业生产的相当部分”的农业构造。关于“具有效率性、安定性的农业经营”，农水省的解释是：“主要从业者的年间劳动时间与他产业从业者相同；其平均收入不逊色于他产业从业者，即年收入在530万日元左右。为了达到以上目标，高生产率、收益性、持续性是必要条件”；[2]关于“农业生产的相当部分”农水省的目标是：经营农地面积在“2000年度末达到农地面积的半数以上”。[3] 可以理解为，日本政府计划在2000年度末，日本农地面积的一半以上，由具有高生产率、高收益及可持续性的大规模农业经营体承担。在以上目标下，“面向21世纪农地政策改革”正式开始，其具体内容可归纳为表9-3。

---

① 1961《农业基本法》成立，该法代替了《农地法》在农业政策领域的“基本法”地位，成为战后日本农政领域的“宪法”；关于该法的成立及其内容将在下一章进行重点论述。

② 農林水産省「農地政策にめぐる事情」，2007年1月，農林水産省ホームページ。

③ 農林水産省「ウルグアイランド農業合意対策大綱」，1994年10月，農林水産省ホームページ。

表 9－3 "面向 21 世纪农地政策改革"的要点

农振法（1999 改革）	1. 新增"第一章之二　关于确保农用地等的基本指针" 把该基本指针作为农业振兴地区整备基本方针的具体目标，同时在基本方针中增加了以下重要事项——"建立、健全以确保及培育农业承担者为目的的设施"。 2. 新增"第十三条第二项" 严格规制在更改农业振兴地区整备计划之时，农用地的农用外利用。该相关规定的具体改订如下："都道府县有权按照政令的规定（中略）更改农业振兴地区整备计划"⇒"按照规定更改农业振兴地区整备计划之时，其中以农用地以外用途为目的，将农用地区域内土地从农用地区域划出之际，必须满足以下所示所有条件（后略）。"
农地法（2000 改革）	1. 改订"农业生产法人①相关规定"——"第二条第七项" 在农业生产法人中加入"股份公司"一项，允许股份公司介入农业生产。但是要求该"股份公司"必须满足其成立文本中具有"股份转让之时，必须经过董事会的认可之条文"的条件。
增进法（2003 改革）	1. 改订"认定农业经营者相关规定"——"第十二条第三项" 在认定农业经营者条件中，加入有关农地有效利用之款项，具体如下："市町村在对第一项的认定申请进行认定之时，除将该农业经营改善计划与基本框架进行对比，审视其是否可行之外；还必须审查其是否符合农林水产省的省令基准"⇒"市町村在对第一项的认定申请进行认定之时，审查其是否符合以下各项规定：一，符合基本框架意图；二，对农用地的效率性、综合性利用有效；三，符合农林水产省省令基准"。 2. 增加"特定农业团体"②制度，同时缓解对农业生产法人的规制——"第二十三条第四项"及增加"第二十三条之二" 在"特定农业法人"之外增加"特定农业团体"，将其列入"农用地利用规程"③之中，加大对农地的汇集利用力度。在新增的"第二十三条之二"中规定，"当变更农用地利用规程之时，必须接受市町村的重新认定，但是当特定农业团体（中略）将成为农业生产法人之时（中略）不在此例"。

① 从事农业生产的法人，改定前的农地法对"农业生产法人"有着详细的界定，主要有"农事组合法人""联名会社""合资会社""有限会社"等形式。具体参照《农地法》、《农业合作社法》（原文"農業協同組合法"）。改定后在以上形式法人中加入了"株式会社"一项。

② "特定农业团体"指受农用地所有者或团体委托实施农业生产，对农地进行汇集利用的团体。"特定农业法人"指实施以上农地汇集利用的农业生产法人。

③ 农用地利用改善事业的准则，该规程亦必须接受市町村的认定。

续表

	3. 加大"游休农地"对策的力度,——改定"第二十七条第一项" 将之前对"游休农地"进行"劝告"改为"通知",并规定"接到通知者,必须在收到该通知的六周之内,根据农林水产省省令规定,向市町村长提出该'特定游休农地'的农业上的利用计划"。

注:根据国立国会图书馆官方网站日本法令索引制成。

从上表中的具体内容可以看出,20 世纪 90 年代中期开始起步的新一轮农地政策改革,仍集中于对农地法、农振法、增进法三个农地相关法律的改革之上,其主要特点是:(1) 以创建理想农业构造为目的,将上述农地相关法律纳入新农基法的框架之下;(2) 通过农地流转(包括通过借贷等手段促进农地使用权的移动)及农业生产法人化、股份化等措施,提高农业的生产率、促进大规模农业的形成、加快农地的有效利用及防止农地的荒废。值得注意的是,与 1962 年后农业构造论向农地相关法律渗透过程中的农地政策调整相比,1990 年代中期开始的农地政策改革,具备更清晰的目标及更强的力度,诸如勾画了较为清晰的"理想的农业结构"的蓝图,促进股份公司介入农业生产活动,缓解对农业生产法人的各种规制等。然而不能否认,在各种规制得到很大程度缓解的同时,农地法的理念(自耕农理念)与农业构造政策理念(扩大农业生产规模)之间的矛盾仍然存在。首先,虽然农地法开始允许股份公司介入农业生产,但该法第一条中仍保留着其成立之时的自耕农主义的政策意图;对股份公司的经营方式——股份的转让、决策权等给予限制,其目的当然在于防止农地投机事件的发生,但也无疑在一定程度上削弱了以股份公司加入农业生产法人行列的积极性。其次,增进法在"特定农业法人"之外增加了"特定农业团体"项目,加大了发展集团农业的力度;但是却将其列入"农用地利用规程"之中,该政策意图在于农地的有效利用、防止农地流失之上;但是依据"农地利用规程"对农地进行规制,将会限制受托代耕的"特定农业团体"的经营自由,从这一点上来看,其亦具有影响农地汇集利用之隐患。

增进法成立的1980年，乃至新一轮的农地政策改革的实施，对促进农地流转究竟是否达到预期的效果可见表9-4。从表中数据可以看出：(1) 1980年到1990年的前10年，耕地规模在1公顷以下的农户数量减少了将近40万户，但是其在耕种农户总数中所占的比例并没有太大的变化，仅减少了1.6个百分点；1990年到2000年的后10年，虽然该阶层的农户数以基本相同的速度减少，但是占比同样没有明显下降，共下降不到1个百分点；说明在1980年增进法成立后的20年间，零星农户在整个日本农业构造中所占的比例并未出现明显的变化。(2) 耕地面积在1—3公顷的中坚农户的数量在20年间减少了将近45万户，但是同样其在总耕种农户中的占比仅下降了1%左右；5公顷以上的农户数量虽有增加，但是占比在前10年仅增长了0.5%，后10年虽然10公顷以上的大规模耕种农户出现，但是其占比仍然处于1位数以下。很明显2000年度末，日本农地面积的一半以上，由具有高生产率、高收益及可持续性的大规模农业经营体承担这一政策目标并未能实现。

表9-4 日本耕种农户经营耕地面积统计(单位:千户)

耕地面积(公顷)	1980年		1985年		1990年		1995年		2000	
	农户数	占比	农户数	占比	农户数	占比	农户数	占比	农户数	占比
0.3—0.5	806.1	23.5	752.8	23.8	664.5	23.4	596.8	23.5	515.1	23.0
0.5—1.0	1,304.2	38.1	1,181.5	37.3	1,048.6	36.9	924.9	36.4	813.1	36.2
1.0—1.5	652.4	19.0	583.4	18.4	514.1	18.1	448.3	17.6	388.2	17.3
1.5—2.0	328.2	9.6	300.1	9.5	268.4	9.4	233.5	9.2	203.4	9.1
2.0—2.5	160.6	4.7	154.0	4.9	144.1	5.1	129.0	5.1	115.5	5.1
2.5—3.0	79.4	2.3	80.2	2.5	78.2	2.7	72.5	2.9	66.3	3.0
3.0—5.0	81.9	2.4	92.9	2.9	99.7	3.5	101.4	4.0	99.0	4.4
5.0以上	13.4	0.4	19.1	0.6	26.4	0.9	—	—	—	—
5.0—10.0	—	—	—	—	—	—	30.3	1.2	35.8	1.6

续表

耕地面积（公顷）	1980年		1985年		1990年		1995年		2000	
	农户数	占比	农户数	占比	农户数	占比	农户数	占比	农户数	占比
10.0—15.0	—	—	—	—	—	—	3.3	0.01	4.8	0.2
15以上	—	—	—	—	—	—	2.1	0.08	2.8	0.1
总计	3,426.3	100	3,164.0	100	2,844.0	100	2,542.1	100	2,244.0	100

注：根据農林水産省『農林センサス累年統計』,「経営耕地面積希望別農家数」制成，(農林水産省ホームページ)。

第五节　平成的农地改革

2005年8月29日，农水省发表了《新食品・农业・农村基本计划》，同年12月9日“食品・农业・农村政策审议会”(简称“新农政审议会”)向政府提交了以《关于促进农政改革》为题的报告，再次着手农业政策改革。报告指出，本次农政改革将是“面向理想未来的高速度改革”①，在改革日程中特别强调“重新构筑农地制度”的相关计划，其具体包括：(1) 2003—2005年，做好向新政策转型的准备；(2) 2005年以后，正式开始制度性改革。关于本次农政改革的主要内容可归纳为表9-5。表中所示本次改革的主要内容包括粮食・农业・农村三个方面，具体方针表明以上三个方面的内容均与农地问题有着不可分割的关系。特别是第3项的“为提高新参务农者数量，再建农业承担者及农地制度”内容，可以说是该改革的重中之重。就以上农政改革中的农地制度改革，即所谓“重新构筑农地制度”的具体方针，当时的农水省副大臣宫腰，在2006年9月召开的“农地学习会”上以《面向重新构筑农地政策》②为题的报告中，做了如下的论述：

现在的农地制度立足于农地法、农业经营基础强化促进法、农

① 原文「目指すべき将来像の実現に向けてスピード感を持った改革」。

② 農林水産省ホームページ，http://www.maff.go.jp/j/study/nouti_seisaku/01/index.html。

> 业振兴地区整备法、土地改良法等立法之上。而作为其基础的农地法，以维持战后农地改革的成果为目的，该法贯穿着农地以其耕种者所有为最佳状态的自耕农主义的理念，是以佃农获得农地所有权，即创建或维持自耕农为起点的……本次改革力图达到战后农政的重大转折……向以农地利用为基本方针的农地政策转化，这一点将成为本次改革的重要课题。在以上背景下，农地政策将开始针对农业承担者，推进以租赁地为中心的农地汇集利用政策，并且在振兴都市农业的同时，加速促进新参务农者的增加，使其在安定、有效地利用土地的基础上，进行具有可持续性的农业经营……

以上论述表明，日本农地政策将通过本次改革达到战后农地政策的重大转折；该转折是从"自耕农主义"向"以租赁地为中心的农地的汇集利用"的转折，也就是说农地政策的中心将从"土地所有主义"向"土地利用主义"转移。

表 9－5 "面向理想未来的高速度改革"的主要内容

<table>
<tr><th>目的</th><th>内容</th><th>具体方针</th></tr>
<tr><td>创造能够安心生活的社会</td><td>粮食
1. 缩短消费者与农业的距离；2. 以合理的价格、安定地向国民提供安心、安全、味美的食品；3. 维持并提高食品自给率。</td><td>1. 推进"食育"；2. 使维持、发展专业农业经营的支援集中化、重点化。</td></tr>
<tr><td>创造能够发挥创意进行挑战的社会</td><td>农业
1. 开展以有意愿及能力的专业农业经营体为主的高生产型、高附加价值型农业；2. 创造不过度依靠过境措施的农业体制；3. 有些部门可以考虑农产品的出口。</td><td rowspan="2">3. 为提高新参务农者数量，再建农业承担者及农地制度；4. 保全环境、农地、水资源等政策的确立；5. 提高都市与农山渔村的共生、对流。</td></tr>
<tr><td>创造能够使丰富的自然、文化与历史相互交融的社会</td><td>农村
1. 创建健全的、具有丰富自然环境与景观的、具有魅力的农村；2. 实现符合国民要求的新型生活模式。</td></tr>
</table>

续表

总体展望
重视消费者、生活者的视点→"从官到民""从国家到地方"→WTO、FTA 等全球化对策。 (2004 年开始逐步实施)

注:根据農林水産省「農政改革推進について」(農林水産省ホームページ)制成。

在以上改革方针的指导下,2008 年 7 月,农水省公布了《平成农地改革的具体内容》①,指出"计划在 2008 年内完成制定农地改革计划案,并开始执行",同时指出本次改革包括两方面内容,"(1) 平成的农地改革:在确保农地数量的基础上,分离'所有'与'利用',彻底贯彻农地的有效利用及农地流转,预计在 2011 年消除农业重要地区的'放弃耕种地'②的存在;(2) 企业型农业经营的扩大:推进农业经营法人化,扩大具有企业感的农业经营。修改包括农地租赁事业的存在方式(由市町村指定)在内的农地利用规制,促进适应不同地区的多样化新参务农……平成的农地改革是使大规模经营成为可能的农地改革"。从以上内容中能够看到农水省的决心,"平成的农地改革"以此为起点全面开始。

2008 年 12 月 3 日,《农地改革计划》③按时完成,指出本次改革的目标是"……向'强有力的农业构造'转化,确保农地的数量及有效利用,促进农地的汇集及法人经营、新参务农者的增加,发挥生产者多样化创意,扩大农业经营规模,促进农产品的出口贸易"。2009 年 2 月 24 日,"农地法修改法案"提交第 171 届国会审议,并于同年 6 月 24 日公布。根据农水省发表的《农地制度修订概要》④,本次修改的主要内容可归纳如下:(1) 本法的目的。1952 年农地法第一条的"本法律认为农地以其耕种者所有最为理想"被改为"本法律,鉴于作为国内农业生产基础的农地,无

① 原文「平成の農地改革の正体」,農林水産省ホームページ。

② "放弃耕种地"指虽然以前是耕地,但是过去一年间未曾耕种,今后数年间仍没有耕种计划的农地。与"游休农地"相比范围较小。两者均为农水省调查农地利用程度时的用语。

③ 原文「農地改革プラン」,農林水産省ホームページ。

④ 原文「農地制度の見直しの概要」,農林水産省ホームページ。

论在现在或是将来均是国民有限的、贵重的资源，根据迄今为止农地由耕种者自身所有起到的重要作用，在对农地的农地外转用进行规制的同时，通过制定促进有效利用农地者获取农地的权利、调整农地的利用关系、确保农地的农业上的利用的措施，达到稳定耕种者地位、增加国内农业生产，乃至确保国民粮食安全供给之目的"。特别强调了农地法稳定耕种者地位、扩大农业生产、保证国民粮食供给的目的。(2) 缓和农地权利的移动规制。有条件的(农业上的利用、不影响其他农户的经营)允许农业生产法人以外的法人租赁农地。(3) 农业生产法人制度修订。在维持农业生产法人以地区农业者为中心的基础上，缓和农业生产法人的出资限制。(4) "游休农地"对策。由农业委员会每年对"游休农地"进行调查，对所有权不明的"游休农地"进行托管，设定其利用权。

综上，战后日本农地制度、政策经历了多次改革，特别是乌拉圭回合农业谈判达成协议的 20 世纪末起，改革频度不断增加，其中首当其冲的当属农地法。分析农地法的历次改革内容可以发现，其均无法摆脱保护自耕农权力与创建适应市场经济的大规模农业这两种理念的矛盾，一直在以上两者之间寻找平衡，然而结果却不能尽如人意。为此，"平成的农地改革"再度开始，本次对农地法的修订中，可以看到对法律理念的修订部分。由此可见，"平成的农地改革"已经开始切入农地制度中的理念性问题，与之前的历次改革相比更加深入。然而必须指出的是，新改订农地法之中仍然强调"农地由耕种者自身所有起到的重要作用"，无疑"自耕农理念"仍然是农业政策制定过程中需要考虑的问题之一。在新改订农地法方针下的日本农地制度能否真正从"土地所有"转向"土地利用"，能否真正促进土地流转、达到创建大规模农业的目的，仍值得持续关注。

第十章　战后日本农政法律体制的整备及其推行过程

在日本战后史研究中，1955年无疑是一个重要的节点，其前十年被称为“经济复兴期”①，其后的日本则开始步入“经济高度成长期”。日本法学家利谷信义指出：“1955年前后，步入高度成长阶段的日本资本主义，感到迄今对经济再建起到辅助作用的农业，开始成为经济发展的桎梏。因此，为了使农业具有适应资本主义高度成长的机能，作为高度成长政策一环的农业政策，必须发挥重要的作用。1961年成立的农业基本法，是对农业政策的法制整备，为既存的农业诸法制的修订及运用指明了方向。”②可见，1955年日本进入经济高度成长期的同时，农业问题开始成为日本资本主义发展的重要羁绊，如何使农业适应资本主义高度成长，成为农业政策的重要内容。而农业基本法正是为了回应以上时代的要求而成立，换言之，农业基本法是“使农业具有适应资本主义高度成长的机能”的农业政策的法律依据。

---

① 详细请参照前出杨栋梁著《日本近现代经济史》，第263页。

② 前出加藤一郎・阪本楠彦编『日本農政の展開過程』，第312页。

第一节　战后经济复兴期农业政策的转折点

1945 年 8 月 15 日，日本迎来的不仅是战败者的身份、GHQ 的占领，同时还有极度的通货膨胀、失业与粮食缺乏，全体国民不得不在饥饿中度日。战后粮食危机，除来自朝鲜半岛，中国台湾、东北地区的粮食移入通道被斩断，以及 150 万在海外的军人及日本人返日带来的粮食需求之外，1945 年因自然灾害带来的粮食歉收也是一大原因。据农林省的统计，战败导致来自殖民地的年平均 1000 万石粮食被停止，1945 年粮食收成与前年相比减少 1200 万石；可以想象 2200 万石粮食的缺口与 150 万人口的增加会带来怎样的结果。事实上，1937 年侵华战争开始后，日本国内粮食生产量下降，来自朝鲜・中国台湾的粮食移入开始减少，日本国内陷入慢性粮食不足状态。1937 年《米谷应急措施法》、1942 年《粮食管理法》(简称“食管法”)先后成立。前者的目的在于，卢沟桥事变后“政府不仅有必要准备相当数量的大米以供军用，还要保证国民的主食，即大米的供求平稳及价格安定”①；后者的目的则在于，通过国家权力介入粮食生产、流通、消费的全过程，在国家一元化统制管理下，“适应大东亚战争下的长期应战态势，保证枪口后方国民的生活安定……使农民能够安心增产”②；以上两法粮食的国家统制及促进国内粮食生产之目的非常明显。从上述战败前后日本国内粮食供求状况上看，战败后日本所面临的已经不是“粮食不足”而是“粮食危机”，日本政府的首要任务是如何解决国民的温饱问题。

根据“终战联络中央事务局”《粮食进口问题的现阶段推测及对策》③中记载，1945 年 9 月 21 日，日本政府向 GHQ 提出进口 250 千吨粮食及

① 「第七十二回帝国議会衆議院議事速記録第二号」，国立国会図書館所蔵。

② 「第七十九回帝国議会衆議院議事速記録第五号」，国立国会図書館所蔵。

③ 「食料輸入問題ノ現段階、見透シ及対策　一九四六、一、二十五　CLO」，国立公文書館アジア歴史資料センター所蔵。

其他生活必需品(食盐、糖等)的恳求,对此GHQ指示,对日粮食进口必须在最小限度内并且确立支付手段之后实施;日本政府再度于同年10月1日提出紧急要求,希望进口大米100千吨、小麦100千吨及食盐100千吨,并希望通过出口生丝决算及临时借款进行支付。虽然GHQ于1945年11月24日表示,"原则上允许粮食、棉花、石油、食盐的进口",但交涉由于远东委员会的介入,粮食进口迟迟未能实现。1946年5月19日,日本国内发生有25万人参加的被称为"突破粮食危机人民大会"的"粮食暴动"。虽然暴动的次日,麦克阿瑟发表声明指出"绝不允许暴民示威活动",但是该暴动也成为美国开始对日粮食援助的契机,1945年5月至10月讫,约68万吨粮食投入日本,战后日本的粮食危机得到一定程度的缓解。

以上背景下,日本政府的农业政策主要集中于以下几点之上:首先,有效利用国内粮食资源。包括强化粮食征购制度,严格控制粮食向黑市流入现象;强化管理农业生产用肥料;彻底实施合理化主食配给制度。其次,坚持粮食进口对策。包括促进从美国及亚洲各国的粮食进口。最后,粮食增产政策。1946年11月9日,内阁通过《紧急开拓事业实施要领》①决议,指出其方针是"为了顺应终战后粮食状况及伴随复员而来的新农村建设需要,计划实施大规模农地开垦、排水开垦及土地改良事业,以达到粮食的自给化,同时促进离职工人、军人及其他人员的归农";同时对其主要内容做了明确的规划:(1)开垦面积155万公顷,其中内地85万公顷、北海道70万公顷;计划5年内完成;增产目标,栽培大米、麦子、豆类、杂谷、薯类等主要粮食作物。(2)排水开垦面积约10万公顷,其中湖面排水7.5万公顷、海面排水2.5万公顷;计划6年内完成;增产目标,主要种植大米、麦子等主要粮食作物,数年后土地良地化后计划达到种植大米200万石,麦子34万石。

① 「緊急開拓事業実施要領」,農地改革資料編纂委員会編『農地改革資料集成　第三巻』,農政調査会,1975年,第294—301页。

(3) 土地改良。机械排水、耕地整理、旱田灌溉等土地改良面积约210万公顷,计划3年内完成。(4) 归农计划。归农户数为100万户,其中内地80万户、北海道20万户,计划5年内完成。(5) 最后指出,“关于完成本事业必要的经费,将尽快制定预算措施”。可以看出,战后日本农业增产政策主要有两个目的,一是通过粮食增产达到粮食自给的目的;一是通过开垦农地增加自耕农数量,同时安置复员人员及失业工人,同时该开拓事业的必要经费由国家预算支付。值得注意的是,整个开垦事业计划开垦165万公顷农地,创建100万农户,从总体上看该开垦事业对整体农业结构不会产生太大的影响。紧急开拓事业的展开,加之农地改革的实施使国内90%以上的农地成为自耕地,这在极大程度上调动了农民的生产积极性。可以说农地改革后日本农政的主旋律完全转移到农业增产之上,直至1955年这一战后史上的重要节点的到来。

1955年鸠山一郎第一次内阁成立之际,就任农林大臣的河野一郎指出,“只提倡粮食必须增产,就像傻瓜只能记一件事情一样”,决定对战后持续了10年的粮食增产政策进行调整。本次政策调整,首先与美国对日政策的调整相关。1954年3月,日美间“MSA协定”签订,美国在向日本提供武器援助的条件下,与日本签订了“农产品购入协定”,日本政府为此放弃了通过粮食增产达到粮食自给的目标,成为美国处理本国剩余农产品的绝好对象。其次,日本无条件投降后,战后复兴的10年间,经历了1952年的对日媾和条约的生效、1955年加盟GATT、1956年加入联合国后,日本终于重新回到国际社会的舞台。在1956年的《经济白书》中,日本政府写道:“……应该说,已经不是战后。我们现在面临着不同的事态,依靠复兴的成长已经结束。今后的成长将依靠近代化支撑,而近代化的进步则必须在迅速并安定的经济成长下方能成为可能。摄取新生事物,通常会受到抵抗,经济社会的落后部分,在一定时间中反而可能会因为近代化让人感到矛盾激化。但是从长期看,中小企业、劳动、农业等各部门存在的诸矛盾,只能在经济的发展中才会被吸收……”[①]以上因为“应该说，已经不是战后”这一名句被广泛认知的《经济白书》，事实上，针对农业部门传达了更为重要的信息。政府认为，今后的经济发展中近代化将成为重要内容，而在近代化过程中，诸如农业这种落后部门与近代化的矛盾一定会凸显，此时农业政策调整的可能性已经出现。

1957 年日本农林省向国会提交了第一个《农林白书》[②]，其中指出日本农业正面临着 5 个危险信号：(1) 农户收入低；(2) 粮食供给力弱；(3) 国际竞争力低；(4) 兼业化现象多；(5) 农业就业构造恶化。同时指出“为了今后农业的发展，农民地位的提高，必须提高农业的生产率，否则农业没有未来”，该《农林白书》成为农业基本法成立的契机。1959 年 4 月，“农林渔业基本问题调查会”成立，该调查会作为首相的咨询机关，肩负着向政府提供相关建议的任务。1960 年 5 月，调查会向政府提交了以《农业的基本问题及基本对策》为题的调查报告，指出了目前农业存在的问题，并提出了未来农业政策的方向。日本农政领域的宪法“农业基本法案”的制定开始起步，战后日本农政方针的第一次转折正式开始。

第二节　《农业基本法》的理念及其主要内容

1961 年 2 月 18 日，由内阁及社会党议员[③]分别制定的两个“农业基本法案”提交第 38 届国会审议，前者由农林大臣周东英雄就提案理由做了如下解释：

> 毋庸置疑，我国农业在过去几代人的努力下，在为国民供应粮食及其他农产品、有效利用资源、保全国土、扩大国内市场等国民经

① 経済企画庁「昭和 31 年　年次経済報告」，経済産業省ホームページ。

② 農林省大臣官房企画室編『農林白書：農林水産の現状と問題点　昭和 32 年度』，日本農村調査会，1957 年。

③ “农业基本法案”内阁提交第 44 号，“农业基本法案”北山爱郎另 11 名提交的“众法案第 2 号”。两个法案同时在第 38 届国会农林委员会上审议，最后内阁案被送交众议院并通过审议。

济发展与国民生活安定上做出了很大的贡献。农业从事者,作为农业的承担者忍受了太多的困苦并尽到了应有的责任,他们作为国家社会的重要的缔造者,与他产业从事者一起充分发挥了勤勉能力及创造精神。然而,我国经济发展过程中,农业因为受自然、经济、社会的制约与他产业相比,在生产率上出现了显著的差距。除此之外,随着国民生活水平的提高,他们对农产品的需求出现了变化,淀粉质食品的消费减少,蛋白脂肪质食品等的消费倾向增大;劳动力呈现从农业向他产业转移的现象,农业就业人口开始减少,农业与农业所处的环境出现显著的变化。在这种农业亟须改变的背景下,其作为产业、经济的重要部门之一,也必须顺应国民经济的成长与发展;一方面提高生产率以防落后于他产业部门,一方面有必要使农业从事者得到与他产业从事者相均衡的生活条件。考虑到农业及其环境的变化,农业乃至农业从事者应有的状态,为了促进和谐,目前在明确农业应有的发展方向、指出农业相关政策目标的基础上,推行诸般政策的实施,不仅是对农业及其从事者的重要使命的回答,同时也是对以公共福祉为最大愿望的国民的期待的回答。①

上文首先肯定了迄今为止农业在国民经济中发挥的作用,同时指出在经济发展过程中由于农业自身条件,乃至外界条件变化的制约,与他产业之间产生了明显的差距,这一切使农业已经到了不得不重新选择前进路径的境地。其次认为今后农业的发展具有两方面内容,一是通过提高农业自身的生产率减少其与他产业之间存在的差距;一是通过提高农业从业者的收入,使其能够在生活水平上与他产业从业者相平衡。很明显该法案的主旨在于明确农业今后的发展方向,指出农业相关政策的基本方针。关于政府法案的主要内容可以归纳如下:首先,政策目标。为了修正自然、经济、社会对农业的制约,改变农业与他产业之间的差距,通过提高农业生产率及农业从事者收入,达到使其具有与他产业从事者相均

①「第三十八回国会農林委員会第 8 号」,国立国会図書館所蔵。

衡的生活水平,提高农业及农业从事者的地位。其次,为了达到以上政策目标,集中推行以下政策:(1) 选择性扩大农业生产;(2) 提高农业生产率及农业生产总额;(3) 改善农业构造;(4) 提高农产品流通的合理化;(5) 确保农产品价格稳定及农业收入;(6) 保证农业资材的生产及流通及其价格的安定;(7) 培育具有近代性的农业经营者,根据农业从事者的愿望及能力为其安排适当的工作;(8) 整备农村环境,提高农业从事者的福祉。

后者是由社会党议员提交的对立法案,北山爱郎议员在农林委员会上就该法案主旨进行了如下解释:"我党自 1958 年开始着手农业基本法的制定工作,曾经三次发表草案大纲,广泛听取各方面的意见,经再三审视之后,今提交国会……该法案是社会党农业政策的集大成……政府案是将农业纳入资本主义自由经济的框架之中,试图使农业及农民服从以垄断资本主义为中心的经济成长计划的基本法。而我党的法案是站在农民的立场之上,试图保护农民的利益、实施强有力的农业发展政策的基本法,两者之不同显而易见。"①此后,在第 38 届国会的全体会议上,北山再度登坛对政府案进行了尖锐批评:"政府基本法前文中,充分肯定了农民在漫长的历史磨炼中忍耐了太多的困苦,发挥了勤勉能力及创造精神,并表示'坚信他们今后仍会坚持下去'。也就是说,政府认为农民在资本主义经济中,必须继续承担提供廉价劳动力及廉价农产品的使命,这是我们无法容忍的"②;同时明确了民主党法案的目标是,"飞跃性扩充农业生产率,提高农畜产品的自给率,提高农民的收入及生活水平,使其达到他产业从业者的标准"③。关于法案的具体内容北山指出:(1) 有必要扩张农用地数量。指出农用地得不到增加,零星经营则得不到改善。(2) 关于土地所有形式。必须坚持耕者有其田的原则,排除土地所有与农业劳动的分离。(3) 关于经营方式。解决零星经营的方法在于促进共

① 「第三十八回国会農林委員会第 8 号」,国立国会図書館所蔵。

② 「第三十八回国会本会議第十号」,国立国会図書館所蔵。

③ 同上。

同经营,培育农业生产组合。(4) 改善粮食管理制度,对主要农畜产品在生产费及收入补偿方式下,实施价格支持政策。(5) 确保农业资材,包括肥料、农药、农机具、家畜的饲料、电力、石油等资材的供给,以保证农产品价格的安定;必要之际其生产、进口、贩卖等在国营乃至国家管理下进行。(6) 在发展旱田、草地农业的基础上,将大米及牛奶生产作为农业生产的支柱产品,制定国家补助金措施,促进奶农经营的安定。(7) 建立灾害损失补偿制度,明确国家在灾害预防及救援上的责任。

关于以上两个法案的异同可以归纳如下:首先在立法理念上,两案均强调通过提高农业生产率及农民收入,达到削减工农业生产率及工农业从业者收入之间的差距,提高农业及农民的地位。但是在提高农产品自给率问题上,两法案之间存在一定的差异。政府案希望通过选择性扩大生产保证主要农产品在国内市场上的份额,而民主党法案却强调提高所有农产品的自给率。其次在具体内容上,两法案同样提出有必要改善农业构造,扩大农业经营规模,保证农业资材的生产流通及价格稳定,促进农业的近代化程度等具体方案;但不同的是,政府案希望通过安排具有离农希望的农民找到适当的工作而扩大农业经营规模,而民主党案则认为应该通过扩充农用地数量,促进农业的共同经营来扩大农业经营规模。值得注意的是,民主党指出,政府法案存在很大的问题。其一,政府案以 1.5—2 公顷的农户经营作为农户自立经营的目标,而这种所谓"自立农户经营"并无法适应农业近代化及机械化发展趋势,更无法真正实现提高农业生产率的目的。其二,政府案一方面主张培育以农户为单位的自立经营体,一方面强调促进农业的协业化,两者间存在一定的矛盾。农地的权利向相对较大的农户流转,促使零星农民脱离农业经营的做法,是放弃小农的危险作法。上述批评事实上准确指出了政府将要实施的农业政策中的致命弱点。

在以上背景下,国会毫无悬念地通过了内阁提交的"农业基本法案",日本战后农业政策领域的宪法《农业基本法》,于 1961 年 6 月 12 日公布并实施。该法第一条明确指出,该法的目标是矫正农业与他产业之间在生产率上存在的差距，提高农业生产率及农业从事者收入。足见《农业基本法》下的日本农业政策将以“农业构造政策”为中心展开，“农业构造论”无疑成为《农业基本法》的基本理念。其主要政策结构可以总结为图 10－1。

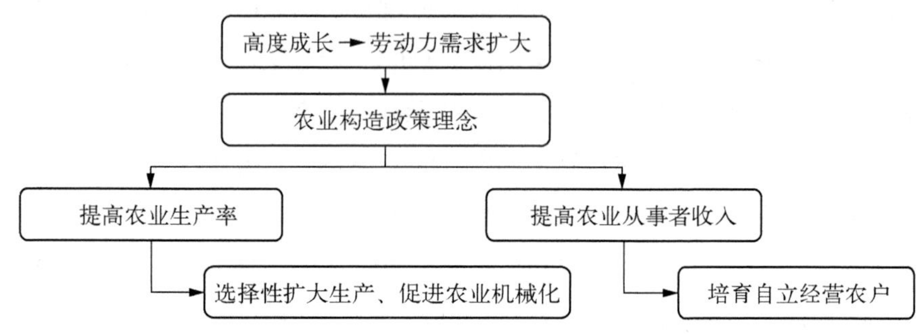

图 10－1 《农业基本法》下主要农业政策构成

注：根据《农业基本法》内容制成。

第三节 《农业基本法》下日本农政方针的调整过程

2007 年度《农业白书》中，对日本战后农政的推行过程做了整体分析，将其分为四个阶段：(1) 败战至农基法成立过程(1945—1961 年)；(2) 农基法下农政的展开过程(1961—1980 年)；(3) 国际化进展与“食品·农业·农村基本法”的制定过程(1990—1999 年)；(4)《食品·农业·农村基本法》理念下农政的展开过程(1999—2008 年)。不难看出，在以上四个阶段中存在两个节点：其一，是《农业基本法》(简称“农基法”)的成立，这意味着战后日本农政开始从“农业增产政策”向“农业构造政策”转型。其二，是《食品·农业·农村基本法》(简称“新农基法”)的成立，意味着战后日本农政在新农基法的新理念下进入“21 世纪新农政”时期。在此应该注意的是，在新旧农基法成立之间的将近 40 年里，日本农政被分为两个阶段，前者是农基法下农政的展开过程；后者是酝酿、制定适应不断变化的国际环境的农业基本法——食品·农业·农村基本法——的过程。事实上，即使在前者，即农基法下农政的展开过程中，日本农政方针仍然经历了数次调整，其调整过程可归纳为表 10－1。

表 10－1　农基法下农业政策方针调整及主要内容变化

<table>
<tr><th colspan="2"></th><th>1960 年代</th><th>1970 年代</th><th>1980 年代</th></tr>
<tr><td colspan="2">时代背景</td><td>60 年：新日美安保条约成立/国民收入倍增计划出台；
61 年：《农业基本法》成立；
64 年：东海道新干线通车/东京奥运会召开；
65 年至 70 年：伊弉诺景气；
68 年：成为世界第二大经济体。</td><td>71 年：尼克松冲击/向浮动汇率制转型；
72 年：气候异常→世界粮食危机；
73 年：石油危机发生；
74 年：农振法改订；
76 年：洛克希德案件发生；
80 年：成为世界第一长寿国。</td><td>80 年：《农用地利用增进法》成立；
85 年：广场协议成立；
88 年：日美农产品谈判达成协议→牛肉·柑橘贸易自由化；
89 年：导入消费税制度/冷战结束/食品自给率跌破 50%。</td></tr>
<tr><td colspan="2">农政主题</td><td>基本法农政</td><td>综合农政</td><td>80 年代农政</td></tr>
<tr><td colspan="2">主要农政目标</td><td>减少工农业间生产率及从业者收入差距。</td><td>大米过剩及农户的兼业化对策。</td><td>提高农地利用率/提高农产品自给率。</td></tr>
<tr><td colspan="2">主要法律</td><td>农基法/蔬菜生产上市安定法/果树振兴特别措施法。</td><td>农基法/粮食管理法/农振法/批发市场法。</td><td>农基法/农用地利用增进法。</td></tr>
<tr><td rowspan="3">主要政策内容</td><td>人</td><td>培育“自立经营农户”(1.5—2 公顷)。</td><td>导入“核心农户”①概念。</td><td>培育农业人才。</td></tr>
<tr><td>土地</td><td>促进农业生产的“协业化”。</td><td>促进集团性农地利用/成立农业机械银行。</td><td>通过促进租赁农地扩大农业经营规模。</td></tr>
<tr><td>农业基础设施</td><td>第一次农业构造改善事业。</td><td>第二次农业构造改善事业。</td><td>新农业构造改善事业。</td></tr>
</table>

① “核心农户”(日语称之为“中核農家”)，指拥有未满 60 岁，年间 150 天以上从事农业生产的主要农业生产者的农户。

续表

		1960年代	1970年代	1980年代
主要政策内容	大米生产调整	67年起通过生产费用补偿及收入补偿方式扩大大米生产/二重米价政策。	水稻生产转换政策/水田综合利用政策。	水田利用再整备/水田农业的确立。
技术开发		小型耕耘机/(大型耕耘机)。	小型收割机。	播种机/脱谷机/耕耘机。
农协振兴政策		培育"营农团地"。	开展"新营农确立运动"。	培育村落·"地区营农集团"。
新农业问题的出现		60年代末70年代初:大米需求量减少→大米的扩大生产政策出现瓶颈/地价高腾→农业经营规模扩大缓慢/农业人口减少→农村过疏化。	70年代末80年代初:农民的兼业现象不断扩大→培育"自立经营农户"目标受挫。	90年代初:全球化浪潮中,农产品贸易自由化扩大/农业从事者减少、老龄化等问题成为农政的重要课题。

注:根据農林水産省編『平成19年度農業白書』制成,(農林水産省,2007年)。

如上表所示,1961年农基法成立直至20世纪80年代末,日本农政在农基法的农业构造理念下展开;同时为了实现农基法提出的提高农业生产率,增加农民收入的政策目标,农政方针进行了数次调整,具体调整分为以下几个阶段:(1)被称为"基本法农政"的1960年代农业政策。主要包括三方面内容:选择性扩大生产①;培育自立经营农户②;整备农业生产基础。(2)被称为"综合农政"的1970年代农业政策。1970年代初期开始,大米生产过剩现象日趋严重,兼业农户不断增加,1960年代开始

① "选择性扩大生产",根据农产品的需求选择性扩大或减少农产品的生产。该政策的实施使牛奶、畜产品、蔬菜、水果等产品的生产大幅增加,麦子生产大幅减少。虽然大米同样成为减产品种,但是为了保证主要粮食产品价格安定,大米价格政策实施,造成大米生产不断扩大,剩余米数量逐年增加。

② "自立经营农户",正常构成的家庭成员中的农业从事者,在发挥正常的能率下,保证基本完全就业规模的家族农业经营(1.5—2公顷),该农业从事者的收入能够保证其与他产业从事者相同的生活水平。

的培育自立经营农户的目标进展缓慢。为了解决以上问题，政府决定调整农政方针，将农政内容主要聚焦于三个方面：实施大米"生产调整政策"①；通过促进兼业农户的离农，扩大"核心农户"②的经营规模；提高农业机械化程度。(3) 被称为"80 年代农政"的 1980 年代初期开始的农业政策。进入 1980 年代，农产品贸易自由化对日本农业的影响日趋严重，农政的主要内容集中于农产品贸易自由化对策，乃至保证日本农产品在国内市场所占的份额之上。为此，政府希望通过农地三法的成立推动农地流转，扩大农业经营规模，提高农产品在国内市场上的竞争力。

关于以上农政调整原因及主要政策方针、内容，《2010 年度农业白书》的"卷末附录、回顾年度报告的 50 年"③中做了简要的说明。首先，上文就"农基法农政"向"综合农政"的调整指出，1970 年代农政方针的调整，以 1970 年 2 月 20 日内阁决议《关于推行综合农政》④为依据展开。该内阁决议明确了今后农政的六个基本方向：(1) 实现农业现代化，扩大农业生产规模，提高农业生产率；(2) 实施大米的生产调整政策；(3) 保证农产品价格安定，促进农产品流通、加工的近代化；(4) 通过提高有自立经营意愿的农户的农业收入以及其他农户的农外收入，提高农户的生活水平；(5) 帮助具有离农希望的农户顺利离农；(6) 综合整备农村地区的生产基础及生活环境，建设新农村。可以看到，1970 年代初开始实施的"综合农政"，除保留了原农政方针中的农业构造政策之外，对农政方针的最大调整包括两点内容：一是全面实施大米生产调整政策，一是开

① "生产调整政策"，对供需失衡的农产品实施的生产抑制政策。奖励农户对过剩农产品进行"减反"(减少耕种面积)或"转耕"(转种其他农产品)的政策。

② "核心农户"。《1973 年度农业白书》指出："第二种兼业农户(农外收入为主的兼业农户——笔者注)已占总农户的 61%……所以必须注意的是，从维持强化国内的食品供给力的视点上看，包括自立经营在内的具有主要男子劳动力的农户群，成为我国农业生产的核心性承担者"。核心农户的观点在此首次出现，即农水省指出，除自立经营农户之外的，主要农业从事者为男子的兼业农户同样是农业生产经营的"核心农户"。

③ 原文『平成 22 年度食料・農業・農村白書』，「巻末付録　年次報告 50 年を振り返って」，農林水産省ホームページ。

④ 原文「総合農政の推進について」。

始将对农业经营体的关注重点，从自立经营农户扩展到兼业农户之上。后者包含两方面内容，即一方面帮助有离农愿望的兼业农民顺利离农；另一方面通过提高兼业农民的农外收入，达到提高农民生活水平之目的。

其次，“回顾年度报告的50年”中，还就“80年代农政”的主要内容指出，“农业肩负着向国民供给食物的重要使命，然而迄今为止在农业的发展过程中，农业构造并未能得到充分的改善，今后农业构造改善仍然是农政的主要课题；不仅如此，还面临着以大米的供给过剩为首的农产品供需失衡、食品价格增长、农业收入减少等问题。今后的农政有必要遵循《80年代农政的基本方向》①中的规定，更加强化实施”。上文证明“80年代农政”方针的调整，是以农政审议会于1980年10月向政府提交的报告《80年代农政的基本方向》为依据，其调整重点在于强化农业构造改善及缓解农产品供需失衡问题之上。该报告主要提出六个重点政策方向：(1) 食品安全供给及安全保障(维持强化食品自给率、安定食品进口、确保食品储备)；(2) 保证健康丰富的饮食生活(宣传日本型饮食生活的意义、向消费者提供相关情报等)；(3) 农业生产的再构成(农业生产的重点展开、确保及整备优良农地)；(4) 实现高生产率农业；(5) 创建有活力的农村社会；(6) 维持培养绿色资源。不难看出《80年代农政的基本方向》特别强调了农业所肩负的食品安全保障机能，指出必须维持及强化食品自给率；同时指出今后农政将更加重视或强化农业构造改善，促进并确保优良农地的利用与流转。

第四节 “选择性扩大生产”的理想与现实

上文曾指出，按照农水省对战后农政的分期方法，“基本法农政”是指《农业基本法》成立后，20世纪60年代的日本农政。该时期农政的

---

① 原文農政審議会答申「80年代の農政の基本方向」。

框架以农业构造理念为立足点，希望通过选择性扩大生产，培育自立经营农户，进而达到改善农业构造的目的；可以说选择性扩大生产与培育自立经营农户是“基本法农政”的两大核心政策，其政策蓝图可以归纳如下：(1) 随着战后日本经济的高度成长，国民的饮食结构，乃至对农产品的需求发生一定的改变。为此，农业生产的内容也应该随之进行调整，即选择性扩大生产需求不断增加的农产品，减少生产需求降低的农产品，达到调整农业结构的目的。(2) 将扩大生产的主体定位于自立经营农户群体。同样在高度经济成长过程中，农业人口不断减少的背景下，通过促进经营规模较小并具有离农愿望的农民圆满离农，扩大留在农业生产位置上的农户的农业经营规模，培育其成为自立经营农户，达到农业构造改善的目的。1960 年代的日本农政，在以上蓝图下展开，然而其政策效果却差强人意。

首先，关于选择性扩大生产政策。选择性扩大生产的关键，首先在于相对准确地预测今后农产品供需状况。为此，1961 年度日本政府向其咨询机构“农政审议会”进行咨询，开始研究探讨日本今后 10 年间的农产品供需及生产预期问题；1962 年 5 月内阁通过了农政审议会的相关报告，《农产品需求及其生产的长期预测》①公布于众。对于该长期预测日本政府在《1962 年农业白书》②中做了如下评价：

> 本预测是在对最近农产品需求与生产的动向进行研究的基础上，对其将来变化的可能性进行展望的结果。希望以此为指针，根据今后内外的各种形势，实施恰当并且正确的农业政策。在制定本预测之际，设定了以下主要前提条件：(1) 围绕农业的社会、经济条件的演变主要以现状的变化为基础；(2) 关于农业政策的实施，虽然最近十年间农业技术的进步及农业经营的发展有了预期的发展，但是其基本变化主要以现状的形态及进度为基础持续；(3) 关于农产

① 原文農政審議会答申「農産物の需要と生産の長期見通し」。
② 原文農林水産省『昭和 37 年度農業白書』，第 109 页，農林水産省ホームページ。

品进出口政策的实施,在维持现状的基础上持续;(4) 农产品与非农产品之间、农产品相互之间的价格关系的动向在维持现状的基础上持续……在以上前提条件下,对农产品需要的增加及其变化的预测结果如下:畜产品及果实生产在 1959 年至 1971 年的 12 年间,各自将增加大约 3 倍及 2 倍;耕种农业整体的增加将停留在 20%以下;农业生产的选择性扩大方向明显。但是今后的问题是大米的需求将向缓和的方向发展,牛奶、果实等的生产将处于不足状态之中。也就是说,农业生产已经步入选择性扩大生产的路径,但是在该预测所设定的前提条件下,需要与生产之间的对应并无法充分展开。因此今后农业政策的立案,有必要围绕农业生产的选择性扩大展开进一步的强化。①

上文中明确指出:(1) 1962 年公布的《农产品需求及其生产的长期预测》,是今后政府农业政策的指针性文件。(2) 对日本未来 12 年间的主要农产品需求做出了预测,可以认为该预测将成为今后日本农业选择性扩大生产的主要依据,即未来选择作为扩大生产的主要农产品将会是畜产品、水果等;同时耕种农业虽然在整体上的需求增加相对弱于上述农产品,但仍然处于增长状态之中,但是大米的需求将进入缓和状态。(3) 鉴于该长期预测的前提条件基本被定位于“维持现状”的动态基础之上,因此对今后农政的实施能否充分缓解农产品供需问题表示出一定的担心。值得注意的是,在《农产品需求及其生产的长期预测》出台当时,政府已经对以其为指针的今后的选择性扩大生产的结果表示出一定程度的担心。换言之,当时政府已经担心预测与现实之间是否失衡的问题;而事实上,两者之间果然出现差距(见表 10 - 2)。

① 原文農林水産省『昭和 37 年度農業白書』,第 109—110 页。

表 10－2　人均每年主要食品消费预测与实际消费数量(单位:公斤)

种类	基准年度(1958年)	成长率7.2%预测(1969年)	实际数量(1970年)	成长率5.4%预测(1979年)	实际数量(1979年)
大米	112.8	109.2	95.1	107.3	79.8
小麦	24.1	22.4	30.8	—	—
大裸麦	13.3	4.0	1.5	—	—
甘薯	23.9	14.3	4.1	—	—
土豆	18.0	(成长率5%)18.0	12.1	—	—
大豆	5.1	6.3	9.8	—	—
蔬菜	79.2	85.1	115.6	—	—
水果	17.9	40.9	38.2	—	—
肉类	3.1	7.7	12.2	13.3	22.5
鸡蛋	3.9	7.9	14.8	12.2	14.7
牛奶	17.8	61.9	50.1	131.7	61.9
油脂	3.4	7.8	9.5	—	—
砂糖	13.8	21.0	26.9	—	—

注:根据1962年「農産物の需要と生産の長期見通し」、農政調査委員会編『農業の基本問題に関する調査研究報告書13』制成。

农政审议会预测农产品需求变化的基本构想是,随着国民收入的提高,饮食结构中淀粉的摄取比例下降,蛋白质及油脂质的摄取比例上升;蛋白质及油脂质的摄入必然伴随着维生素性食物的摄取,因此蔬菜及果类食物与畜产品同时摄取量将增加。在上述构想框架下的预测结果可见表10－2。对表中数据可做以下说明:(1) 1962年度发表的《农产品的需求及其生产的长期预测》使用了三种预测方式,即对经济成长率分别在7.2%、5%、4%的前提下的农产品需求变化进行预测,并且上述预测以1958年(昭和33年)数据为基准展开。表中所示1969年的预测数字,是以最高增长率7.2%为前提条件的预测结果;1979年的预测数据,是以5.4%的经济增长率为基础,对今后20年间农产品需求变化做出的预测。(2) 从上述两组数字的具体内容来看,对需求处于增长态势的农产品的预测基本与实际状态吻合,然而在增长数量的预测上却有所出入。进一步讲,在果实类及畜产品类的需求增长预测中,对水果及牛奶需求增长的评价过高,相反对肉类、蛋类产品需求增长的评价却过于保守,这与 1970 年代中期开始的蜜柑生产调整政策以及牛奶生产过剩有着一定的关系。而且不得不指出,在种植业农产品需求预测中出现的问题相对较为严重,除数字差距上的问题之外,对小麦的预测甚至出现相反的结果。

在此必须注意的是,大米预测结果与大米价格政策之间存在的矛盾。首先尽管长期预测已经指出,大米的需求今后 20 年间将出现钝化,但仍然对其钝化速度抱有一定的幻想;前十年大米的人均年消费量预测,是从 1958 年的 112.8 公斤降至 109.2 公斤,而事实上却降为 95.1 公斤;后十年的人均年消费量的预测降至 107.3 公斤,而实际数字为79.8公斤。其次大米价格政策的实施。为了保证农民收入与他产业从业者收入间的平衡,日本政府对大米实行双重价格政策,即生产者向政府贩卖时的“生产者米价”与消费者购入时的“消费者米价”的分离政策,前者由政府以生产费及收入补偿费的方式对农民进行大米的价格补偿。事实上,长期预测中对大米需求减少的预测,并未体现在选择性扩大生产之中;换言之大米生产并未因需求钝化而被列入削减生产的农产品之中。其原因在于政府的价格政策使大米与其他农产品相比,成为收益性较高的农产品,因此大米的种植面积在大米需求减少的背景下不仅没有明显减少,相反有所增加;加之种植农业生产率的提高,大米的单位产量增加,大米生产过剩现象未见缓和。就大米生产来讲,长期预测与大米价格政策之间的矛盾带来供需失衡,乃至 1960 年代末开始,大米生产过剩现象日趋严重,日本政府不得不开始实施大米生产调整政策。

第五节 “大米生产调整”政策的推行过程

农水省《昭和 49 年度农业白书》[①](1974 年度)中，对农业生产动向做了如下记载：

> 35—45 年度(1958—1970 年度——笔者注)农业生产平均增长率为 2.3%，与西欧诸国持平。特别是畜产品与蔬菜等部门，因需求的增加而扩大生产，其中随着畜产饲养技术的提高，多头化饲养使生产扩大非常显著。另外大米生产同样处于增长状态，相反麦子、大豆等普通旱田作物的生产持续减退。结果，在农业生产中占有最大比重的大米，43 年(1968 年——笔者注)开始出现供需非常显著的不均衡，44 年度开始实施大米的生产调整及稻田生产的转耕对策……44 年度开始的大米生产调整及稻田转耕对策，基本根据目标顺利实施。49 年度开始稻田转耕对策停止对休耕田的奖励……目标分配以转耕可能与否为重点，与之前相比地区间的差别减小。稻田的转耕面积，与 48 年度相比减少0.3万公顷，约为 28.5 万公顷，其耕种品种仍然是饲料作物(6.7 万公顷)、蔬菜(5.7 万公顷)、豆类(4.9 万公顷)的比重较高……虽然常年性植物增长钝化，但是果树、林木为中心增加了 6.2 万公顷。48 年度生产调整水田的将近半数为休耕田，49 年度开始休耕奖励措施结束后，其中过半以水稻为中心恢复农业生产。

上文中能够读出大量相关信息：(1) 战后日本经济高度成长期间，农业部门的平均增长率保持在 2.3%左右，该增长水平并不逊色于西方发达国家。特别是由于选择性扩大生产的实施，畜牧业及蔬菜果实农业的增长显著。然而，处于需求钝化的大米生产同样处于增长状态，结果自 1968 年开始，大米供需失衡，1969 年起大米的生产调整及

---

① 農林水産省『昭和 49 年度農業白書』(1974 年度)第 55 页，農林水産省ホームページ。

稻田的转耕政策同时展开(具体过程可见表 10 - 3)。(2) 以上政策根据政府制定的调整目标(减产目标及转耕目标)实施。(3) 1969—1973 年度对实施生产调整(减产,即休耕及转耕)的生产者给予奖励,1974 年度开始停止对休耕田的奖励。(4) 1974 年度起减产目标分配的重点从单纯减产转向重视转耕的可能性。(5) 转耕的主要内容以饲料作物、蔬菜、豆类、果树、林木为中心。(6) 休耕奖励停止后,稻田的复耕现象增加。

表 10 - 3 大米供需及生产调整面积变化(单位:万吨、万公顷)

年度	需求量	国内生产量	计划流通米量		计划外流通米量	库存	调整面积	转耕面积	休耕面积
			政府米	自主					
1960	1,262	1,286	613.9	—	671.9	44	—	—	—
1965	1,299	1,241	720.3	—	520.6	5	—	—	—
1966	1,250	1,275	806.4	—	468.1	21	—	—	—
1967	1,248	1,445	986.2	—	459.1	64	—	—	—
1968	1,225	1,445	1006.9	—	438.0	298	—	—	—
1969	1,197	1,400	866.2	85.9	448.2	553	—	0.53	—
1970	1,195	1,269	677.5	169.2	422.2	720	33.8	7.45	22.2
1971	1,186	1,089	472.5	217.0	399.2	589	54.1	24.7	25.2
1972	1,195	1,190	542.5	219.7	427.5	307	56.6	27.2	26.6
1973	1,208	1,215	558.7	263.4	392.8	148	56.2	28.8	27.4
1974	1,203	1,229	587.2	270.4	371.6	62	31.3	28.5	2.8①
1975	1,196	1,317	638.5	299.3	378.7	114	26.4	24.8	—
1980	1,121	975	366.8	286.5	321.8	666	58.5	51.7	—
1985	1,085	1,166	432.8	358.2	375.2	22	59.4	48.1	—

① 休耕农地奖励金停止后,不进行转耕的稻田的"保全管理"托管开始,托管田同样能够获得政府的奖励金,因此休耕地骤减。

续表

年度	需求量	国内生产量	计划流通米量		计划外流通米量	库存	调整面积	转耕面积	休耕面积
			政府米	自主					
1990	1,048	1,050	176.6	457.9	415.4	109	84.9	—	—
1995	1,029	1,075	165.7	442.7	466.4	155	66.3	—	—
2000	979	949	40.5	418.7	489.8	183	96.9	—	—

注:引自農林水産省『平成15年度図説食料・農業・農村白書参考統計表』第69页,農林水産省ホームページ。水田的转耕政策自1971年度开始。计划流通米＝根据1995年成立的《粮食法》规定,计划流通米包括政府米与自主流通米两类;其中政府米指由政府向米农收购的大米,自主流通米指在政府允许下米农向指定米商贩卖的大米。计划外流通米指生产者直接贩卖的大米,但贩卖数量必须向政府申报;2004年改为民间流通米,即自由贩卖米。

从表10-3中数字可以看到:(1) 1965年开始至1968年迄,大米的生产量持续增长,而需求量却相反持续下降,政府米库存量1969年度已经超过500万吨。以上背景下,1969年12月农水省在各地方农政局设置“大米生产调整对策本部”,大米生产调整政策起步。(2) 1971年度开始,稻田转耕对策全面展开,国内大米生产基本被调整在需求水平,政府米库存开始持续削减;虽然1975年后,因政府停止了对实施生产调整稻田中的休耕田的奖励,政府大米库存量一度出现波动,但大米供需失衡仍然得到一定程度的缓解。(3) 1969—1973年度,实施生产调整的稻田中,50%左右是未实行转耕的休耕地。其原因在于该期间内,即使是休耕田同样可以享受政府发放的生产调整奖励金,致使休耕地不断增加,不仅为今后的休耕地的复耕,而且为其转耕均带来极大的困难。1974年停止对休耕地的奖励之后,由于托管制度的设置及统计方法的变化,大米生产调整中的休耕地数量无法体现,但是整体农业生产中的“休耕地”仍然存在,据农水省2003年度统计,休耕地面积为26.8万公顷。

关于大米调整政策的实施状况,日本“会计检察院”于2016年7月发表的《大米生产调整对策的实施状况》(要旨)中①,做了较为简要的总

① 原文会計検査院「コメの生産調整対策の実施状況等について(要旨)」,農林水産省ホームページ。

结。该文指出：自1969年大米生产调整政策实施后至2014年迄，国家财政支付“生产调整补助金”高达9兆576亿日元。必须注意的是，大量转耕补助金的投入，并未能避免因大米生产收缩带来的整体农业生产的下降；换言之大米生产调整政策的实施在农业生产总额上造成的损失，并未能从其他农作物生产扩大上找到平衡。关于其原因，“实施状况”一文中指出：“以由行政分配数量目标为前提的大米生产调整对策，阻碍了农业生产者的自由经营判断及市场战略，成为妨碍具有热情的农业承担者的效率性生产的最大原因。”日本农业经济学家本田正义在《现代日本农业的政策过程》中同样指出：“转耕率统一分配，不仅损害大规模专业农户的生产欲望，妨碍具有能力的农户扩大生产规模，并且具有姑息并非尽全力生产大米的小规模农户的弊端。”[①]2013年5月，为了探讨农林水产业及农村地区，如何成为将来国家活力的源泉及其持续发展的策略，日本内阁内成立“创造农林水产业・农村地区活力本部”，同年12月该“活力本部”决定将于2018年对大米生产调整政策进行改革；为此，农林水产省决定将于2018年放弃通过行政手段制定大米生产调整目标的大米生产调整政策，以生产者为中心、圆满对应需求的大米生产政策改革正在进行之中。

第六节　乌拉圭回合农业谈判对战后日本农业政策的冲击

1993年12月，GUTT乌拉圭回合的农业谈判达成协议，这场历时7年的艰难谈判终于降下帷幕。该协议的达成无疑给各协议国的农业及农业政策带来巨大影响，当然，日本也不例外。围绕乌拉圭回合农业谈判及日本农业、农村所面临的问题，日本政府在1993年度的《农业白书》中做了重点总结，其主要内容可归纳为表10-4。

---

① 本間正義著『現代日本農業の政策過程』，慶応義塾大学出版会，2010年，第109页。

表 10－4　乌拉圭回合农业协议与日本农业

农业协议主要内容	农业协议与日本	农业、农村现状	今后的农政方向
在农产品市场准入、国内支持、出口补贴三个领域中制定了对各协约国具有约束力的具体目标，该目标的实施日期为 1995—2000 年的 6 年间。 1. 市场准入：进口限制等非关税措施→关税化（关税理想值＝国内批发价－进口价，实施期间＝全农产品的 36%，各品种 15%↓）； 2. 国内支持：实施期间以递减 20% 的频率削减：粮食储备、环境保护、灾害对策、开发研究、基础建设等与农产品直接相关的价格补贴政策（与绿箱政策无关的政策＝黄色政策的补贴额度）； 3. 出口补贴：以 1986—1990 年平均值为基准，削减出口补助金的 36% 及被补助出口产品总数的 21%，禁止新增出口补贴产品。	1. 市场准入：同意接受除大米之外的、目前实施进口数量限制的所有农产品①的关税化；关税理想值利用受进口价格变动影响较少的从量税②。 ※大米作为特例，实施期间中的关税化暂缓；但每年必须承担最低市场准入的义务。 2. 国内支持：2000 年讫，农业保护度（AMS）削减 1 兆日元③。 3. 出口补贴：日本无农产品出口补贴政策→今后亦不导入该政策。	“现在，我国农业、农村正面临着前所未有的困难。” 1. 食品消费量处于饱和状态； 2. 农业劳动力的脆弱化；	1. 为了争取减轻农业协议的影响、消除所有农业相关者的不安、拓展我国农业的未来性，在强调农业的多面性机能的同时，继续以《新食品、农业、农村政策方向》④为纲领，为早日实现“21 世纪理想农业结构”，更加努力地充实与推进各项相关制度、政策的制定与实施； 2. 围绕今后我国农业、农村、食品关联产业将产生的问题，探讨整顿生产与流通体制、强化农业体质、加强地区活性化等对策，在将以上对策具体化的同时，改订有关法律制度。 →※1. 成立“农业、农村紧急对策本部”（内阁府）； ※2. 成立“关于乌拉圭回合问题国内对策本部”（农林水产省）。

注：根据農林水産省『平成 5 年度農業白書』制成，（農林水産省，1994 年 3 月）。

① 主要包括小麦、大麦、乳制品、猪肉等农畜产品。

② 以课税物品的重量、容积、个数为课税基准的课税方法，与从价税相对。

③ 当时日本的 AMS——除农业与农村基础设施、市场整顿以及环境对策等达到一定条件的补助之外，对所有必须削减的农业补助金进行综合计量的手段——为 5 兆日元，即至 2000 年削减 20%。

④ 1992 年 6 月，农林水产省发表题为《新食品、农业、农村政策方向》（原文「新しい食料・農業・農村政策の方向」）文章，指出该政策的目的在于对应我国农业、农村所面临的国内外新形势。

从上表的内容可以看出：首先，在乌拉圭回合农业谈判达成协议之前的1992年6月，日本政府已经意识到该农业谈判已经进入尾声，其结果将会使已经问题重重的农业、农村面临更加严峻的困难。为此，农水省发表了《新食品、农业、农村政策方向》一文，决定对农业政策进行新一轮的改革，使其能够适应新的国际农产品贸易环境，能够解决农业、农村所面临的问题。其次，在乌拉圭回合农业谈判结束后的1994年初，政府针对谈判内容、日本现状做出了详细分析，同时制定了相应的对策。整个过程说明乌拉圭回合农业谈判，对日本农政产生了很大的冲击。

1994年8月，围绕制定"新政策"、缓解乌拉圭回合的影响等问题，日本"农政审议会"①向政府提交了以《新国际环境下农政的展开方向》②为题的报告书，其中明确指出：

> 近年，农业与农村呈现诸如土地利用型农业规模扩大缓慢，农业生产者减少及高龄化，农耕放弃地增加，山村地区人口过疏化等现象……可以说我国的农业、农村面临着构造性改革之局面……然而，正值解决以上问题的新政策着手之际，乌拉圭回合农业谈判达成协议……在该协议的实施过程中，重要乃至可能的是，通过推广以实现21世纪理想农业构造为目标的农政，拓展我国农业的将来性……农业基本法于昭和36年(1961年——笔者注)制定，现在与该法制定之际相比，社会经济形势，特别是农业从事者及全体国民对农业、农村的期待及其农政应有的目标亦随之变化。在这种不断变化的全球化背景下，绝大多数意见认为，仅从表现新时代全体国民意愿这一意义上，亦应该对其进行改革……

---

① 农业政策的最高审议机关，根据1961年《农业基本法》组建。当时该审议会设置于内阁府内，1984年移交农林水产省管辖。《农业基本法》中对该审议会的设立、构成、权力、义务等做了详细的规定。1999年《农业基本法》废除，农政审议会亦因此失去了其存在的法律依据。与此同时，随着新农业基本法，即《食品・农业・农村基本法》(原文:「食料・農業・農村基本法」)的成立，以该法为依据的"食品・农业・农村政策审议会"(原文:"食料・農業・農村政策審議会")亦相继成立。此后，"食品・农业・农村政策审议会"代替"农政审议会"成为食品、农业、农村政策的最高审议机关。

② 原文「新たな国際環境に対応した農政の展開方向」。

该报告内容表明：第一，在 1992 年 6 月发表的《新食品、农业、农村政策方向》中被称为“新政策”的农政改革，在此被提升到“面向 21 世纪”之高度。第二，首次对 1961 年成立的农政纲领性法律、农业基本法提出了质疑。以上两点足以说明，乌拉圭回合农业谈判的结果，不仅加大了农政改革的力度，并且改革内容已经发展到立法改革的范畴。

第七节　《食品·农业·农村基本法》的成立及其主要内容

乌拉圭回合农业谈判后开始的农基法改革，经历了 5 年的酝酿，“食品·农业·农村基本法案”于 1999 年 3 月 9 日提交第 145 届国会审议，同年 7 月 16 日公布实施。新农基法酝酿过程中，最为重要的环节在于对现行农基法的政策目标及其存在的问题进行现实性评价，进而提出新形势下新政策的新法律体系。关于对农业基本法的评价，“农业基本法研究会”① 在 1996 年 9 月提交的报告中做了详细总结。其中指出，对农基法的评价包括两方面内容，其一是对该法成立的背景、目的、内容进行重新审视；其二是整理该法律从体系下各项政策的成果，明确其现实意义。

首先，报告就前者做了如下总结：1955 年以后，日本经济发展过程中，农业从事者收入与他产业从事者之间产生了很大的差距，这种差距不仅源于农业部门的成长与非农业部门的成长相比存在明显的差距、消费者对农产品需求的变化、国际贸易自由化等问题的产生，其根本原因在于我国以零星农耕为主的农业构造之上。在以上背景下，农基法的政策目标毫无悬念地被定格在“通过提高农业生产率及农业从事者收入，达到矫正农业与他产业间在生产率上的差距，以及与他产业从事者间在生活水平上的差距”之上，很明显农基法的目标是提高农业生产率及农业从事者的生活水平。报告中进一步指出，通常农业生产率的提高，必然带来农业从事者的农业收入提高，生活水准上升的效果。但是，1961 年农基法制定之际，有大

① 原文「農業基本法に関する研究会」。受农水省大臣委托成立，由荏开津典生（日本著名农业经济学家，东京大学名誉教授）担任主席，负责研究、讨论制定新农基法事宜。

约600万的农户，仅通过提高农业生产率这唯一的方法，提高所有农户的生活水平几乎是不可能的。必须一方面促使有发展前途的农户扩大生产规模，达到自立经营水平；一方面使过小农缩小其经营规模向兼业转化，或向他产业转移；通过上述分流达到提高所有农户生活水平的目的。这也是农基法提出了两个并列的目标，即提高农业生产率与提高农业从业者的生活水平的原因。为此农政主要内容围绕：以选择性扩大生产为支柱的生产政策；以扩大农业经营、促进农地的集团化、提高农业生产的机械化等农业经营的近代化为支柱的构造政策；以及以保证主要农产品价格安定及农产品流通合理化为支柱的流通政策三个方面展开。

其次，关于上述政策效果评价报告主要提出了以下几点批评：政府希望通过上述支柱政策的实施达到以下目的：(1) 随着经济的高度成长，农业的过剩人口被他产业吸收，农户数量减少；(2) 缩小经营规模及离农农户的农地向扩大经营规模的农户处汇集，达到提高农业生产率的效果；(3) 农业生产的重点向需求增大的农产品转移；(4) 以上政策的实施可以达到不通过价格支持便能够提高农户收入、提高其生活水平的效果。但是，现在审视一下目前的状态则可以发现，农业生产率的确有所上升，但是不得不说与他产业相比仍然存在很大的差距；在一些地区及部门，农业构造并未得到很好的改善，培育自立经营农户的目标也未能实现；至于农业从事者生活水平上与他产业从事者间的平衡问题，虽然农户的平均收入有所提高，但是其主要部分是依靠兼业收入，而并非依靠农业发展所得；选择性扩大生产虽然在一定程度上扩大了蔬菜、水果、畜产品的生产，但同时带来了特定农产品的生产过剩现象，导致不得不导入生产调整政策。尽管农基法当初的目标未能完全实现，但是仍具有一定的意义：(1) 在农政改革的目标及手段上体现了国家的坚定意图，并成为地方公共团体的政策及农业从事者经营的明确方针；(2) 根据该方针，在一定程度上得到诱导国家政策的实施及促进其转向；(3) 对应国家政策的实施，充实农业预算。

再次，针对制定新农基法的必要性，报告指出：农基法成立开始已经过去了35年，其间日本经济社会在“接轨欧美”的目标下，努力追求效率性及经济富裕，达到了飞速发展；结果成为为数不多的经济大国，国民生活水平也得到显著提高。在这个过程中，农业·农村，不仅要对应国民对食品的高度化、多样化需求，同时要为经济发展向他产业提供必要的劳动力、土地等，对经济发展及国民生活水平的提高做出了很大的贡献。然而农业·农村在以上过程中发生了很大的变化：(1) 虽然农户的生活水平得到提高，但农业劳动力向他产业流出，兼业化现象扩大；(2) 农业就业人口减少、老龄化现象严重，放弃耕种的农地数量增加，致使农业生产额降低；(3) 全球化的进展及食品需求的变化，使农产品进口增大、食品自给率降低；(4) 生产成本的提高及日元升值，造成农产品内外价格差距增加；(5) 城市近郊的城市化进程，使偏远农村地区产生过疏化及老龄化现象，农村的地缘关系难以维持。以上均需要改革现行农业政策，明确今后国民经济中食品、农业、农村应尽的作用及其地位。

最后，报告提出新农基法制定过程中必须注意的几个焦点问题是：(1) 确保食品的安全供给；(2) 促进食品产业的活性化；(3) 重视消费者视点；(4) 实现新型农业构造，包括促进农地流动、确保农业从事者数量；(5) 推进自由经营的展开，包括扩大大米生产调整政策、农业基础整备及技术开发等政策的自由度；(6) 确保农业经营的安定性，包括导入市场原理、调整国境措施等；(7) 强调农业的多面性机能，包括农业的环境保护、削减环境负荷等机能；(8) 维持、发展农村地缘关系。

在以上理论体系下，新农基法的研究、制定全面展开，1999 年 3 月开始，“食品·农业·农村基本法案”在第 145 届国会上审议，届时农水省大臣中川昭一的立案陈述，基本延续了以上报告的内容，同时指出：“现行农业基本法，于昭和 26 年(1961 年——笔者注)鉴于当时的社会经济动向制定，为我国农业的发展指明了方向。但是在我国经济急速成长及国际化进展过程中，我国的食品·农业·农村的状况出现了巨大变化，虽然农业相关者做出了重大的成绩，但是也发生了使国民感到不安的事态，为此必须对农基法进行改革。”关于“国民感到不安的事态”，中川指出了以下四点：(1) 食品自给率的下降；(2) 农业生产者的老龄化及农业从事者的不足；(3) 农地面积的减少及弃耕地的增加；(4) 农村地区的老龄化、过疏化及地缘关系的衰退。可见日本食品、农业、农村所面临的问题非常严重，解决以上问题成为新农基法成立的主要目的。1999 年 7 月 16 日，《食品·农业·农村基本法》公布并开始实施，其基本理念包括四个方面，即确保食品的安全供给，发挥农业的多面性机能，促进农业的可持续性发展，振兴农村。其主要政策内容可见表 10-5。

表 10-5　新旧两个基本法的主要内容变化

	农业基本法	食品·农业·农村基本法	
食品/农业多面性机能		非常时期的食品安全保障 ●以合理价格稳定供给高质量食品； ●以增大国内农产品生产为基础，合理结合进口及储备。 充分发挥农业的多面性机能： ●保全国土、水源、自然环境、良好景观、文化的传承等。	提高国民生活稳定/促进国民经济的健全发展
农业	农业的发展及农业从事者地位上升。→矫正生产率与生活水平上的农工差距→生产政策、价格流通政策、构造政策。	农业的可持续性发展： ●确保农地、水源、承担者等生产要素，确立理想农业构造； ●维持及增进自然环境机能。	
农村		农村的振兴(作为农业发展基础)： ●农业生产条件的整备； ●生活环境的整备等提高农民福祉。	
要点	提高农业生产率，选择性扩大农业生产及提高农业生产总量，农产品价格稳定，农产品流通的合理化，家庭农业经营的发展及培育自立经营农户，促进协业化。	制定"基本计划"(每 5 年)→设置食品自给率目标；开展消费者视点的粮食政策；确立理想农业构造及经营政策的实施；反应恰当市场评价的价格形成及经营安定对策；维持增进自然循环机能；矫正"中山间地区"①等不利的生产条件。	

注：根据農林水産省「食料·農業·農村基本法のあらまし」制成，(農林水産省)。

① "中山间地区"，从平地到山地之间的倾斜地带，不利于农业生产的地区。

综上，以农地改革及农业增产为起点的战后日本农政，于1955年开始出现转折的契机。1955年日本进入经济高度增长期，农业环境也随之出现变化。在1956年的《经济白书》中政府不仅宣言战后经济复苏期结束，同时预示今后农业结构将成为经济发展的桎梏，农业政策的方向必须进行调整。1961年成立的农基法，提出了“农业构造政策”理念，农政方向开始转至扩大农业生产规模之上。然而必须注意的是，不仅农基法的理念与农地法理念之间存在一定的矛盾，即使是农基法本身对“自立经营农户”的设想也无法适应农业构造政策的要求。农基法下的农政体系经过多次调整，虽然在其实施的将近40年中，农业现代化目标，乃至农村基础整备等得到极大程度的提高，农民生活水平与他产业从事者之间的差距得以改善，但是其最终政策目标——改善农业结构、提高农业经营规模——仍然难以全面实现。1999年新农基法成立，21世纪新农政开始起步后仍然未能得到显著的改善，日本农政仍然在探索新的、有效的，能够使农业成为可持续性产业的政策措施。

第十一章　战后日本农产品贸易自由化过程

1955 年开始的战后日本经济高度发展，到 1960 年代中期，一度出现生产过剩危机。日本政府开始大量发行国债及实施减税政策，加之 1965 年越南战争的爆发，1966 年以后迎来战后的第二次经济发展高峰。1968 年日本终于成为仅次于美国的世界第二经济大国，与此同时日美间的贸易顺差不断增加；到 1960 年代末，日本对世界的贸易顺差成为常态，贸易摩擦也因此不断出现。日本农业经济学家田代洋一指出："贸易顺差的出现，增加了日元升值的压力。但是，对重化学工业制品出口来讲，日元贬值最好不过，为此必须尽量避免日元升值。为了逃避日元升值，在政府内部出现了以增加农产品进口，削减贸易顺差的主张。"①足见日本经济高度发展过程中，农产品的进口曾经被日本政府作为出口重化学工业产品的砝码考虑。可以看出，战后日本农业问题的出现，在很大程度上受到了农产品贸易自由化的影响。

① 田代洋一著『農業問題入門』，大月書店，2003 年，第 80—81 页。

第一节　以粮食援助为契机的农产品"市场开放"

关于战后日本进出口贸易状况，政府终战联络中央事务局总务科第一科[①]的《终战事务情报　第四号》[②]中，有如下记载：

> (前略——笔者)四　关于必需品进口事宜
>
> 政府曾数次向盟军司令部申请进口必需品，同司令部答复如下：
>
> 一、十月九日(1949(昭和20)年——笔者)附　最高司令部艾伦大佐发　《关于必需品进口事宜》[③]，
>
> 二、十月十日附　同右　《申请进口之际的情报提交事宜》，
>
> 三、十月十一日附　同右　《生丝生产事宜》，
>
> 一《关于必需品进口事宜》(十月九日)
>
> 一、日本政府已多次申请进口维持国民生活必需品事宜。
>
> 二、在不具备下记条件的情况下，本司令部不予受理。
>
> 1. 仅限于维持最低国民生活必需品的进口；
>
> 2. 为保证支付进口物资货款，设置以提供(本司令部允许的)出口物资为保障的支付体系。
>
> (中略—笔者)
>
> (3) 为将进口物资限制于必要的最小额度，必需实施以最大限度利用国内该物资之措施。该措施虽包括下记物资，但不局限于此：
>
> 原油、粮食、燃料、肥料、盐的最大生产措施……

上述史料表明，首先，当时GHQ掌握了日本的国际贸易权，进出口贸易均需在GHQ的批准下进行；其次，日本国内原油、粮食、肥料、盐等

① 原文"終戦連絡中央事務局総務課第一課"。

② 原文「終戦事務情報　第四号」，日本外务省官方网站，http://gaikokiroku.mofa.go.jp/djvu/A0053/index.djvu?djvuopts&page=12。

③ 原文「必需物資の輸入に関スル件」。

生活必需品的供应处于困难状态，为此日本政府急于得到上述物资的进口批准；最后，GHQ 的批准条件是，仅允许进口“维持国民生活最低限度”的生活必需品，同时日本政府必须设置确保进口物资支付能力的相应措施以及进口物资的国内生产措施。

根据《关于必需品进口事宜》的规定，GHQ 于 1945(昭和 20)年 12 月 24 日，首次批准日本政府关于粮食、盐等生活必需品的进口申请。1946 至 1951 年，粮食、肥料、油料、盐等生活必需品被允许进口日本，对此日本政府在《昭和 24 年度通商白书》①(1949 年度)中做了如下说明：

> ……防止饥饿与疾病，以维持生活最低限度为目的的必需物资，诸如粮食、肥料、所有医药品、绝大多数油料、石油的三成(渔船用重油及农水产用)、盐的七成(食用)，即所谓“以生存为目的的进口”在进口总额中所占的比例是，二十一年末 77.7%、二十二年 80.6%、二十三年 68.9%，战后进口累计总额的 75%属于该类物资……而且重要的是，几乎所有该类进口物资均由美国占领地救济资金(GARIOA)②支付。也就是说，以国民生存为目的的必需物资的进口，是由美国纳税者的善意援助负担的，而绝不是我们自身的力量，即以出口为代价的进口，这一点必须明确。

以上通商白书再次证明，战后初期日本国内“生存必需品”，如粮食等主要农产品不得不依靠进口来保证需求；另外，农产品的进口基本依靠美国政府的对日援助。事实上自 1946 年至 1951 年间，美国的对日援

---

① 通商産業省『昭和 24 年度通商白書』，経済産業省ホームページ。

② Government appropriation for relief in occupied areas＝政府占领地救济资金，简称 GARIOA 援助。从美军费中支出，是美国政府为防止德国、日本、朝鲜等占领地区发生饥饿、疾病等问题而建立的援助政策。该项对日援助实施于 1946 年至 1949 年间，主要用于提供粮食、肥料、医药品等生活必需品。

助——GARIOA 援助与 EROA 援助[①]——高达 18 亿美元[②]，其主要用于农产品进口援助之上。由此可见，一方面，战后日本农产品"市场开放"起步于美国政府的对日粮食援助。

另一方面，战后美国以出口农产品方式展开的对日援助，除初期的 GARIOA 与 EROA 之外，还包括 MSA[③] 及 PL480[④] 两项援助。日美 MSA 四协定[⑤]之一的《日美农产品购买协定》中明确指出：自 1954 年 3 月 8 日该协定缔结日起，"至 1954 年 6 月 30 日美合众国现会计年度迄，努力实现五千万美元的交易"。并且随着 1954 年 7 月 PL480 法的成立，MSA 援助主要以 PL480 援助的形式实施。至此可以看出，战后美国的对日援助、从 GARIOA 到 EROA，乃至 MSA 及 PL480，主要通过农产品出口贸易体现。其原因可归纳如下：第一，战后日本国内经济颓废、农产品生产骤减，整个社会及国民处于极度饥饿状态；第二，在美国农产品生产过剩、库存增加的同时，国际市场的支付手段单一致使美元流通量陷入极为紧缺的状态。必须注意的是：(1) 由于农产品生产过剩，美国政府早在终战初期就开始为农产品出口贸易做出了一系列的努力；(2) 毋庸置疑，日本农产品市场开放的前史中，包含了美国政府出口本国农产品

---

① Economic rehabilitation in occupied areas＝占领地经济复兴资金，简称 EROA 援助。和 GARIOA 同样从美军费中支出，目的在于支援占领地经济复兴。1949 年至 1951 年间实施，该项对日援助主要用于棉花、羊毛等纤维原料的进口。如上所示，GARIOA 和 EROA 两种援助的主要内容为粮食等生活必需品，鉴于其具有在美国国内市场兑换货币的可能性，因此其具有资金援助的性质。

② 大藏省财政史室编纂『昭和財政史—終戦から講和まで3　アメリカの対日占領政策昭和財政史』，东洋经济新报社，1976 年。另外对日媾和后美国提出该援助属于贷款援助而并非赠与援助，要求日本还贷；根据同史料的记载，1962 年日本政府曾向美国政府还款 4 亿 9000 万美元。

③ Mutual security act＝以美国相互安全保障法为依据的军事援助。由于朝鲜战争的暴发，东西冷战局势确立。1951 年为了增强西方阵营国家的防卫能力，美国制定了相互安全保障法，决定对友好国进行军事援助，其中包括粮食援助。

④ 1954 年 7 月，美合众国立公法第 480 号，即农产品贸易促进援助法成立，通过剩余农产品的援助出口，并在现地兑换货币的方式，达到对被援助国进行军备强化的目的。该法起到了 MSA 援助法的作用。

⑤ 包括"日米相互防衛援助協定＋日米農産物購入協定＋日米経済的措置協定＋日米投資保証協定"四个协定。其中"日米農産物購入協定"＝《日美农产品购买协定》。

之意向——尽管该意向以援助的形式体现。

如上文所述,战后日本国家及国民均处于极度饥饿的状态中。其主要原因在于:第一,原殖民地地区的粮食进口中断;第二,农业生产基础及生产力极度下降。因此重整农业,无疑成为战后日本政府的首要任务之一。日本农林水产省《昭和 36 年度农业白书》①,就战后农业重建问题明确指出,1955 年的日本,不仅迎来日本经济发展的新时期,"农业也面临全新的局面,农业生产水平已经超出战前水平的 30%,生产性也在不断提高"。这表明至 1955 年迄,日本经济及农业已经完全摆脱战后的窘迫局面,开始步入高度发展阶段。并且该白书还指出,促使农业尽快达到复苏的农业政策,是在"农村的民主化及确保粮食生产的基本原则下展开"的。在此不得不指出的是,战后初期的日本农政无论可能与否,并未能在确保粮食生产与供应的同时,对今后农产品贸易市场竞争做出正确的判断;当然亦未能实施任何确保今后农产品市场份额及竞争能力的有效措施。与此同时,《昭和 30 年度通商白书》②"第五章　通商政策"部分,对美国处理剩余农产品问题做了如下记载:

> 我国根据以相互安全保障法为基础的诸协定(即 MSA 协定,54 年 5 月 1 日生效)中的农产品购买协定,54 年从美国剩余农产品中购买小麦 5000 千吨、大麦 100 千吨,总计 5 千万美元。为此,解除了我国因 53 年国内减产出现追加粮食需要而可能带来的一定程度的外币负担;与此同时,该金额的 20%积累金,即 36 亿日元,作为对我国的赠予用于防卫产业的发展……关于 55 年美国会计年度(54 年 7 月—55 年 6 月)的对美剩余农产品交易,54 年秋开始交涉至今,就交易品种及交易金额已在两国间基本达成共识(交易品种包括棉花、米、小麦、烟、大麦共 8500 万美元,现物赠予包括小麦、脱脂奶粉、棉花共 1500 万美元,两者共计 1 亿美元),虽然目前关于返现积

① 農林省『昭和 36 年度農業白書』,農林水産省ホームページ。

② 通商産業省『昭和 36 年度通商白書』(1961 年度),経済産業省ホームページ。

累金中的70%，即214亿日元的对日借款条件的交涉进展困难，但已呈现将在不远的将来达成共识的可能性。

从上文中可以看出，日本政府在关于剩余农产品对日援助问题的对美交涉中，其注意力完全集中于返现积累金的对日借款条件之上；其中看不到日本政府对美国农产品援助将可能带给日本农业，特别是日本农产品贸易市场的影响的任何警戒及对应。除此之外，日美间的《第2次农产品购买协定》亦于1956年2月正式成立。①

第二节　GATT加盟与农产品贸易自由化

1955年加盟关贸协定(GATT)之举，使日本得到在国际贸易市场上展开竞争的机会，同时也认识到将面临贸易自由化的冲击。在该年度的通商白书中日本政府指出，虽然“终于如愿正式加入GATT……但在享受各国关税减让等恩惠的同时，今后更加有必要在国际视野下对经济活动进行规制”②。不仅如此，政府对贸易自由化给予如下解释：“从根本上讲目前的贸易自由化，各国均面对各种各样特殊的局势，当然其发展进度及程度上亦存在缓急不同的差异。毋庸置疑，我国也应该在自主判断下根据现实状况慎重制定策略。”③那么，日后在面对农产品贸易自由化问题之时，日本政府是如何“在自主判断下根据现实状况慎重制定策略”的，必然成为应该给予关注的问题。

20世纪50年代末，美国为了扩大出口要求废除先进国家的进口限制及对美元的差别待遇。1959年10月在日本东京召开的第15届GATT全体会议，接受美国的要求在世界贸易自由化及汇兑自由化问题上达成共识。1960年1月，日本政府召开“促进贸易及汇兑自由化阁僚

① 详细请参照通商産業省『昭和31年度通商白書』(1956年度)，“第3章通商政策”，経済産業省ホームページ。

② 通商産業省『昭和31年度通商白書』，経済産業省ホームページ。

③ 同上。

会议”，决定“逐渐扩大自由化措施，制定了 35 年(1960 年——笔者注)6 月将 40%的自由化率提高至 80%的《贸易汇兑自由化计划大纲》”[①]。并于 1960 年 10 月再次制定《促进贸易汇兑自由化计划》，明确指出至 1962 年 10 月迄，将自由化率提高至 90%。

上述贸易自由化的开始，使日本的农产品进口从占领期的“援助进口”转向正常的贸易进口，农产品的贸易自由化开始步入正轨。1962 年度的《农业白书》[②]，对日本农产品贸易自由化进展做了如下描述：“农林水产品的自由化逐渐展开，其进口自由化率从 34 年(昭和 34 年，即 1959 年——笔者注)迄的 33%，提高至 35 年中的 47%，进入 36 年后自由化率再度提高至同年 10 月的 60%。”[③]此后日本农产品贸易自由化进展迅速，至 1964 年末实施进口限制的品种减少至 73 种，其自由化率达到 93%。

然而，随着 1950 年代末始于美国的农产品贸易自由化的展开，1960 年日本国内特定农产品剩余现象亦开始凸现。政府库存大麦、裸麦的数量超过年市场需求量，不仅如此，“大、裸麦的农村自由价格(全国平均)，最近不仅低于政府收购价格，甚至也低于政府批发价格”[④]，市场明显出现饱和状态。除此之外，马铃薯的政府库存与前年相比增加 45%，国内大米增产造成进口大米消费大幅减少，今后可能出现生产与需求逆转的局面。由此可见，在农产品贸易自由化开始的同时，日本农产品市场开始出现特定农产品饱和的征兆。为此，日本政府采取了相应措施，其主要内容为，改订《关税定率法》、制定《紧急关税制度》及《关税配额制度》等一系列关税改革措施；试图通过对特定品种的关税进行增、减、固定等措施，减少进口农产品对国内农产品市场产生的影响。然而，日本政府

① 農林省『昭和 36 年度農業白書』，農林水産省ホームページ。
② 農林省『昭和 37 年度農業白書』，農林水産省ホームページ。
③ 当时 GATT 所推行的贸易自由化率，主要聚焦于废除实施进口限制的商品数量之上。因此，此处的自由化率是指进口自由的商品在总进口商品中所占的比例。
④ 日本内閣経済企画庁『昭和 36 年年次経済報告』(1961 年度)，日本内閣官房ホームページ。

这种以关税作为防风港的对应策略所面临的，将是再一次的贸易自由化浪潮——关税减让谈判——的冲击。

农产品贸易自由化率达到90%以上的日本，首先面临的是GATT的肯尼迪回合[①]上的关税减让谈判。在该回合中日本同意平均降低35%关税，并且主动降低了大豆、动物油、咖啡豆、蔬菜及水产品罐头的关税。当时的日本通商产业省对肯尼迪回合做了如下的评价：

> 60年代GATT的最大成果是肯尼迪回合(以下简称KR)上关于关税一揽子减让谈判的成功。KR谈判的特色是，① 为了减少之前品种分类及国别分类方式(通过将两国交涉扩展为多边交涉方式，使两国间就相互关心的品种进行相互减让方式，转变为其他加盟国亦得以自动均沾的方式)中关税减让的缺陷，采取一揽子关税减让的方式；② 不仅矿工业产品，农产品及原料产品亦成为谈判的对象；③ 发达国家不再对发展中国家要求互惠对等，开始努力减轻发展中国家的贸易障碍；④ 谈判涉及非关税壁垒问题，制定了国际反倾销规则及《化学品补充协定》；⑤ 农产品部门关税减让之外，缔结了谷物商品协定(国际谷物协定)……[②]

通产省对农产品的关税减让与其他产品同样被纳入谈判表示赞赏，同时对一揽子关税减让给予高度评价。然而，农林水产省认为"42年的肯尼迪回合虽然在关税减让问题上达成共识，但如果限制进口数量品种的关税壁垒得不到缓和，贸易扩大效果则甚微，世界各国将会把注意力转向进口数量限制问题之上……今后，面对农产品贸易自由化，在以有计划地推行包括国境保护措施在内的各种对策来协调国内农业生产的

---

① 肯尼迪回合是1964年5月在日内瓦召开的GATT第6轮贸易谈判，该回合由美国总统约翰·肯尼迪根据美国《贸易拓展法》倡议召开，故又称肯尼迪回合。肯尼迪回合历时3年，其最大成果是加盟国间就关税减让问题达成了共识，提出根据加盟国的现有关税水平降低关税，以缩减各国间的关税水平。具体表现为自1968年起五年间，加盟国平均关税降低35%，其中关税水平相对较高的美国将降低37%。

② 通商産業省『昭和45年度通商白書』，経済産業省ホームページ。

同时，有必要以积极的态度应对有秩序的世界贸易的扩大"[①]。可见农水省对一揽子关税减让的效果表示怀疑，就农产品贸易自由化问题指出国境保护措施的重要性，在对该回合的评价上表现了与通产省不同的见解。关于1955年日本加入GATT之后的农产品进口自由化问题，农水省1994年度《农业白书》[②]中有如下记载：

> 1962年限制进口数量的农林水产品曾经达到103种(……大米、小麦等国家贸易品种除外)，该数量不断减少；至1988年废除牛肉、柑橘等品种的限制进口数量措施，并逐渐实施自由进口；其结果至1992年4月迄，限制进口数量的品种减少至12种[③]。并且，本次农业协议的达成及实施，不仅使得除大米以外，迄今为止实施进口数量限制措施的诸如乳制品、淀粉等所有农产品开始实施关税化，与此同时削减一般关税率措施亦一并开始。

也就是说除国际协定中认可为"国家贸易品种"的大米、小麦等品种可以实施进口限制的品种外，1992年4月迄日本实施进口限制的农产品仅剩12个品种。并且由于乌拉圭回合农业协定的成立，大米以外的进口限制品除均开始实施关税化措施之外，其进口关税率亦将开始成为削减对象。可以说上述12个品种的关税措施，已经成为日本农产品市场的最后防线，其对日本农业的意义之大也非常明显。

第三节　多哈回合农业谈判中的农产品市场开放问题

目前仍在进行(或已进入僵局)的WTO多哈回和上的农业谈判主要围绕三方面进行，1. 市场准入；2. 国内支持；3. 出口竞争。迄今为止的谈判过程可见表11－1。该表中可以看到，谈判进行得非常艰难。仅

---

① 農林省『昭和45年度農業白書』(1970年度)，農林水産省ホームページ。

② 農林水産省『平成5年度食料・農業・農村白書』，農林水産省ホームページ。

③ 12种进口限制品种包括"乳制品2种，牛肉调制品，水果调制品，菠萝罐头，非柑橘果汁，番茄调制品，淀粉类，葡萄糖类，杂豆类，落花生，其他调制品"。

框架谈判便消耗了3年以上的时间,之后由于发达国家与发展中国家间的对立致使谈判两次决裂;而至今历时十四年之久的谈判,即使是在基本方针问题上也未能达成共识,在此有必要对基本方针谈判的具体内容给予关注。

表11-1　多哈回合农业谈判现状

时间	具体内容
2000年3月	农业谈判开始,同年12月日本提交《日本提案》。
2000年12月	多哈部长会议,策划多哈回和的具体谈判框架。
2003年9月	坎昆部长会议,发达国家与发展中国家对立。
2004年7月	框架协议达成。
2005年12月	香港部长会议,就废除出口补贴问题进行谈判。2006年7月至2007年1月谈判中断。
2007年7月—	《议长案》提示。
2008年7月	部长会议,发达国家与发展中国家对立。
2008年12月	《再改定议长案》提示。
2009年11月	第七次部长会议。
2011年12月	第八次部长会议。
2012年开始	就基本方针进行谈判→减让表案提出(预计)→就减让表谈判(预计)→最终达成共识。
1. 2001年多哈回和开始前的2000年3月,农业谈判开始,同年日本政府提交《日本提案》。 2. 2004年7月农业谈判就"谈判框架"达成共识,谈判的基本理念成立。之后就《基本方针》(关税的削减方式、具体数字等)开始谈判。2007年7月提出《再改定议长案》,目前谈判仍未达成共识。	

注:根据日本大臣官房国際部「WTO農業交渉の主な論点」,(農林水産省ホームページ)。

在《WTO农业谈判的主要论点》①中,日本大臣官房国际部就基本方针谈判的主要内容做了如下说明:该谈判目的在于"制定所有加盟国均能

① 原文「WTO農業交渉の主な論点」,農林水産省ホームページ。

达成共识的相关制度，决定适用于所有国家、所有贸易品种共通制度的关税削减率及其具体数字。其主要包括关税削减比率，重要品种占所有品种的数量比率，重要品种的关税削减率占一般品种关税削减率的比率，配额关税占国内消费量的比率等具体数字”。如上所示，WTO 农业谈判内容包括市场准入・国内支持・出口竞争三个部门；而以上考察表明，事实上导致谈判进入困境的关键是市场准入部门关于具体数字的谈判。可见农产品市场开放问题成为 WTO 农业谈判的瓶颈，而日本在其中的态度则直接关系着其农产品市场开放的进程，甚至日本农业的未来。

如上所述，日本在《乌拉圭回合农业协议》出台之前，其农产品进口限制品种已经从 1962 年的 103 种减少至 12 个品种，而由于乌拉圭回合农业谈判结果，以上 12 个品种的进口限制将被废除，同时农产品进口关税的削减及配额关税量的扩大亦成为现实问题。日本政府在之后的多哈回合农业谈判上，与其他农产品纯进口国或地区组成 G10 集团①，以“多样性农业的共存”②为理念，主张“建立能够保持出口国与进口国相协调的贸易规则”。在市场准入问题谈判上日本方面的立场可见表 11－2，其中可以看到经历将近九年的时间和两次决裂后终于出台的《改订部长案》中，明确规定了重要品种的基本数量及其与配额关税的联动性，同时明确规定一般品种关税过高之时将追加重要品种配额关税的幅度；关于是否新设配额关税问题，该部长案采取了暧昧的态度。而日本方面的态度则与该部长案之间存在一定的差别：首先，日本希望在确保本国重要品种数量的同时，在配额关税扩大幅度的实施上采取柔软性对策；其次，

① 目前 G10 的成员国有日本、瑞士、挪威、韩国、中国台湾、冰岛、以色列、列支敦士登、毛里求斯等九个国家或地区。葡萄牙因加入 EU 而退出 G10。

② 2000 年 12 月日本政府提交的《WTO 農業交渉日本提案》中明确指出：“农业是各国社会的基础，农业向社会提供各种各样有益机能，在各国自然条件及历史背景存在差异的条件下，必须确保农业的多样性及其共存。为此必须相互认同克服生产条件差异的必要性，这是非常重要的。”由此可见日本政府提倡的“多样性农业的共存”是指，不同自然条件、历史背景、乃至不同生产规模与方式下的各国农业的共存；其理论基础在于不仅农业是社会的基础，同时其本身具有各种各样有益机能，即农业的多面性机能。

日本坚决反对关税上限的设置；最后，日本在新设配额关税问题上采取积极的态度，目的在于以此为条件增加重要品种的数量。这表明，虽然多哈回合的农业谈判进入僵局，但在已经达成共识的基本框架中，明确规定承认“重要品种”的存在；而该“重要品种”成为日本政府在包括WTO以外的贸易谈判中，始终坚守的农产品贸易谈判底线。从日本政府在TPP谈判中的表现亦可以看出，至少目前为止该“重要品种”被定位为保护日本农产品市场，乃至日本农业的最后防线。

表11-2　多哈回合农业谈判中日本政府关于市场准入问题的立场

<table>
<tr><td colspan="4">日本立场：1. 确保重要品种足够的数量及柔软的对应；2. 阻止上限关税的设置；3. 主张新设配额关税使其成为最重要谈判项目。</td></tr>
<tr><td colspan="2"></td><td>2008年《改订部长案》</td><td>日本立场</td></tr>
<tr><td rowspan="4">重要品种</td><td>基本数量</td><td>所有品种的4%（有条件、有补偿2%追加）</td><td rowspan="4">·确保足够的重要品种的数量
·被指定为重要品种后，在配额关税的扩大幅度的对应问题上确保具有柔软性</td></tr>
<tr><td>对应</td><td>原则上配额关税扩大幅度是国内消费量的4%</td></tr>
<tr><td>数量“+2%”的补偿</td><td>配额关税扩大幅度的4%之外，该界限的配额关税扩大幅度追加0.5%</td></tr>
<tr><td>削减后如超100%的补偿</td><td>该界限的配额关税扩大幅度追加0.5%</td></tr>
<tr><td colspan="2">上限关税</td><td>不设定</td><td>阻止关税上限的设置</td></tr>
<tr><td colspan="2">一般品种如存在超100%品种的补偿</td><td>1. 所有重要品种的配额关税扩大幅度追加0.5%，或者
2. 该界限的关税削减实施缩短两年，或者
3. 该界限的关税削减追加10%</td><td></td></tr>
<tr><td colspan="2">新设配额关税</td><td>可能/不可能的两种观点并记</td><td>为了能够被指定为重要品种，现在未设置配额关税的品种亦可新设配额关税</td></tr>
</table>

注：根据日本大臣官房国際部「WTO農業交渉の主な論点」，（農林水産省ホームページ）。

第四节 “新农基法”下的农产品市场扩展政策

事实上，日本农业在农基法改订之前已经面临着极大的困境。农水省在《食品・农业・农村基本法梗概》[①]中明确指出：“旧农业基本法在昭和36年，根据当时社会经济动向及其预测，为明确我国农业的发展方向而制定。但是，在我国社会经济的急速成长、国际化进展显著等变化中，我国食品、农业、农村的状况亦发生了巨大变化……出现了使国民深感不安的现象。”该文件对上述“不安现象”作了几点说明：其一，食品自给率的降低；其二，农业生产者减少及老龄化；其三，农地面积减少；其四，农村活力丧失。

显而易见，农基法的改订与缓解上述“不安现象”有着不可分割的关系，可以看到新农基法的目标已经从“通过缩短农业与他产业生产率、农业生产者与他产业生产者收入之间的差距，达到促进农业发展、提高农业生产者地位”，转变为“通过提高农产品自给率，达到维持农业的多面性机能、保障国民生活的安全与安心”的层面。审视新农基法农政的具体政策要点（见表11－3）发现，可称之为“新政策”之处有以下几点：(1) 制订了将食品自给率提高至50％的目标；(2) 开始推行“户别所得补贴制度”；(3) 扩大国产原料利用及改善国民早餐习惯；(4) 促进农产品出口贸易；并且以上四点均与农产品市场扩展相关。

① 原文「食料・農業・農村基本法のあらまし」，農林水産省「食料・農業・農村基本法関連情報」，農林水産省ホームページ。

表 11－3　2010 年《食品・农业・农村基本计划》的政策要点

问题点	2010 年 3 月基本计划
食品自给率降低	食品自给率提高至 50%＝导入户别所得补贴制度①＋依赖进口原料生产的食品改用国产原料②＋改善国民膳食结构，提高大米的消费量③＋促进农产品出口贸易
农业生产者减少及老龄化	培养和确保有意务农及多样化的农业生产者＝导入户别所得补贴制度＋培育和确保有竞争能力的农业经营体＋应地应作＋缓和农业新参者获取农地的相关规制
农地面积减少	制定确保优良农地的有效利用之政策＝严格农地转用规制＋减少弃耕地＝扩大耕种面积，提高耕地利用率
国际贸易谈判	鉴于进口国食品供给的重要性，在国际谈判中应持以下的态度＝坚持"多种农业的共存"理念，最大限度地反映进口国的立场＋以确立各国农业均能相互发展的规则为目标。在东亚 EPA・FTA 谈判中，不做损害国内农业・农村振兴之事

注：根据农林水産省「平成 22 年食料・農業・農村白書」制成，（农林水産省ホームページ）。

1999 年新农基法成立后，日本农业面临的问题是否得到缓解，是检验新农基法农政效果的最好方法。从农水省《平成 25 年度食品・农业・农村白书》④对日本农业现状的归纳中得知，日本农业、农村仍然面临着生产者老龄化以及弃耕地不断扩大的状况，食品自给率亦未见明显上升。不仅如此，以提高农产品自给率、扩展农产品市场为主要政策目标之一的新农基法农政下，2013 年农产品进口额约为 6.14 兆日元，与前年度相比处于增长态势；除此之外，从日本主要农产品进口全貌来看，其

① 为提高食品自给率，向根据国家、地方及市町村制定的主要农产品（大米、麦子、大豆）生产数量目标进行农业生产的农民支付生产费用与贩卖价格之间的差额。

② 国产小麦利用从 88 万吨提高至 180 万吨＋国产米粉利用从 0.1 万吨提高至 50 万吨＝从原来的 10%提高至 40%；饲料用国产米从 0.9 万吨提高至 70 万吨＝26%提高至 38%；国产大豆利用从 26 万吨提高至 60 万吨＝从 30%提高至 60%。主食用大米消费扩大＝号召不用早饭国民的 1700 万人食用国产大米。

③ 主食用大米消费扩大＝改善早餐进餐状况，号召 1700 万不进早餐的国民食用国产大米。

④ 農林水産省『平成 25 年度食料・農業・農村白書』（2013 年度），農林水産省ホームページ。

对个别国家的依赖度极高(见表11-4),玉米、小麦、大豆进口量的88.9%、95.7%、96.5%依赖于进口量前三位的国家,其中对美国的依赖度均在50%左右。因此可以说,新农基法农政下农产品市场扩展政策的效果不仅不尽如人意,其进口结构在食品安全保障意义上亦存在一定的风险性。

表11-4 平成25年日本主要农产品进口国别比例(2013年)

国别 类别	所有农产品	玉米	小麦	大豆
进口总额(亿日元)	6兆1,365	4,637	2,222	1,838
美国(%)	23.1	47.9	51.5	58.1
澳洲(%)	6.9	—	16.8	—
加拿大(%)	6.7	—	27.4	16.9
巴西(%)	6.4	28.0	—	21.5
中国(%)	12.1	—	—	—
泰国(%)	6.4	—	—	—
阿根廷(%)	—	13.0	—	—
其他(%)	38.4	11.1	4.3	3.5

注:根据農林水産省『平成25年度食料・農業・農村白書』,(農林水産省ホームページ)。

毫无疑问,农业向国民提供生活保障基础及"各种有益机能",保证其作为产业而持续性发展的必要条件之一,是确保农产品销售市场的份额。而日本农业面临诸多问题的最大原因,无非在于因为农业生产成本过高①,使其销售过度依赖国内市场;而农产品贸易自由化使日本农产品在国内市场上的份额不断减少;应该说,农产品市场扩展政策的成败关系着日本农业的发展。然而,局限于"户别所得补贴制度"与改善国民膳食结构等内容的日本农产品市场扩展政策,仍然缺少积极因素。调整扩

① 日本农产品高生产成本的原因很多,其中最主要的原因有以下几个方面:传统密集型农业,零星农业的生产及经营方式,农地自身条件使扩大农业规模产生一定困难,农地制度的限制造成农地集中困难等。

大农业生产、经营规模与农地转让规制之间的关系，充分发挥密集型农业的特征、提高日本农产品品牌威信等具有积极性、具体性政策的实施，成为今后日本农产品市场扩展及日本农业持续性发展的关键。

第五节　FTA 谈判中的农业问题

上文已经指出，日本的贸易自由化起步于 20 世纪 60 年代，并且用了近 10 年的时间将当时仅有 41%的贸易自由化率翻了一番，尽管如此，与其他发达国家相比，其自由化率仍处于低谷。对于这种状况，日本通商产业省(现经济产业省)在《昭和 45 年度通商白书》[①]中对贸易自由化的历程做了如下的评价："我国的贸易自由化，以 1960 年制定的《贸易外汇自由化计划大纲》及 1961 年制定的《促进贸易外汇自由化计划》为起点。1960 年 4 月仅为 41%的自由化率，至 1970 年 4 月已经接近 94%。尽管如此，与欧美诸国相比，我国的进口限制数量仍居首位，这与我国的自由化开始甚迟有关。并且，与其他先进诸国相比，我国的经济、社会所面临的困难太多，例如(中略)农产品经营规模具有的零星性、气候等自然条件具有的特殊性(中略)等。"上文中，日本政府用"困难太多"来解释贸易自由化问题上的落后状况；同时值得注意的是，日本所面临的贸易自由化的"困难"中，农业问题首当其冲。

当时欧洲经济合作机构(OEEC)制定了对贸易自由化的评价体系，被称为贸易的"自由化率"，即"进口自由的商品"在所有进口商品中所占的比例。"进口自由的商品"指具有进口自由化义务的商品，其中包括需缴纳关税的商品；"非进口自由商品"是指不具有进口自由化义务的商品，如武器、麻药等。在该衡量体系下，日本的贸易自由化率，如《昭和 45 年度通商白书》中所示，在 20 世纪 70 年代初达到 94%。之后日本所面临的是更大的挑战，即如何按照"GATT11 条"的规定，继续降低关税水

① 通商産業省「昭和 45 年度通商白書」(1970 年度)，経済産業省ホームページ。

平。图 11－1 是日本贸易自由化过程与关税的变化。如图所示，20 世纪 60 年代至 70 年代，日本贸易自由化的重点是减少进口限制商品的数量以及外汇管理自由化。70 年代开始，贸易自由化重点开始转向降低关税率，同时废除非关税性贸易堡垒。图中能够看到两种对贸易自由化的评价方法：(1) 相对进口总额的平均关税负担率，指关税收入在进口总额中所占的比例，即图中上方白色曲线。(2) 相对课税商品进口额的平均关税负担率，指关税收入在课税品进口额中所占的比例，即图中下方黑色曲线。20 世纪 60 年代起，日本的贸易自由化是在“GATT11 条”的框架下展开的；其间相对进口总额的平均关税负担率在 20 世纪 90 年代初期，已经从 60 年代的最高点约 21％降到 6％左右；相对课税品进口额的平均关税负担率则从约 7％降到 3％左右。

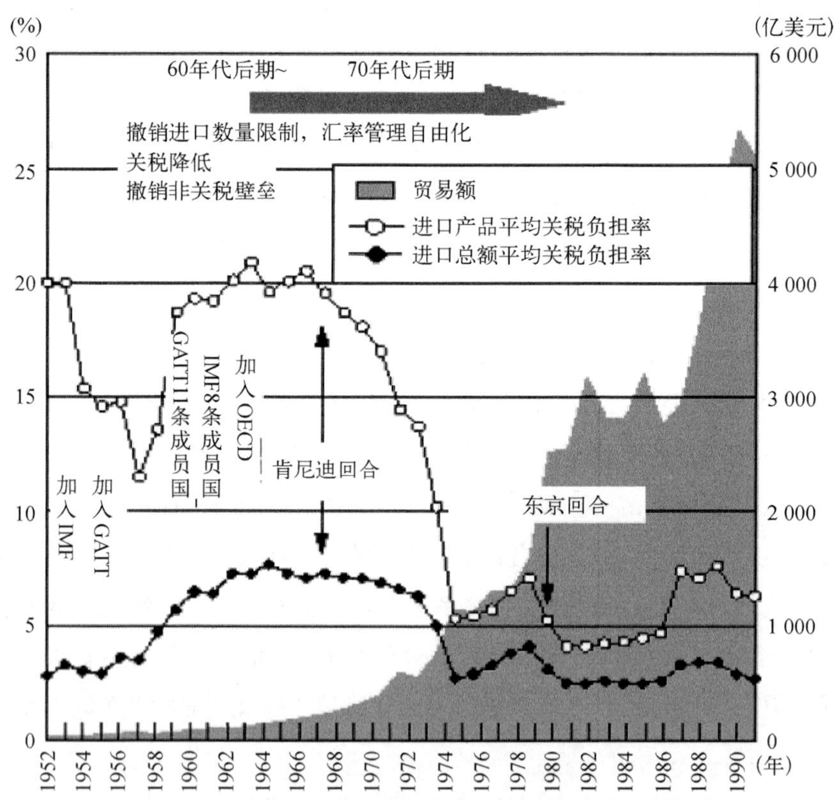

图 11－1　日本贸易自由化过程与关税的变化(引自経済産業省『2000 年度通商白書』)

然而，鉴于WTO对于所有加盟国均赋予最惠国待遇的原则，20世纪90年代开始自由贸易协议[①](FTA)数量急剧上升，地区经济统合愈演愈烈；同时，多哈回合谈判受挫，致使WTO框架下的农业、知识产权、服务、开发等领域上的多方谈判陷入困境。为此，FTA成为世界各国贸易自由化的主要手段。在以上背景下，进入21世纪后日本的贸易自由化终于开始在FTA框架下展开，特别是其在东亚地区的以FTA[②]为轴心的经济合作协定[③](EPA)，已经成为日本门户开放的主要手段与目标。

表11-5是日本EPA/FTA谈判的进展状况、生效时期，乃至协定主要内容。可以看到，自2002年1月日本与新加坡的EPA签署后，日本的EPA·FTA谈判正式起步。至2015年3月，日本与15个国家或地区的谈判已经结束，其中与14个国家或地区的协议已经生效；与蒙古的谈判也于2015年2月签字完毕；另外与8个国家或地区的谈判正在进行中。农产品协定的内容表明，其谈判围绕各自关心的具体农产品的削减或废除关税、设置进口配额等问题展开，其中日本主张从谈判品种中除外的农产品主要为米麦、特定乳制品、砂糖、淀粉、牛肉、猪肉等；可见以上品种已经成为日本农产品贸易的最后壁垒，也是日本政府希望守住的最后壁垒。

必须注意的是，与WTO"必须对所有加盟国赋予最惠国待遇"框架下的谈判不同，FTA框架下谈判的主旨在于促进谈判国"之间的经济关系更加密切，扩大贸易自由"化，为此该谈判应该以"在适当的时期内，在实质上撤销所有贸易壁垒"为条件。因此该框架下衡量贸易自由化的标准，一般使用"相对进口总额的免税率"，即免税商品总额在进口总额中所占的比例。可见FTA框架下的贸易自由化目标，已经从减少关税水

① 自由贸易协议。在两国间或地区范围内，为了促进相互之间废除关税以及进出口数量限制等贸易堡垒签订的贸易自由化协议。

② FTA＝自由贸易协定，指协定国家或地区间的关于货物及服务贸易自由化、取消关税或非关税壁垒的协定。

③ EPA＝经济合作协定。特定国家或地区之间制定的关于货物与服务贸易，乃至投资、人力资源流动、商标登录等经济活动的协议。

平转向免除关税之上，这也是日本目前的"门户开放"所面临的真正考验。

表 11－5　日本 EPA/FTA 谈判的进展状况及其主要内容

序号	国家或地区	谈判进展状况	农林水产品谈判相关内容
1	新加坡（EPA）	2002 年 1 月签字，11 月生效/2007 年 3 月改订，9 月生效。	谈判当时新加坡关心品种：可可制品 5—7 年后，蔬菜汁 7 年后废除关税。关税废除除外品种：米麦及其制品、指定乳制品、砂糖、淀粉、牛肉、猪肉、鸡肉等。
2	墨西哥（EPA）	2002 年 11 月开始谈判，2004 年 9 月签字，2005 年 4 月生效/2011 年 9 月改订，2012 年 4 月生效。	墨西哥关心品种：猪肉、鸡肉、牛肉、柑橘、柑橘汁等实施进口配额；超出进口部分协议关税。除外：米麦及其制品、指定乳制品、淀粉等。 对日本哈密瓜、梨、橘子，废除关税。
3	马来西亚（EPA）	2003 年 1 月开始谈判，2005 年 12 月签字，2006 年 7 月生效。	马来西亚关心品种：虾、香蕉废除关税；棕榈油无税；合成板材继续交涉、合成板材以外的林产品废除关税。除外：米麦及其制品、指定乳制品、砂糖、淀粉、牛肉、猪肉等。 对日本哈密瓜、梨、橘子，废除关税。
4	智利（EPA）	2006 年 2 月开始谈判，2007 年 3 月签字，9 月生效。	智利关心品种：鲑鱼 10 年后废除关税；猪肉、牛肉、鸡肉、番茄汁第 5 年开始实施进口配额。除外：米麦及其制品、指定乳制品、砂糖、淀粉等。
5	泰国（EPA）	2004 年 2 月开始谈判，2007 年 4 月签字，11 月生效。	泰国关心品种：鸡肉 5 年内关税削减 11.9—8.5%；香蕉、菠萝实施进口配额，配额内无税；虾、金枪鱼制品废除关税。除外：米麦及其制品、指定乳制品、淀粉、牛肉等。对日本苹果、梨、桃废除关税。

续表

序号	国家或地区	谈判进展状况	农林水产品谈判相关内容
6	印度尼西亚(EPA)	2005 年 7 月开始谈判，2007 年 8 月签字，2008 年 7 月生效。	印尼关心品种：虾废除关税；香蕉、菠萝实施进口配额，配额内无税。除外：米麦及其制品、指定乳制品、砂糖、淀粉、牛肉、猪肉等。
7	文莱(EPA)	2005 年 6 月开始谈判，2007 年 6 月签字，2008 年 7 月生效。	文莱关心品种：杧果、虾废除关税。除外：米麦及其制品、指定乳制品、砂糖、淀粉、牛肉、猪肉等。对日：苹果、草莓、绿茶等废除关税。
8	东盟(物品贸易)	2005 年 4 月开始物品贸易谈判，2008 年 4 月签字，12 月生效/2010 年 10 月开始服务・投资谈判(进行中)	废除关税：榴梿、虾及其制品等；10 年内废除关税：盐储茄子、咖喱制品、海蜇等；削减关税：鸡肉制品、合成板材等。除外：米麦及其制品、指定乳制品、砂糖、淀粉、牛肉、猪肉等。
9	菲律宾(EPA)	2004 年 12 月开始谈判，2006 年 9 月签字，2008 年 12 月生效。	菲律宾关心品种：粗糖谈判未果；糖水焦糖实施进口配额，配额内削减关税 50%；菠萝实施进口配额，配额内无税；香蕉 10 年后无税。除外：米麦及其制品、指定乳制品、淀粉等。对日：葡萄、苹果、梨关税废除。
10	瑞士(EPA)	2007 年 5 月开始谈判，2009 年 2 月签字，9 月生效。	瑞士关心品种：瑞士特产芝士实施进口配额，配额内关税 5 年间 29.8%→14.9%；咖啡三年后废除关税；巧克力实施进口配额，配额内削减关税 20%；速溶咖啡、精油废除关税。除外：米麦及其制品、指定乳制品、砂糖、淀粉、牛肉、猪肉、鸡肉等。对日：盆栽、山药、哈密瓜、柿饼、味增废除关税。

续表

序号	国家或地区	谈判进展状况	农林水产品谈判相关内容
11	越南（QPA）	2007年1月开始谈判，2008年12月签字，2009年10月生效。	越南关心品种：虾及其制品废除关税；冷冻菠菜、章鱼、带鱼5年后废除关税；烘焙咖啡、绿茶15年后废除关税；天然蜂蜜实施进口配额，配额内削减50%关税；番茄酱5年后关税17%→8.5%。除外：米麦及其制品、指定乳制品、砂糖、淀粉、牛肉、鸡肉、猪肉等。对日：废除鲜花、苹果、梨、橘子关税。
12	印度（EPA）	2007年1月开始谈判，2011年2月签字，8月生效。	印度关心品种：榴梿、芹菜、虾、芦笋废除关税；辣椒、玉米、冷冻章鱼等7年后废除关税；咖喱、红茶等10年后废除关税。除外：米麦及其制品、乳制品、砂糖、淀粉、牛肉、猪肉、鸡肉等。对日：盆栽5年后废除关税；山药、桃、草莓、柿子等10年后废除关税。
13	秘鲁（EPA）	2009年5月开始谈判，2011年5月签字，2012年3月生效。	秘鲁关心品种：芦笋、虾、鱼油等废除关税；章鱼、植物性油脂、香蕉、绿茶等阶段性废除关税；猪肉、鸡肉、玉米等实施进口配额，配额内削减关税。除外：米麦及其制品、指定乳制品、砂糖、淀粉、牛肉等。对日：柿子、梨、山药、绿茶等阶段性废除关税。
14	澳大利亚（EPA）	2007年4月开始谈判，2014年7月签字，2015年1月生效。	澳关心品种：牛肉阶段性削减关税；饲料用小麦无税化；乳制品、砂糖将来再议；除外：大米、食用小麦。对日：废除所有农产品关税。
15	蒙古（EPA）	2012年6月开始谈判，2014年7月基本达成协议，2015年2月签字（未生效）	日蒙间贸易现状为日本贸易出超，农林水产品同样，主要进口农产品为羊毛及其他兽毛，动物的筋、皮等。 2013年日蒙贸易顺差为274亿日元（出口293亿、进口19亿）其中农林水产品为7.2亿日元（出口7.8亿、进口0.6亿）。

续表

序号	国家或地区	谈判进展状况	农林水产品谈判相关内容
1	韩国	2003 年 12 月开始谈判，2004 年 11 月中断，2010 年 5 月再开(进行中)	日韩间贸易状况为日本出超，但农林水产品则为日本入超。2013 年农林水产品出口为 373 亿日元，进口为 2062 亿日元；主要进口农产品为金烧酒、金枪鱼、甘味料、蔬菜、泡菜等。
2	GCC①	2006 年 9 月开始谈判(谈判延期中)	与该地区贸易状况为入超，但农林水产品日本出超；2013 年出口为 71 亿日元，进口为 25 亿日元；进口主要农产品为蟹、蔬菜、金枪鱼、鱿鱼、意面、菜籽油、红茶等。
3	加拿大	2012 年 11 月开始谈判(进行中)	日加贸易为入超状态，农林水产品同样(2013 年进口 5909 亿日元，出口 61 亿日元)；主要进口农产品为菜籽油、猪肉、小麦(进口配额内无税，其他课关税)、大豆、虾、麦芽、蟹等。
4	哥伦比亚	2012 年 12 月开始谈判(进行中)	贸易出口超、但农产品进口超；主要进口农产品为咖啡豆、鲜花、速溶咖啡、烘焙咖啡、香蕉、冷冻蔬菜、巧克力等。
5	日中韩	2013 年 3 月开始谈判(进行中)	农产品贸易：日中间中国出超；日韩间韩国出超；中韩间中国出超。
6	欧盟	2013 年 4 月开始谈判(进行中)	农产品贸易：日本进口超；主要进口农产品为烟、酒、猪肉、金枪鱼、橄榄油、芝士等。
7	RCEP②	2013 年 5 月开始谈判(进行中)	农产品贸易入超；主要进口农产品为鸡肉制品、虾、牛肉、生鲜水果、冷冻蔬菜、金枪鱼、虾制品等。

① GCC 指海湾合作委员会。

② RCEP 指区域全面经济伙伴关系，由东盟十国加中国、日本、韩国、澳大利亚、新西兰、印度共同参加。

续表

序号	国家或地区	谈判进展状况	农林水产品谈判相关内容
8	土耳其	2014 年 12 月开始谈判(进行中)	贸易顺差,但农产品贸易逆差;主要进口农产品为金枪鱼、意面、生鲜水果、橄榄油、烟、芝麻、番茄、蔬菜汁等。

注:根据農林水産省大臣・官房国際部経済連携チーム「EPA/FTA 交渉の現状」制成,(2015 年 3 月,農林水産省ホームページ)。

综上,日本败战后整个国家处于饥饿之中,战后农政在实施粮食增产政策的同时,不得不向 GHQ 寻求帮助,事实上日本粮食"进口"起步于美国向日本提供的粮食援助之中。战后初期的粮食增产政策的目标,在于满足国民对粮食的需求,进而提高粮食自给率;为此国家财政投入了大量增产奖励金,至 1953 年财政投入达到 336 亿日元,粮食自给率得到了极大程度的提高。然而,1954 年日美间 MSA 协定成立,日本政府放弃了财政投入型粮食增产政策,接受了以购买美国剩余农产品为条件的美国对日本的再军备投资,自此战后日本农政开始在农产品市场开放与改善农业结构及保证农民收入之间寻找持续发展的契机。20 世纪 90 年代愈演愈烈的农产品贸易自由化,使日本农业再度面临市场开放的冲击,仅仅依靠农产品贸易谈判已经难以维持农业持续性发展的可能性,日本农政正在面临新的挑战。

终章　再论日本农业政策中的主要问题及其未来

日本农业经济学家暉峻众三在其编著的《日本资本主义与农业保护政策》的开篇中指出:"现在,日本农业的'危机'仍在深化……作为日本农业及农户经济安定基础的大米,成长农产品的重要支柱牛奶等主要农产品均处于生产过剩、生产调整、价格规制及下降状况。放弃耕种地的增加使耕地利用率,乃至农产品自给率下降,农户负债积累、依靠农业收入维持生活的比例不断减少……日本农业'危机'背后的基本因素,是对美从属、依存体制下,在经济上不断强大的日本国家垄断资本主义。"①不难看出,暉峻认为,日本农业陷入困境不能自拔的主要原因,在于战后在生产过剩、自给率降低、农业收入比例下降的背景下,对美依存及国家垄断资本主义体制的不断强化。可以认为正是由于以上问题的存在,尽管战后日本农政方针及内容进行了屡次调整,亦无法矫正资本主义发展与农业问题之间存在的矛盾。当然必须指出的是,日本农政并非一无是处,战后的农地改革为日本农村民主化奠定了良好的基础;农基法成立后,日本农业现代化程度、农民生活水平的提高,乃至新农村建设事业的成功有目共睹。然而在农业机械化程度及农民生活水平提高的背后,普

① 暉峻衆三編著『日本資本主義と農業保護政策』,お茶の水書房,1990年,第3页。

遍存在的是农民兼业现象的扩大，据 2003 年日本《农业白书》[①]统计，1960 年度农户年收入 41.13 万日元中，农外收入为 19.21 万日元，占比为46.7%；2002 年度农户年收 554.84 万日元中，农外收入为 452.72 万日元，占比高达 81.6%。不能否认，机械化投资及生活水平提高与兼业收入的关系密切。在如何使农业成为“赚钱的产业”、成为“可持续发展产业”上，日本农政的“失败”非常明显。

一、日本农业政策屡屡失败的主要原因

首先，1961 年日本《农业基本法》的成立，在日本农业政策史中具有划时代意义。该法的成立标志着日本农业政策体制中宪法的问世，表明今后所有农业政策均将围绕贯彻农基法的基本方针目标而制定实施。农基法的第一章第一条明确指出：“鉴于农业及农业从事者在产业、经济及社会中所应肩负的重要使命，为了顺应国民经济的成长发展以及社会生活的进步向上，为了矫正由于自然、经济、社会的制约对农业产生的不利，为了减少或消除农业与他产业在生产性上存在的差距，国家的农业政策，以提高农业生产性以及增加农业从事者收入、使其生活水准与他产业从事者相同为目标，促进农业的发展以及农业从事者地位的提高。”

由此可见，农基法的基本方针目标在于减少工农业生产率以及工农业从事者收入之间存在的差距，即提高农业的生产率及农民的生活水平。直至 1999 年《食品・农业・农村基本法》成立迄，其基本方针目标始终未曾改变。因此，新农基法成立迄的日本农业政策，均围绕实现以上政策目标制定实施，然而为了解决不断出现的新问题不得不屡次进行政策性调整，其具体过程可整理为表 12-1。

① 農林水産省『平成 15 年度食料・農業・農村白書参考統計表』，農林水産省ホームページ。

表 12－1　日本农业基本法成立后农业政策方针调整过程

时间	1961—1969	1970—1979	1980—1989	1990—1999
政策时段	农基法农政	综合农政	80 年代农政	新农政
法律依据	农基法	农振法	农地利用增进法	农业经营促进法
政策目标	● 减少工农业生产效率差距；● 减少工农业从事者收入差距	● 解决大米生产过剩问题；● 解决农民兼业化问题	● 扩大农业生产规模；● 制定兼业农家对策	● 农业产业化自立⇒培养高效率、安全性农业经营体
主要施政	●“选择性扩大”农业生产⇒确保农产品价格稳定；● 培养“自立经营农户”①⇒确保农业收入；● 改革农业构造＝机械化生产⇒提高农业生产率	● 大米生产调整政策＝“减段政策”的实施；● 培养“核心农户”②＝扩大农业经营⇒允许租赁农地从事农业生产；● 农业构造改革⇒高能效机械化。	● 培养扩大“核心农户”经营规模，促进兼业农户离农；● 促进农地流动化⇒农地集团化利用；● 农业构造改革⇒提高生产率	● 培养“认定农户”③＝扩大经营规模；● 通过合理化法人制度推动农地向认定农户的汇集；● 农业构造改革⇒农业、农村整备⇒活性化农械
施政结果	● 农产品生产与价格稳定，扩大大米、蔬菜、水果、鸡蛋、畜产品、乳制品生产；● 农业从事者及农地流失；● 农业从事者的兼业状况增加。	● 农业生产的“选择性缩小”状态发生；● 农地荒废状态增加；● 农民兼业化的扩大及农业从事者的减少。	● 兼业农家的增加⇒农业外收入的增加；● 土地价格的升高⇒农地资产化⇒农地流动不畅	● 农地的流动不畅⇒农业生产规模扩大无法实现；● 农产品贸易自由化⇒农业生产减少⇒农产品自给率下降
时代背景	重化学工业高度增长	世界石油危机	广场会议、日元升值	通过乌拉圭协议

注：根据日本《农业基本法》《农业振兴法》《农地利用增进法》《农业经营基础强化促进法》《粮食法》《食品·农业·农村基本法》，1965 年至 2009 年度《农业白书》制成。

如上表所示，农基法成立后的 20 世纪 60 年代起至 20 世纪末，日本

① “自立经营农家”指经营范围平均为 1—1.5ha 中的农业经营体。

② “中坚农家”指经营范围平均为 4—5ha 的农业经营体。

③ “认定农家”指经营范围平均为 10—20ha 的农业经营体。

农政方针曾经有过3次较大的调整,即农基法农政向综合农政、综合农政向80年代农政、80年代农政向新农政的调整。对其调整内容及过程可做以下分析。

第一,其调整政策目标的目的仅限于解燃眉之急,并且该调整是通过制定或修改相关子法的方法实施;对农政体系中的纲领性法律、农基法的政策目标在进入新世纪迄未做过相应的修改。这种被动的调整方法使其农政体系缺乏整合性,也是其政策目标无法实现的原因之一。

第二,本书在序论中曾经指出,日本农业目前面临非常困难的问题,其具体包括四个方面内容:农业从业者减少及老龄化,农业生产总量及农业收入的减少,农地面积的减少,农产品自给率降低,相关数字变化已经在表1中给出。从该表中数字可知,不可否认农基法农政的实施过程中,农业总生产额处于不断上升的趋势;但当时农业生产总额的提高,在很大程度上是"选择性扩大"生产的产物。换言之,是由选择市场需求增大、价格稳定的农产品进行扩大生产带来的结果。这种农产品生产的"选择性扩大"正是之后"主要农产品"生产过剩的主要原因之一,其后果是农业生产的"选择性缩小",即主要农产品的"减段政策"。特别是大米生产调整政策的实施,造成休耕地、弃耕地等非耕农地不断增加,成为日本耕地面积减少的原因之一,给农业带来了更大的问题。

第三,农业构造改革,一直是日本农政体系中的重中之重,其目的在于提高农业生产率。但是必须注意的是,农业生产率的提高必须有两部分组成,一是农业的机械化生产,二是农业经营规模的扩大,两者缺一不可。然而,表12-1中各时期的政策重点表明,扩大农业经营规模问题一直未能得到解决。因此农民对农业生产机械的投资,带来的是经营困难与农产品成本的提高,农民不得不靠农业生产以外的收入维持生活;这也是日本农民兼业现象不断增加,农产品在国际市场及国内市场上缺乏竞争力,乃至农产品自给率下降的原因之一。

另外,1999年7月新农基法的成立,标志着日本农政方针的根本性改革。该法第一条中明确指出,今后将"综合性、计划性地推行有关食品、农业、农村政策”，使其达到“促进国民生活的安定提高及国民经济的健全发展”之目的。新农基法成立后的主要政策实施及其内容调整可整理为表 12 - 2。在此，对新农基法农政做以下两点分析。

表 12 - 2 新农基法成立后日本农业政策及其调整要点

政策要点	针对问题	2010 年农政基本计划	2000 年农政基本计划
农村振兴	农业从事者的减少及老龄化	培育、确保有务农欲望及多样性的农业生产者＝导入户别收入补偿制度→培育、确保具有竞争力的农业经营体＋适地适耕政策＋缓和新务农者土地获取规制	培育、确保有务农欲望及能力的农业生产者＝导入经营安定对策→明确生产者＋集中重点支援＋推进法人化＋培育、确保人才
多面性机能	农业生产及收入减少	确保向生产可能的经营政策转换＝防止农业生产的超成本现象＋整备环境，使所有有务农欲望的农业生产者能够继续务农→灾害补助＋整备基干用水设施	促进经营安定对策＝品种横断性政策→着眼点放在经营体整体之上、导入调整价格的直接补偿政策＋农业灾害补助
可持续性发展	农地面积减少	制定确保优良农地及其有效利用政策＝严格农地转用规制＋消除放弃耕种地→确保优良农地、扩大耕种面积→提高耕地利用率	促进农地的有效利用＝促进农地向生产者及新务农者汇集＋防止、消除放弃耕种现象发生＋确保优良地及其有效利用
食品安全供给	农产品自给率降低	农产品自给率提高至 50％＝导入户别收入补偿制度→依靠进口原料的食品改用国产原料＋扩大大米消费量①	农产品自给率平成 22 年达到 45％＝扩大国产农产品消费＋理想农产品消费＋食品产业与农民的协作

注：根据農林水産省「2000 年度農政基本計画」、「2010 年度農政基本計画」制成。

第一，新农基法的施政目标表明，今后的农政将以促进“国民生活的

① 小麦 88 万吨→180 万トン＋米粉用米 0.1 万吨→50 万吨＝1 成→4 成；飼料用米 0.9 万吨→70 万吨＝26％→38％；大豆 26 万吨→60 万吨＝3 成→6 成；扩大主食用米消費＝改善不进早餐的 1700 万人的饮食习惯。

安定提高及国民经济的健全发展"为目标。可以认为该政策将从过去的"为农业及农民而实施"转向"为所有消费者及国民经济而实施"。以"消费者"为主体就必须"保障食品的安全供给";以"国民经济的健全发展"为主体,就必须"发挥农业的多面性机能",争取"农业的可持续性发展",促进"农村的振兴"。以上两个政策目标的实现,必须以保证稳定的国际贸易关系为基础。因此可以说新农基法农政的政策实施重点在于上述"保障食品的安全供给"、"发挥农业的多面性机能"、争取"农业的可持续性发展"、促进"农村的振兴"这四点之上,同时其中每一点均与国际贸易环境有着不可分割的关系。

第二,1999 年新农基法出台后,日本农政在《2000 年度农政基本计划》下实施,然而序章中表 1 所示数字表明,21 世纪新农政并未能使日本农业中存在的四个主要问题出现任何缓解。同时《2010 年度农政基本计划》中,除实施"户别收入补偿制度"与提高农产品自给率目标之外,并未出现更大的根本性改变。很难想象如此缺乏新意的政策调整,能够使长期以来困扰日本农业的问题得到圆满的解决。

二、保护农业与保护农民的错位

包括日本人在内的很多人都认为日本是农业保护大国,其农业保护水平极高,然而事实并非如此。理清这个问题,必须从几个层面对其进行具体分析。首先,国际上对各国农业保护度的衡量标准。1987 年经济合作开发机构(OECD)制定了"农业保护指标 PSE=生产者支持评价",用来计算各国的农业保护率。图 12-1 是该机构公布的 2010 年各主要国家农业保护率,正中间的曲线是该机构加盟国的平均值。该图所示内容表明,20 多年来在世界主要国家中,日本的农业保护水平的确一直处于最高水平。

然而,问题的关键在于该 PSE 是指"政府补助在农业生产者的农业收入中所占比例",而政府补助部分不仅包括政府的财政支援,同时包括

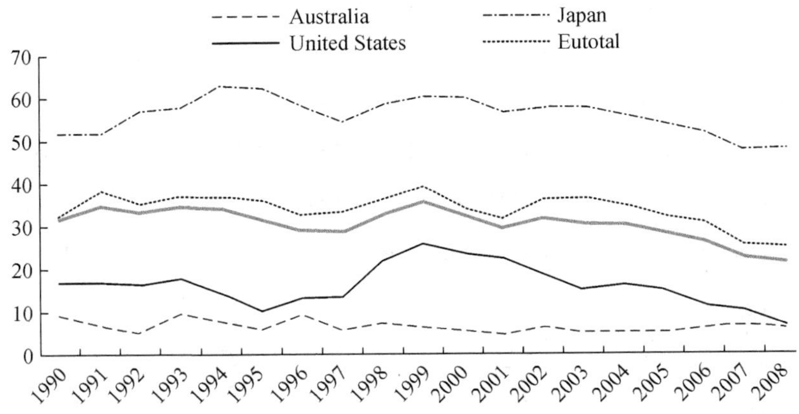

图 12－1 OECD 2010 年发表《主要国家农业保护指标》(单位:%)

注:引自经济合作开发机构官方网站,http://www.oecd-ilibrary.org。

关税在内的所有政府价格管理造成的农业增产额。由于该计算方法忽略了农产品出口国与进口国立场之差,农产品对不同国家的重要性之差,乃至不同国家的气候、土地条件之差,受到农产品进口国的强烈反对。1993 年 GAAT《乌拉圭回合农业协议》签订,其中农业保护的"综合性衡量尺度 AMS＝支持总额评价"出台。该衡量标准将政府补助部分重新界定为"应削减的国内支持总额＝黄箱支持政策①,即市场价格支持＋应削减的农业补助金"。该协议对应削减的国内支持总额制定了明确的削减目标,即 1995—2000 年度迄的 6 年间,各国的黄箱国内支持总额削减至 1986—1988 年平均水平的 20%。之后 2001 年 11 月召开的 WTO 多哈回合,制定了新的黄箱支持的削减目标,以 1995—2000 间国内支持平均值为标准,美国削减 60%,日本削减 70%。如果用该衡量标准衡量日本的农业保护率,则会得出完全不同的结果。图 12－2 是多哈

① 对农产品贸易及农业生产产生直接影响的农业补助政策,该种政策被称为"黄箱政策"。黄箱政策之外的农业补助政策被称为"绿箱政策",指对农产品贸易及农业生产不产生直接影响的农业保护政策。包括农业研究、教育、技术普及、土地改良、农村及农业基础设施建设、国内粮食援助、粮食储备、环境保护等政策,以及与上述相关的政府财政支出,以上均不计入衡量标准。

回合后，各主要国家的国内支持水平统计。其中浅色部分表示农业生产总额，中间色部分表示多哈回合削减目标，深色部分表示当年黄箱支持（AMS）。对该表中具体数字进行分析可以得出以下结论：1. 日本2004年的黄箱支持水平为7%，仅为多哈回合标准的15%，达到削减85%的水平；2. 2004年日本的AMS虽高于美国的5%，但却低于EU的12%。值得注意的是，日本黄箱支持的削减率高于美国的32%及欧盟的54%。

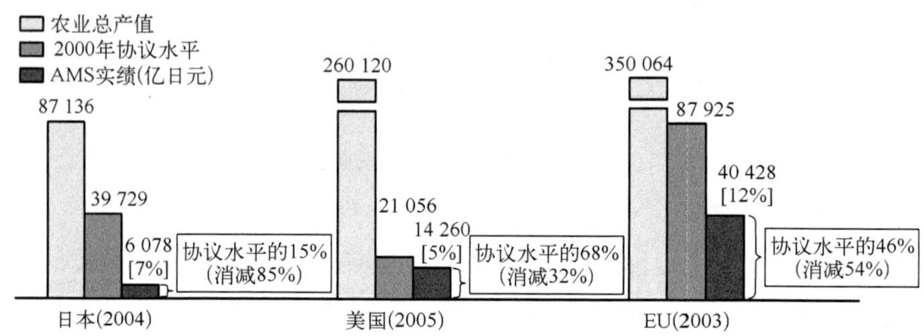

图12－2　多哈回合后日、美、欧盟黄箱国内支持总额及支持率的变化

注：引自日本农林水产省官方网站，http://www.maff.go.jp/j/kokusai/taigai/wto/pdf/ref_data.pdf。

其次，对PSE及AMS的具体分析。如上所述，日本的农业保护度，根据不同的衡量标准出现两种截然不同的结果。必须指出，经济合作机构的PSE值的内容，涵括了政府对农业的所有保护政策的内容；而WTO的AMS值，则将着眼点置于具有歪曲农产品贸易及农业生产自由度的可能性的农业保护政策之上，其意图在于对上述保护政策进行过滤及削减。可见问题的关键在于如何在允许的范围内采取有效的农业保护政策，以保证本国农业生产的可持续性发展；毫无疑问日本农基法农政实施以来的农业政策，特别是农业保护政策，虽几经改革但对保证农业生产的可持续性发展问题没有起到任何效果。

应该说，日本农业保护政策失败的主要原因是，过去很长一段时期，日本农业保护政策中存在严重错位，其重点被单纯地放在农民保护之上，具体表现为：(1) 大米生产调整政策＝“减段政策”。该政策并非通过支持农业生产达到保证农民收入之目的，相反采取生产调整政策，通过调整大米生产总量，保证大米市场价格稳定，借以保证农民收入水平。然而，针对以上政策实施造成的减耕后农地利用问题，政府却未能采取有效的措施，导致农地休耕现象严重。(2) 扩大农业生产规模政策。实施大规模农业经营是农水省多年的夙愿，但在促进农地流转问题上，却迟迟达不到政策预期的效果。原因仍在于农地法中存在的“耕者有其田”的自耕农理念。为了保证农民对土地的权利，农地法对农地的所有及使用权均做了相应的规制，导致促进农地流转的政策缺乏整合性，因而达不到政策预期的效果。

三、“第六产业化”能否拯救日本农业

1996 年 11 月发表的《月刊地方建设——摸索新型农业》①中，刊登了东京大学名誉教授、著名农业经济学家今村奈良臣教授题为《通过创造第六产业将农业打造为 21 世纪的尖端产业》②一文，率先提出日本农业的“第六产业化”概念。今村在文章中指出:第六产业这一概念是我最近的提议，是指“第一产业、第二产业、第三产业之和”，我认为“迄今为止的农业仅仅承担着农业的生产过程，并不包括属于第二产业的农产品加工及食品加工部分，同时肥料生产等亦被食品制造业或肥料品牌吸收，并且农产品的流通、农业信息及服务等第三产业部分，被归入批发、零售及信息服务企业范畴。现在应该尽最大可能把以上产业吸收到农业中来”。2011 年 3 月 1 日，日本《第六产业法》③，即《促进农林水产业者利用地方资源创造新事业以及促进地方农林水产品利用的相关法律》出台。该法为促进农山渔村的第六产业化而制定，以建设农林渔业生产者

① 原文『月刊地域作り一特集「新しい農業への模索」』，1996 年 11 月第 89 号，http://www.chiiki-dukuri-hyakka.or.jp/book/monthly/index.htm

② 原文「第六次産業創造を21 世紀農業を花形産業にしよう」。

③ 原文「第六次産業法」，又称「地域資源を活用した農林水産業者等による新事業の創出等及び地域の農林水産物の利用促進に関する法律」。

对农林水产品及其副产品进行生产、加工以及贩卖的一体化为目标,该法的成立预示着日本农业的第六产业化正式开始。

关于实施农业的第六产业化,农水省在《平成21年度食品·农业·农村白书》(2009年度)中做了明确说明:"由于农业、农村活力的降低,我国整体最终饮食费趋于减少倾向,其在国内农林水产业中所占比例从1980年的25.7%、1995年的14.2%降至2005年的12.8%。今后必须促进农业与农村的再生、活性化……有效利用农林水产品等农村资源。因此,由农业部门主导的生产、加工、贩卖一体化的形成——第一产业的农业、第二产业的制造业、第三产业的贩卖业融为一体的地方商机"的形成非常重要。由此可见,农业第六产业化政策的目的,在于促进农业及农村的再生及其活性化;具体方法是联合食品产业、贩卖业及服务业,利用地方农林水特产品以及景观等创造商机,同时创造就业机会、扩大农业生产、促进农村活性化,提高农产品自给率。

事实上,《第六产业法》出台前,由各地方主导的农业第六产业化已经开始。2010年6月农水省生产局公布的《第六产业化项目事例集》中,记载了全国47个都道府县的125项成功事例,其中包括加工、产地贩卖、餐饮、长期签约、出口、研究成果利用等多种形式,为当地农民创造了就业机会,带来了非常可观的效益。除此之外,为了第六产业化的顺利进行,2007年起农水省与经产省联合发起了"农商工联合计划",为农林水产业创造寻找具有加工、贩卖等技术知识的合作伙伴的机会。表12-3是该计划的具体实施内容及成功件数。表中数字表明,成功率最高的是通过增加农产品的用途,扩大地方农林水产品的需求,占总成功件数的43%;可见通过利用具有地方特色的农产品生产更具附加价值的产品,能够很好地扩大农产品的需求,进而达到提高农产品自给率的目的。值得注意的是,因海外出口带来的市场扩大成功件数5期共6件,在总成功318件中仅占不到2%的比例;可见在扩大日本农产品的出口贸易问题上,仍需寻找更好的机会与方法。

表 12－3　农林水产省与经济产业省历次农商工联合计划实施概况(单位:件)

内容	第一期	第二期	第三期	第四期	第五期	计
疵品及未利用农产品的加工利用	13	8	14	6	19	60
因明确生产履历及低农药栽培使价值增加	5	6	13	5	7	36
因利用新品种特点使需要增加	7	6	2	18	17	50
因新增用途使地方农林水产品需要增加	27	24	34	28	24	137
因利用 IT 等新技术实现的贩路扩大	7	1	3	7	0	18
旅游观光等活动带来的销路扩大	3	2	4	1	1	11
因海外出口带来的销路扩大	2	2	1	0	1	6
合计	64	49	71	65	69	318

注:根据農林水産省『平成 21 年度食品・農業・農村白書』制成。其中第一期＝2008 年 6—9 月,第二期＝2008 年 10—12 月,第三期＝2009 年 1—3 月,第四期＝2009 年 4—7 月,第五期＝2009 年 8 月—2010 年 1 月。

以上农业的第六产业化努力,无疑对促进农业、农村的活性化有着一定的作用;特别是农业生产与食品工业的接轨,对促进食品产业利用国内农产品进行生产、加工,提高农产品自给率,能够起到一定的作用。但是,如表 12－4 中食品制造业原料购入途径所示,国产农产品原料的使用额,从 1990 年的 8.5 兆日元降至 2005 年的 5.8 兆日元,该减少并不伴随进口原料购入额的增加;同时虽一次加工原料的进口数额渐增,但是食品制造业原料的总购入额处于减少的趋势,这说明该市场本身有可能开始进入收缩状态。另外,国产农产品销往饮食业的数额一度呈上升状态之后转为下降趋势,并且其直接面向市场的销售额也在减少。在此,可以清楚地看出国产农产品在国内销售市场的收缩内容。以上分析表明,农业的第六产业化虽然在一定程度上能够促进农业及农村的活性化,但由于国内食品制造业生产总量处于下降状态,因此政策是否具有使日本农业复苏、提高农产品自给率之效果，仍有待今后的持续观察。

表 12－4　主要农产品销售路径及食品制造原料购入路径（单位：10 亿日元）

内容	1990 年	1995 年	2000 年	2005 年
国产农产品销售路径、直接消费	40000	37000	35000	30000
食品制造业	85000	74000	64000	58000
饮食业	5000	7000	7000	6000
食品制造原料购入路径、国产	85000	74000	64000	58000
进口	8000	7000	7000	7000
一次加工品进口	11000	11000	12000	14000

注：根据農林水産省『平成 21 年度食料・農業・農村白書』制成。

主要参考文献

史料

1.『御触書寛保集成』,岩波書店,1958 年。

2.『徳川禁令考　巻四十三』,日本国立国会図書館所蔵。

3. 児玉幸多編『近世農政史史料集』上、下,吉川弘文館,1968 年。

4. 野田只夫編『丹波の国山國荘史料』,史籍刊行会,1958 年。

5. 若木近世近世史研究会編『条令拾遺』第 46 号,若樹書房,1959 年。

6. 農山漁村文化協会編『日本農書全集』第 28 巻,農山漁村文化協会,1978 年。

7. 土屋喬雄校訂『農業全書』,岩波書店,1936 年。

8.『堂島旧記　巻一』,日本国立国会図書館所蔵。

9. 大阪市参事会編『大阪市史　第 3 巻』,大阪市参事会,1913 年。

10. 日本思想大系第 36 巻『荻生徂徠』,岩波書店,1970 年。

11. 明治文献資料刊行会編『明治前期産業発達史資料　第 1 集』,明治文献資料刊行会,1959 年。

12.『法令全書』,日本国立国会図書館所蔵。

13. 大内兵衛・土屋喬雄編『明治前期財政経済史料集成』,原書房,1979 年。

14. 福島正夫著『本邦地租沿革解題』,お茶の水書房,1977 年。

15.「農林センサス累年統計」,日本農林水産省ホームページ。

16. 斎藤萬吉著『実地経済農業指針　日本農業の経済的変遷』,農文協,1976 年。

17.『太政類典・第四編・明治十三年・第二十八巻・産業・工業』,日本国立公文書館所蔵。

18. 農商務省農務局第一課編『農事調査表　巻1』,農業書誌研究会,1958年。

19. 農林省農務局『明治前期勧農事蹟輯録　上巻』,長崎出版社株式会社,1975年。

20. 日本統計研究所編『日本経済統計集明治・大正・昭和』,日本評論新社,1958年。

21. 朝日新聞社編『日本経済統計総観』,朝日新聞社,1930年。

22. 内閣統計局監修『日本帝国統計全書』,東京統計協会,1928年。

23. 日本銀行調査局編『日本金融史資料—明治・大正』下巻,大蔵省印刷局,1955年。

24. 農林省農務局編『本邦農業要覧』,大日本農会,1931年。

25. 農林水産省「平成30年農業構造動態調査」,2018年。

26. 農林水産省『農業白書』、『食料・農業・農村白書』。

27. 『帝国議会衆議院議事速記録』,『国会衆議院議事速記録』。

28. 服部之総・小西四郎監修『史料近代日本史　農民問題史料　明治農業論』,創元社,1995年。

29. 江見康一・塩野谷裕著『長期統計7財政支出』,東洋経済新報社,1966年。

30. 明治財政史編纂会編『明治財政史』,丸善,1905年。

31. 総務省統計局編『第六十七回日本統計年鑑』,総務省統計局,2018年。

32. 朝日新聞社編『日本経済統計総観』,朝日新聞社,1930年。

33. 農林省農務局編『小作制度ニ関スル各調査会ノ経過概要』,農林省農務局,1926年。

34. 日本銀行調査局編『本邦経済統計』,日本銀行調査局,1942年。

35. 農林省経済更生部編『農家経済調査報告』,農林省経済更生部,1939年。

36. 日本銀行調査局編『満州事変以後の財政金融史』,日本銀行調査局特別調査室,1948年。

37. 商工大臣官房調査課編『工場統計表　昭和1—15年』,内閣印刷局,1940年。

38. 内務省社会局社会部編『国民更生運動調査資料』,社会局社会部,1934年。

39. 国立国会図書館調査立法考査局編『農業法除菌政策の推移』,冊,1950年。

40. 農林省監修・農地改革記録委員会編纂『農地改革顛末概要』,農政調査会,1951年。

41. 経済産業省『経済白書』。

文献

1. 杨栋梁著《近现代日本经济史》,世界知识出版社,2010年。

2. 東畑精一・宇野弘蔵著『日本資本主義と農業』,岩波書店,1959 年。

3. 本日の日本資本主義編集委員会編『講座本日の日本資本主義第 8 巻　日本資本主義と農業・農民』,大月書店,1982 年。

4. 大内力著『日本資本主義の農業問題』,日本評論社,1948 年。

5. 大内力著『日本農業論』,岩波書店,1978 年。

6. 大内力著『農民層の分解』,東京大学出版会,1969 年。

7. 大内力著『日本農業の論理』,日本評論社,1949 年。

8. 大内力著『農業経済論』,薩摩書房,1967 年。

9. 歴史科学評議会編『歴史科学大系第 9 巻　日本資本主義と農業問題』,校倉書房,1976 年。

10. 井野隆一著『現代日本資本主義と農業問題』,大月書店,1975 年。

11. 古島敏夫著『資本制生産の発展と地主制』,お茶の水書房,1963 年。

12. 古島敏夫著『日本農業史』,岩波書店,1956 年。

13. 暉峻衆三著『日本農業の150 年　1850～2000 年』,有斐閣,2003 年。

14. 暉峻衆三著『我が農業問題研究の軌跡　資本主義から社会主義への模索』,お茶の水書房,2013 年。

15. 東井正美・暉峻衆三著『日本経済と農業問題』,ミネルヴァ書房,1991 年。

16. 近藤康男著『農業経済論　資本主義と農業』,時潮社,1934 年。

17. 服部之総・小西四郎監修『明治農業論集』,創元社,1955 年。

18. 持田恵三著『農業の近代化と日本資本主義の成立』,お茶の水書房,1976 年。

19. 西山武一・大橋育英著『農業構造と農民層分解』,お茶の水書房,1969 年。

20. 小山弘健・山崎隆三著『日本資本主義論争史』,こぶし文庫,2014 年。

21. 坂本楠彦著『日本農業の経済法則』,東京大学出版会,1956 年。

22. 宮本又次編『商業的農業の展開』,有斐閣,1960 年。

23. N・KULNGIN 著・石黒寛訳『資本主義と農業問題』,大月書店,1955 年。

24. 長妻廣至著『補助金の社会史』,人文書院,2001 年。

25. 農業発達史調査委員会編『日本農業発達史』,中央公論社,1955 年。

26. 福島正夫著『地租改正の研究』,有斐閣,1962 年。

27. 山田盛太郎著『日本資本主義分析』,岩波書店,1934 年。

28. フェスカ著『日本地産論　日本農業及北海道植民論』,農文協,1975 年。

29. エッゲルト著『日本振農策』,農文協,1975 年。

30. 農業発達史調査会編『日本農業発達史』,中央公論社,1953 年。

31. 今村奈良臣著『補助金と農業・農村』,家の光協会,1978 年。

32. 今村奈良臣著『現代農地政策論』,東京大学出版会,1983 年。
33. 社会政策学会編『小農保護問題』,農山魚村文化協会,1976 年。
34. 北島正元著『土地制度史Ⅱ』。
35. 暉峻衆三著『日本農業 100 年の歩み』,有斐閣ブックス,1996 年。
36. 加藤一郎・阪本楠彦著『農本農政の展開過程』,東京大学出版会,1967 年。